Italies imaginaires du Québec

Placée sous la responsabilité du CÉTUQ, la collection Nouvelles études québécoises *accueille des ouvrages individuels ou collectifs qui témoignent des nouvelles voies de la recherche en études québécoises: définition ou élection de nouveaux projets, relecture de classiques, élaboration de perspectives théoriques originales, questionnement des postulats historiographiques et réaménagement des frontières disciplinaires y cohabitent librement.*

Sous la direction de Carla Fratta
et Élisabeth Nardout-Lafarge

Italies imaginaires du Québec

NOUVELLES ÉTUDES QUÉBÉCOISES

FIDES

Nous remercions vivement Frédérique Bernier pour son aide dans la préparation du manuscrit.

En couverture : Alain Grandbois, [sans titre], technique mixte, collection privée Dʳ Pierre d'Auteuil.

Données de catalogage avant publication (Canada)

Vedette principale au titre :

Italies imaginaires du Québec

(Nouvelles études québécoises)
Comprend des réf. bibliogr.

ISBN 2-7621-2406-9

1. Québec (Province) - Vie intellectuelle - Influence italienne.
2. Québec (Province) - Civilisation - Influence italienne.
3. Littérature québécoise - Influence italienne.
4. Arts canadiens - Québec (Province) - Influence italienne.
5. Italie dans la littérature.
6. Italie dans l'art.
I. Fratta, Carla. II. Nardout-Lafarge, Élisabeth, 1957- .
III. Collection : Nouvelles études québécoises

FC2919.I82 2003   306'.09714   C2003-940335-1
F1052.I82 2003

Dépôt légal : 2ᵉ trimestre 2003
Bibliothèque nationale du Québec
© Éditions Fides, 2003.

Les Éditions Fides remercient de leur soutien financier le ministère du Patrimoine canadien,
le Conseil des Arts du Canada et la Société de développement
des entreprises culturelles du Québec (SODEC).
Les Éditions Fides bénéficient du Programme de crédit d'impôt pour l'édition
de livres du Gouvernement du Québec, géré par la SODEC.

IMPRIMÉ AU CANADA EN AVRIL 2003

L'invention de l'Italie

ÉLISABETH NARDOUT-LAFARGE ET CARLA FRATTA

À L'ORIGINE DE CE LIVRE[1], se trouve l'intuition que le Québec entretient avec l'Italie un rapport singulier, rapport dans lequel on peut imaginer qu'entrent, en proportions variables, le goût des arts commun aux milieux cultivés d'où qu'ils soient, l'ancienne adhésion au catholicisme dont Rome incarne le centre, et l'expérience, surtout montréalaise, d'une immigration implantée de longue date. À l'intérieur de ces paramètres, le Québec se serait inventé, avons-nous pensé, une Italie spécifique, conforme aux besoins particuliers de son imaginaire, fidèle aux représentations de ses idéologies successives, marquée par les aléas de son histoire propre[2]. Dans quelle mesure les différentes contributions que rassemble cet ouvrage viennent-elles confirmer notre hypothèse?

1. Le projet de cet ouvrage est né dans le cadre des échanges interuniversitaires qui unissent, depuis une vingtaine d'années, l'Université de Montréal et l'Université de Bologne, et plus spécifiquement, le Centre d'études québécoises de l'Université de Montréal (CÉTUQ) et le *Centro Interuniversitario di Studi Quebecchesi* de l'Université de Bologne fondé par Franca Marcato Falzoni. Nous tenons à remercier de leur soutien financier la Direction des Relations internationales de l'Université de Montréal et le Vice-rectorat aux relations internationales de l'Université de Bologne.
2. Notre entreprise se situe dans le droit fil d'autres recherches récentes, menées en Italie notamment; citons, parmi d'autres exemples, le colloque «Regards francophones sur l'Italie» tenu à Turin en avril 1997 et l'ouvrage collectif de Jean-Paul DUFIET et Alessandra FERRARO (dir.), *L'Europe de la culture québécoise*, Udine, Forum, Editrice Universitaria Udinese Srl, 2000.

Certes, au cours des deux derniers siècles, l'Italie participe, au moins en tant que désir ou fantasme, de cette aspiration à la culture humaniste européenne qui caractérise les milieux instruits au Québec, comme c'est le cas aussi dans le reste de l'Amérique, et vraisemblablement dans toutes les sociétés que l'historien Gérard Bouchard appelle des «collectivités neuves»:

> Les élites socioculturelles y sont, écrit-il, littéralement hantées par le sentiment d'appartenir à une société improvisée, d'une grande pauvreté culturelle par rapport à l'Europe, sans racine et sans tradition, privée de la consistance et du prestige que confère l'ancienneté. On pourrait même dire qu'elles se sont fait une vocation de combler ce déficit de civilisation par la littérature et par les arts, dans la construction de la mémoire et le développement de la pensée, pour qu'un jour le Nouveau Monde puisse enfin se prétendre l'égal de l'ancien[3].

Ainsi les splendeurs artistiques de l'Italie valent d'abord à la mesure du manque qu'elles viennent combler. Ce manque est-il plus âpre d'être éprouvé depuis la «nouveauté» américaine ou depuis la nordicité scandinave, du petit village canadien où Grandbois souhaitait mourir et dont il taisait le nom, ou du fond de «l'exiguïté revêche» de certaines provinces françaises[4]? Il faudrait poser la question aux innombrables voyageurs amoureux de l'Italie.

Issu de la bourgeoisie canadienne-française aisée, Alain Grandbois incarne bien cette élite cultivée pour qui le voyage en Europe, avec son indispensable escale en Italie, fait partie de l'*habitus* familial. Aussi est-ce avec ses parents et assez jeune qu'il séjourne pour la première fois sur la péninsule, comme le rappelle ici Nicole Deschamps. Sa relative désinvolture tient-elle au fait que Florence et ses beautés lui sont ainsi offertes parmi d'autres plaisirs de vacances? Marie-José Thériault, à qui quelques-unes

---

3. Gérard Bouchard, *Genèse des nations et cultures du Nouveau monde. Essai d'histoire comparée*, Montréal, Boréal, 2000, p. 22.

4. Pierre Bergounioux, *La Mort de Brune*, Paris, Gallimard, coll. «Folio», 1996, p. 88.

des œuvres les plus emblématiques de la peinture italienne inspirent les impertinentes nouvelles qu'analyse Carla Fratta, s'autorise
peut-être cette jubilation iconoclaste d'une fréquentation ancienne
et également familiale de l'Italie où son père, le romancier Yves
Thériault, a séjourné. D'autres découvrent l'Italie plus tard et par
eux-mêmes. C'est le cas de Hubert Aquin et Normand de Bellefeuille pour qui, ainsi que le montre Gilles Dupuis, elle reste, au-
delà des jeux savants auxquels elle donne lieu, inséparable de la
mort. Dans les textes de Pauline Harvey qu'étudie Anna Paola
Mossetto, l'Italie inspire, à l'inverse, une jouissance ludique de
chaque instant.

Ce n'est pas seulement par la confrontation avec la réalité que
l'Italie est présente aux écrivains et aux artistes québécois mais
aussi par la médiation des livres, du livre. Grandbois qui, selon
Nicole Deschamps, a manqué Gadda son contemporain, décou-
vrira en Chine le livre, pour lui essentiel, de Marco Polo. Marie-
Claire Blais retrouve dans *Soifs*[5] la fonction matricielle de *La
Divine Comédie* et le deuxième volet de la trilogie, *Dans la foudre
et la lumière*[6], confirme l'hypothèse que propose ici Anne de
Vaucher Gravili sur le rôle d'hypotexte que joue dans cette œuvre
L'Enfer de Dante. Mais cet *enfer*, que la romancière hantée par le
Mal réactualise dans ses romans visionnaires où elle met en scène
le grand désordre contemporain, a transité par *Se questo è un uomo*
de Primo Levi[7]. Dans cette perspective, l'Italie de toutes les beautés, celle où va mourir le personnage de l'écrivain Jean-Mathieu,
oppose à la barbarie une réponse douloureusement dérisoire.

Ces voyageurs succèdent à d'autres, plus anciens, oubliés
parfois, surtout lorsque leur itinéraire s'écarte sensiblement des
chemins prescrits. À cet égard, on comparera les remarques des
pèlerins obéissants, dont Pierre Rajotte analyse les écrits, à celles
d'un solitaire sans doute plus audacieux, l'essayiste Edmond de
Nevers dont Hans-Jürgen Lüsebrink présente les lettres de Rome

---

5. Montréal, Boréal, 1997.
6. Montréal, Boréal, 2001.
7. *Si c'est un homme*, Paris, Julliard, 1987 pour la traduction française.

et de Venise. La position d'Edmond de Nevers est en effet doublement singulière, à la fois par l'intérêt qu'il porte à la réalité contemporaine de l'Italie et aux questions sociales et politiques qu'elle suscite pour lui, et parce que, arrivant en Europe, il prend soin de contourner la France et Paris où il séjournera plus tard, dans un périple qui le conduit en Allemagne, en Autriche et en Italie.

L'exemple de Nevers éclaire peut-être une autre fonction de l'Italie dans l'économie imaginaire du Québec, celle d'offrir une échappatoire à l'étouffante confrontation avec la France. On peut penser que l'Italie permet en effet d'interposer entre le Québec et l'Europe une étrangeté plus sensible, assurée par la distance de la langue, là où la France, et surtout Paris, enferme le voyageur, particulièrement celui du XIXᵉ siècle, dans le carcan d'un rapport de colonie à métropole, surdéterminé par la question de l'origine. En Italie en revanche, les métaphores familiales, qu'il s'agisse de la mère patrie ou des lointains cousins, cessent de s'appliquer et les voyageurs venus du Québec peuvent être vraiment étrangers. C'est du moins ce que souhaite Edmond de Nevers.

Il y a pourtant plusieurs points communs entre le rapport que le Québec entretient avec la France et celui qu'il noue avec l'Italie. « Rome et Paris furent ainsi nos deux capitales », dit Jacques Allard[8]. L'épisode des zouaves pontificaux sur lequel se penche Robert Melançon rappelle que, comme il y eut pour les Canadiens français deux Frances, l'une éternelle, fille aînée de l'Église, et l'autre, révolutionnaire, régicide, et plus tard punie d'avoir chassé les prêtres, le XIXᵉ siècle ultramontain opposera également deux Italies, la première éternelle elle aussi, celle de Rome et des États pontificaux, et la seconde, garibaldienne, rouge, « racaille du nord et du sud », selon les textes que cite Robert Melançon. S'il est

---

8. *L'Italien, de langue de culture à langue de communication*, Actes du colloque tenu à l'Université de Montréal le 3 novembre 2000, Ministère des Affaires étrangères du Canada, Consulat général d'Italie, Institut culturel italien de Montréal, Ministère de l'Éducation et des Relations internationales du Québec, 2000, p. 24.

évident que le débat des ultramontains et des libéraux conditionne de manière prévisible l'interprétation que le Canada français fait alors des événements européens, la lecture de textes moins connus, tel ce récit d'un voyage à Bologne de Mgr Joseph-Octave Plessis que nous donnons en appendice, permet de nuancer quelque peu les partis pris. En effet, le devoir d'obéissance et de réserve auquel il est astreint n'empêche pas le prélat de critiquer l'administration peu éclairée des papes récents. À Bologne *la grasse*, où le profane Neptune lui paraît faire quelque ombrage à la statue de San Petronio, l'évêque de Québec est surtout frappé par le cimetière, qui satisfait autant son goût esthétique par la finesse des sculptures de marbre que son sens pratique par l'efficacité de son fonctionnement. Une sorte d'hygiène urbaine de la mort préoccupe le bon abbé, comme d'ailleurs nombre de ses contemporains européens.

L'Italie a donc été d'abord, pour le Canada français, le centre de la chrétienté. Par le relais de la religion, Rome a, pour le Québec du XIXe siècle, autant que Paris et parfois plus, le statut de métropole et, à ce titre, représente et médiatise l'universalité. Pendant longtemps, les échanges passent presque exclusivement par les réseaux ecclésiastiques, ce dont témoigne le corpus qu'analyse Pierre Rajotte. Comme le signale Robert Melançon, l'architecture religieuse de Montréal emprunte à cette Italie papale, référence absolue du clergé ultramontain. Des artistes italiens ou formés en Italie décorent les nombreuses églises que l'épiscopat montréalais fait alors ériger, pour faire de la ville cette «Rome en raccourci» qu'exalte E. Lef. De Bellefeuille, cité par Robert Melançon.

Les modalités de cette fervente appropriation ne sont pas sans rappeler l'épigonisme qui a marqué aussi le rapport avec la France. Cette imitation inspire à Jacques Ferron, toujours caustique, une historiette datée de 1955, «un Vatican tout fait», dans laquelle deux paroissiennes canadiennes-françaises renoncent, par bon sens et souci d'économie, à leur vœu que le prochain pape soit canadien en reconnaissant qu'à tout prendre, il vaut mieux rentabiliser «le Vatican tout fait» de Rome, en continuant d'élire un pape italien plutôt que de se voir contraint d'en ériger un autre, forcément très coûteux, à Montréal[9].

Le même Ferron évoque, dans *L'Amélanchier,* un aïeul :

> Le premier à sortir du bois, dernier enrôlé du Saint-Père, se mettra zouave moins pour aller à Rome que pour monter dans le ciel mauricien ; il se traîna si bien les pieds qu'il arriva en Italie les combats finis. Sa bravoure assura sa fortune mais son nom n'est mentionné que dans les Zouavianas très locaux[10].

L'aventure des zouaves pontificaux, qui illustre surtout l'extrême zèle de l'épiscopat canadien-français, au sens propre plus catholique que le pape, permet de mesurer le courage qu'il aura fallu au jeune Arthur Buies (qui, à ce moment-là, il est vrai, vit à Paris) pour s'engager du côté de Garibaldi, et le panache que le futur pamphlétaire de *La Lanterne canadienne* retirera de l'expérience.

Sans doute cette familiarité avec l'Italie favorisée par le contexte religieux est-elle intervenue, à divers degrés, dans l'intégration des nombreux immigrants italiens dont Bruno Ramirez retrace l'implantation au Québec. Quiconque en effet visite Montréal constate vite à quel point la présence italienne est constitutive du tissu urbain, bien au-delà de la Petite Italie, aussi bien dans l'architecture, la toponymie que les habitudes alimentaires, pour ne citer que les secteurs les plus visiblement transformés par l'apport des immigrants italiens. Entre autres signes de cette « réciprocité inédite » que souligne Fulvio Caccia cité ici par Pierre L'Hérault, Jean-Talon est devenu, pour les Montréalais, un nom italien. Comme le rappelle Bruno Ramirez, l'histoire de cette

---

9. Jacques FERRON, « Un Vatican tout fait », dans *Textes épars (1935-1959),* Édition préparée par Pierre CANTIN, Luc GAUVREAU et Marcel OLSCAMP et présentée par Jean-Pierre BOUCHER, Montréal, Lanctôt Éditeur, coll. « Cahiers Jacques-Ferron », 2000, p. 174-176.

10. Jacques FERRON, *L'Amélanchier,* Montréal, VLB Éditeur, 1970, p. 73. Cité par Pierre L'HÉRAULT, « L'Europe sous le regard oblique de Jacques Ferron », dans *L'Europe de la culture québécoise, op. cit.,* p. 20.

communauté, ses luttes, ses habitudes et ses contradictions ont inspiré les films de Paul Tana, *Caffè Italia*, *La sarrazine* et *La déroute*[11]. On en perçoit aussi les échos dans les récits, recueils de poèmes et pièces de théâtre d'écrivains italo-québécois, Marco Micone, Antonio D'Alfonso, Tiziana Beccarelli-Saad notamment. Selon Pierre L'Hérault, les intellectuels italo-québécois regroupés autour de la revue trilingue *Vice versa* jouent un rôle de premier plan dans le processus de redéfinition identitaire à l'œuvre dans le Québec des années quatre-vingt. Voisinage ancien et, il faut le rappeler, houleux parfois — « [...] il m'a montré une pancarte qu'il avait arrachée devant l'entrée d'une maison voisine sur laquelle il est écrit : « "Pas de chiens, pas d'Italiens" », lit-on dans *Le figuier enchanté* de Marco Micone[12] — l'Italie du Québec est d'abord au coin de la rue. C'est celle des jardinets minuscules où poussent les tomates et les lauriers roses, des ruelles fleuries, des mariages somptueux photographiés au Jardin botanique.

Dans *Caffè Italia*, Paul Tana filme avec humour cette Petite Italie, sans masquer la frustration des immigrants de la deuxième ou troisième génération, révoltés qu'on limite leur identité à cette fixation parfois caricaturale des Italies de l'origine ; Italies plurielles en effet puisque les cultures et les langues régionales se sont transmises dans l'émigration. De longues fréquentations de cette Italie-là ont sûrement modelé l'italianité qui a cours au Québec, si quotidiennement présente à Montréal qu'on ne la voit plus ; un peu comme on ne reconnaît pas d'abord Mussolini à cheval représenté à droite de la fresque très peuplée qui orne la coupole de l'Église Notre-Dame-de-la-Défense. Ce *duce* anachronique fait partie du paysage montréalais, souvenir du temps, remémoré dans *Caffè Italia*, où les sections des différents quartiers défilaient en chemises noires, avec vraisemblablement l'assentiment d'une bonne partie de la population catholique, jusqu'à ce que la guerre

11. Paul TANA, *Caffè Italia*, scénario de Paul TANA et Bruno RAMIREZ, Montréal, ACPAV, Montréal, 1985 ; *La sarrazine*, Montréal, Aska Film Distribution, 1992 ; *La déroute*, Montréal, Films Lions Gate Ciné-Maison, 1999.
12. *Le figuier enchanté*, Montréal, Boréal Compact, 1992, p. 38.

fasse des fascistes italiens des ennemis du Canada. Il faut quelquefois, pour voir ce que la trop grande visibilité semble avoir rendu invisible, l'indignation d'un visiteur étranger, un Italien d'Italie par exemple ; il faut aussi relire les pages colériques de Marco Micone sur les « leaders de la communauté[13] ». Anna Giaufret-Harvey montre ici comment Réjean Ducharme a recyclé dans *La fille de Christophe Colomb*, entre autres évocations de l'Italie, la querelle de la découverte de l'Amérique au cours de laquelle les dirigeants fascistes italo-québécois ont tenté d'imposer Cabot contre Colomb. L'exaspération des traits originaires, réflexe fréquent des immigrants qui tentent ainsi de résister à l'inévitable assimilation, alimente l'image stéréotypée de l'Italien dont joue notamment la télésérie *Omertà* qui, comme le montre Élisabeth Nardout-Lafarge, transplante dans le contexte montréalais les principaux clichés du cinéma américain.

Ainsi, à partir d'objets multiples saisis selon des angles de vue très différents, les travaux que nous réunissons ici explorent quelques-unes des facettes de l'Italie telle que, de longue date, elle s'invente au Québec. Certains traits sont prévisibles, mais aucune image unifiée ne se dégage de cet ensemble qui, faut-il le rappeler, ne prétend nullement à l'exhaustivité. Au contraire, dès qu'on dépasse le cliché, ne serait-ce qu'en le désignant, l'image se brouille, les Italies se superposent les unes aux autres. De même la perception québécoise demeure ambiguë, marquée par l'hésitation entre la fascination et la démystification devant les trésors artistiques, entre l'imitation et la rivalité face au pouvoir de Rome, entre l'intégration des immigrants absorbés dans la ville, et leur mise à distance dans une image folklorique et inoffensive.

Si l'Italie est l'une des Europes de la culture québécoise[14], à la différence de la France, elle ne se situe pas à l'origine ; n'appartenant pas au passé d'où l'on vient, elle est à la fois ailleurs et ici,

---

13. *Ibid.*, p. 89-93.

14. Pour reprendre le titre du collectif dirigé par Alessandra FERRARO et Jean-Paul DUFIET, *L'europe de la culture québécoise, op. cit.*

15. *L'italien, de langue de culture à langue de communication, op. cit*, p. 26.

Europe où l'on va et Europe venue à soi, en même temps passé et présent. Sans doute peut-on voir là sa caractéristique essentielle. Mais il faudrait encore, pour faire apparaître ce que la représentation québécoise a de spécifique, confronter cette Italie à celle qu'ont construit d'autres imaginaires. Comment se comparerait-elle, par exemple, à celle des Américains, toujours si proches? En effet, «L'Amérique» indifférenciée qui vidait les villages et laissait au pays ces «veuves blanches» dont parle Marco Micone, celle pour laquelle on quittait sa famille et changeait de fiancé, et qu'évoquent, non sans quelque effarement rétrospectif, les immigrants de *Caffè Italia*, possède bien des traits états-uniens. Des exubérantes pizzeria new-yorkaises qu'un certain cinéma s'est plu à montrer, aux riches collectionneurs — d'ailleurs souvent des collectionneuses — parcourant les musées et rachetant les palais, jusqu'aux poètes désenchantés que Venise a gardé captifs et qui y sont enterrés, les images se ressemblent mais ne se confondent pas. Il y aurait beaucoup à lire dans leurs différences et leurs interférences. Loin de prétendre combler l'absence, déplorée par Jacques Allard, d'une «étude fondamentale de l'inscription italienne dans les corpus littéraires québécois»[15], l'ouvrage qu'on va lire veut néanmoins mettre à l'essai quelques-uns des aspects de l'italianité québécoise.

Cinq cent cinq zouaves et une chemise rouge.
Sur l'image du Risorgimento au Canada français au XIXᵉ siècle

ROBERT MELANÇON

UNE DES GRANDES ARTÈRES DE MONTRÉAL, le boulevard Pie IX, porte le nom de l'adversaire le plus résolu de l'unité italienne, le pape de l'encyclique *Quanta cura* et du *Syllabus*. La petite rue de Mentana, quant à elle, commémore, selon le point de vue qu'on adopte, la victoire des troupes franco-pontificales ou la défaite de l'armée de Garibaldi, le 3 novembre 1867, bataille sans lendemain, on le sait, puisqu'elle ne fit que retarder de quatre années l'incorporation de Rome au Royaume d'Italie; pour les ultramontains qui régnaient alors à Montréal, elle valait quand même une commémoration, d'autant qu'elle fut l'élément déclencheur du mouvement des zouaves pontificaux canadiens. Une certaine image de l'Italie s'est alors inscrite dans la toponymie de la ville, qui rappelle que le *Risorgimento* a occupé une place de premier plan dans les débats idéologiques et littéraires canadiens-français au cours de la seconde moitié du XIXᵉ siècle, avec pour toile de fond une opposition à peu près unanime à l'unification italienne, au nom de la défense des États pontificaux. S'est alors cristallisée une représentation de l'Italie qui ne sera remplacée, progressivement, qu'au cours du siècle suivant.

Plutôt qu'à l'idéologie qui l'a engendrée[1], c'est à cette représentation elle-même que l'on s'intéressera ici, c'est-à-dire à des lieux communs dont la répétition assurait l'efficacité. Cette topique a saturé l'espace social du discours au Canada français à la fin du XIXᵉ siècle. Pour en mener à bien une étude complète, il faudrait faire état de centaines d'articles dans les journaux, des mandements des évêques, de dizaines de livres et de brochures. Je n'y prétends pas dans l'espace d'un article; je m'en tiendrai à l'ouvrage publié à l'occasion du départ du premier contingent, en 1868[2], et aux récits publiés par quelques zouaves pontificaux après leur retour de Rome[3]: cette topique se caractérise par le ressasse-

---

1. Cette idéologie a fait l'objet de plusieurs études: Fernand DUMONT, Jean HAMELIN et Jean-Paul MONTMINY (dir.), *Idéologies au Canada français, 1850-1900, Recherches sociographiques*, vol. X, nᵒ 2-3, 1969; Denis MONIÈRE, *Le développement des idéologies au Québec*, Montréal, Québec/Amérique, 1977; René HARDY, *Les zouaves. Une stratégie du clergé québécois au XIXᵉ siècle*, Montréal, Boréal Express, 1980; Nive VOISINE et Jean HAMELIN (dir.), *Les ultramontains canadiens-français*, Montréal, Boréal Express, 1985.

2. E. Lef. DE BELLEFEUILLE, *Le Canada et les zouaves pontificaux*: *mémoires sur l'origine, l'enrôlement et l'expédition du contingent canadien à Rome, pendant l'année 1868, compilés par ordre du Comité canadien des zouaves pontificaux*, Montréal, Typographie du Journal «Le Nouveau Monde», 1868.

3. Alfred LAROCQUE, «La bataille de Mentana», *La Revue canadienne*, vol. V, nᵒ 10, novembre 1868; François LACHANCE, *La prise de Rome - Odyssée des zouaves canadiens de Rome à Québec*, Québec, Atelier typographique de Léger Brousseau, 1870; Louis-Edmond MOREAU, *Nos Croisés. Histoire anecdotique de l'expédition des volontaires canadiens à Rome pour la défense de l'Église*, Montréal, Fabre et Gravel, 1871; Gustave DROLET, *Zouaviana — Étape de vingt-cinq ans, 1868-1893*, Montréal, Senécal, 1893; C.-E. ROULEAU, *Souvenirs de voyage d'un soldat de Pie IX*, Québec, De l'imprimerie de L. Demers & Frère, Éditeurs du «Canadien», 1881; D. GÉRIN, «Souvenirs de Rome», *La Revue canadienne*, vol. XLIX, nᵒ 4, avril 1912; C.-E. ROULEAU, *Les zouaves canadiens*, Québec, Imprimerie Le Soleil, limitée, 1924. À ce corpus, on aurait pu ajouter les articles adressés à divers journaux par leurs correspondants zouaves: Émile Perrin à *l'Ordre*, Casimir de Hempel au *Nouveau Monde*, Pierre Dupras et Louis Garceau à *la Minerve*, l'abbé Eucher Lussier au *Franco-Canadien*. Ces articles étaient, bien entendu, censurés par les aumôniers. D. GÉRIN («Souvenirs de Rome», *loc. cit.*, p. 295) rapporte une intervention de l'abbé Lussier auprès d'un correspondant: «Ce que vous dites est peut-être vrai; mais à votre place, je me

ment, et on peut douter qu'une enquête plus étendue l'enrichirait. S'y ajoutera, en contrepoint, un éloge de Garibaldi par Arthur Buies, qui s'était enrôlé dans les chemises rouges, en 1860, lors de la campagne des Mille pour la libération de la Sicile et du Royaume de Naples[4]. On imaginerait difficilement opinion plus minoritaire, mais cela ne lui donne peut-être que plus de poids[5].

Cette topique n'a pu s'imposer que parce qu'elle amplifiait et infléchissait un ensemble d'images diffuses des réalités italiennes, qui s'étaient formées à partir des premières années du xixᵉ siècle, après que les collèges classiques nouvellement créés eussent permis l'apparition d'une élite canadienne. Une bourgeoisie émergente, un demi-siècle après la cession de la Nouvelle-France, avait alors le goût et les moyens de voyager dans l'Ancien Monde. Pierre Savard a répertorié cent vingt-six récits de tels voyages[6]. Les lieux qu'ils privilégient éclairent leurs motifs : quarante-six concernent la France, l'ancienne mère patrie, et vingt l'Angleterre, la métropole politique ; huit concernent l'Espagne et six la Suisse, destinations romantiques ; neuf sont des pèlerinages en Terre Sainte, qui répondent à des motifs de piété. Trente-sept

---

contenterais, pour le moment, de le penser ». Le manuscrit, au lieu des honneurs de la publicité (*sic*) eut celui moins compromettant du panier, et il servit le lendemain à allumer le fourneau de Gasparo, le gardien du *Cercle*. »

4. Arthur Buies, [Correspondance, sans titre], *Le Pays*, 21 et 31 octobre 1862. Sur la participation de Buies à la Campagne des Mille, voir Charles ab der Halden, *Nouvelles études de littérature canadienne-française*, Paris, E. R. Rudeval, 1907, p. 169-177, et Léopold Lamontagne, *Arthur Buies homme de lettres*, Québec, Presses de l'Université Laval, 1957, p. 37-40.

5. Buies avait conscience de son isolement, qu'il assumait : « J'ai écrit un article dans *Le Pays* d'aujourd'hui que je vous prie de n'examiner qu'au point de vue littéraire parce que je m'y heurterais trop avec vos opinions. C'est sur Garibaldi. À ce sujet, mes convictions sont arrêtées et je suis décidé à montrer ouvertement ce que je pense… » (*Correspondance (1855-1901)*, édition préparée, présentée et annotée par Francis Parmentier, Montréal, Guérin littérature, 1993, p. 74-75, lettre du 21 octobre 1862 à Ulric Tessier).

6. « Voyageurs canadiens-français en Italie au dix-neuvième siècle », *Vie française*, vol. XVI, nº 1-2, septembre-octobre 1961, p. 15-24, et « L'Italie dans la culture canadienne-française du xixᵉ siècle », dans *Les ultramontains canadiens-français*, *op. cit.*, p. 255-266.

concernent l'Italie; c'est considérable, à peine moins que la France et près du double de l'Angleterre, et cela traduit l'importance de l'Italie dans l'imaginaire canadien-français au XIXe siècle. Selon Pierre Savard, les voyageurs canadiens-français s'intéressent plus à « l'Italie "éternelle", que la nature a choyée et dont le patrimoine artistique et culturel est d'une grande richesse », qu'à « l'Italie moderne qui les intéresse peu ou les repousse par sa politique anticléricale[7] ». Une telle conclusion appelle des nuances[8]. On observe, en effet, une coupure assez nette entre le début et la fin du XIXe siècle. L'image d'Épinal d'une « Italie éternelle » et l'opposition à ce qui était perçu comme l'anticléricalisme de l'Italie contemporaine dominent indéniablement dans la seconde moitié du siècle, après que le conflit du Royaume d'Italie avec la papauté ait polarisé les esprits; mais la perception de l'Italie contemporaine était beaucoup plus nuancée au début du siècle, comme en témoignent, aux deux extrémités du spectre idéologique, le *Journal d'un voyage en Europe* du très conservateur évêque de Québec, Mgr Joseph-Octave Plessis, et la correspondance de Louis-Joseph Papineau, le chef des Patriotes de 1837-1838.

Mgr Plessis, qui a joué un rôle de premier plan au Canada lors du long conflit qui a opposé la Grande-Bretagne à la France de la Révolution et de l'Empire, en assurant la loyauté des Canadiens français à la nouvelle métropole, ne peut être soupçonné de sympathies libérales. Lors de son voyage à Rome en 1819-1820, il n'en relève pas moins la mauvaise administration des États pontificaux[9]. Lorsqu'il visite Rome et Naples, en 1845, Louis-Joseph

---

7. « L'Italie dans la culture canadienne-française du XIXe siècle », *loc. cit.*, p. 256.
8. La remarque s'applique aux voyageurs dont Pierre Rajotte étudie les écrits ici même; elle vaut moins, on le verra, pour un Edmond de Nevers, dont Hans-Jürgen Lüsebrink présente l'itinéraire italien dans le présent volume.
9. Joseph-Octave PLESSIS, *Journal d'un voyage en Europe, 1819-1820*, publié par Mgr Henri TÊTU, Québec, Pruneau & Kirouac, 1903; Institut canadien de microreproduction historique, 1996, microfiche 79722. Voir, plus loin, un extrait de ce journal sous le titre « Bologne en 1819 », p. 221-232. Cette critique a donné lieu, au début du XXe siècle, à une petite polémique entre ecclésiastiques. Mgr Têtu, dans une longue note au texte de Mgr Plessis qu'il éditait (p. 188-190), avait reconnu que le royaume d'Italie avait apporté le progrès à Rome: « Il est

Papineau note «le profond engourdissement des corps et des esprits[10]»:

> Quel que soit notre avenir, je suis heureux d'avoir fait ce voyage. Il me fait aimer plus que jamais la liberté. La nature a fait plus pour l'Italie incomparablement que pour aucun autre pays au monde. Les églises et les palais y sont plus somptueux que nulle part ailleurs et à côté de cet éclat, misère et avilissement universels dans le Royaume de Naples et les États de l'Église[11].

Le point de vue de Mgr Plessis diffère certes, mais ses observations recoupent, jusque dans leur ton, celles de Papineau:

> De belles églises, de magnifiques palais, des arcs de triomphe, des fontaines, des colonnes, des obélisques: voilà les objets qui ont le plus généralement occupé ceux des Souverains Pontifes auxquels les soins du gouvernement spirituel ont laissé quelque relâche. [...] Le goût du Pape actuel est de faire fouiller pour la découverte d'anciens monuments, et de soutenir les ruines de ceux qui subsistent encore. C'est fort bien; mais il n'en est pas moins vrai que Rome se dépeuple, ainsi que ses alentours, et que le rapprochement du tableau des naissances et de celui des morts, depuis vingt ans, offre une perspective effrayante[12].

---

certain que l'administration temporelle des États du Pape laissait beaucoup à désirer, à l'époque du voyage de Mgr Plessis. Et je crois que sous Pie IX, il restait énormément à faire. [...] Ce qui a valu à Rome, au point de vue matériel, les réformes importantes dont on jouit aujourd'hui, c'est l'arrivée des Piémontais, qui y sont entrés par injustice sans doute, mais avec des habitudes de progrès, d'ordre, de propreté et d'hygiène dont les Romains avaient grand besoin, et qu'ils n'auraient probablement jamais eues, s'ils avaient été laissés à eux-mêmes.» Cette note ne fut pas du goût de l'abbé Gérin, ancien zouave, qui répliqua («Souvenirs de Rome»,*loc. cit.,* p. 299): «Le prétendu embellissement de Rome sent trop le crime, il rappelle trop les toilettes dont s'affuble la fille publique, pour qu'une plume catholique lui décerne un pareil éloge. Il me paraît, en effet, qu'on ne doit pas plus saluer certaines choses que certaines personnes.»

10. «Lettres de L.-J. Papineau à sa femme», *Rapport de l'archiviste de la Province de Québec*, 1955-1956, lettre du 13 mai 1845, p. 295.

11. *Ibid.*, lettre du 20 juin 1845, p. 298.

12. Joseph-Octave Plessis, *Journal d'un voyage en Europe, 1819-1820, op. cit.*, p. 188; voir, *infra*, «Bologne en 1819», p 223-224.

À la différence de l'évêque de Québec toutefois, Papineau va tirer les conséquences politiques de ses observations et manifester de la sympathie pour les patriotes italiens :

> L'étranger y peut vivre indifférent à cet état de choses auquel il ne peut entreprendre de remédier, baigné dans la tiédeur et les parfums de l'atmosphère, mais le citoyen avec quelque lumière, qui a échappé à la dégradation commune et qui a vu les pays où il y a quelque liberté, rougit et déplore la servitude du sien[13].

Observant la troupe de mendiants sur le parvis de Saint-Pierre « au milieu du luxe princier des équipages des cardinaux », il note :

> Ils s'étudient à consoler les pauvres. Ils feraient bien de s'étudier à les faire sortir d'un si déplorable avilissement et le moyen serait aisé si on le voulait. Il n'y a que des institutions libres qui peuvent faire des hommes forts avec des esprits justes et prévoyants[14].

Ajoutons à ces témoignages celui du peintre Napoléon Bourassa, qui séjourne à Florence et à Rome de 1852 à 1855 pour parfaire sa formation artistique[15] et qui se montre sensible aux réalités contemporaines, en observateur attentif des mœurs, des paysages et des villes plutôt qu'en homme politique ou en idéologue. Ses *Mélanges littéraires* comportent le récit d'un voyage « de Rome à Pérouse par la voie de Viterbe » et une description du carnaval de Rome, qui valent par le détail de l'observation[16] ; ce sont là les textes d'un artiste éduqué à voir.

Ces voyageurs, qu'il s'agisse d'un évêque, d'un homme politique libéral ou d'un artiste, ont en commun, en dépit de tout ce

---

13. « Lettres de L.-J. Papineau à sa femme », 20 juin 1845, *loc. cit.*, p. 298.
14. *Ibid.*, lettre du 13 mai 1845, p. 296.
15. Voir Roger LE MOINE, *Napoléon Bourassa, l'homme et l'artiste*, [Ottawa], Éditions de l'Université d'Ottawa, Cahiers du Centre de recherche en civilisation canadienne-française, 1974, p. 26-46.
16. Napoléon BOURASSA, *Mélanges littéraires*, t. II, *Souvenirs de voyage*, Montréal, C. O. Beauchemin et Fils, Libraires-éditeurs, 1889 ; Institut canadien de micro-reproduction historique, 1985, microfiches 04556-04558.

qui les sépare par ailleurs, de voir l'Italie autrement que comme un musée infini ou de ne la considérer que comme le siège temporel de l'Église. À ces perceptions nuancées d'un pays réel et complexe vont se substituer, à la fin du siècle, des constructions idéologiques caractérisées par l'aveuglement et l'hostilité.

Le *Risorgimento* trouve, en effet, un large écho dans les journaux canadiens et joue un rôle déterminant dans les débats idéologiques locaux. L'appui des journaux libéraux à la cause de l'unité italienne[17] et les encycliques *Mirari vos* de Grégoire XVI, en 1832, puis *Quanta cura* avec l'appendice du *Syllabus errorum* de Pie IX, en 1864, véritables déclarations de guerre de l'Église contre le monde moderne, radicalisent l'opposition de l'épiscopat canadien et des «Rouges», engagés dans une lutte pour le pouvoir politique[18]. On sait que cet affrontement s'est soldé par une défaite du libéralisme, qui a pesé sur l'histoire politique et culturelle du Canada français jusqu'au milieu du xxe siècle. Dans cette défaite, la discussion des questions italiennes a joué un rôle décisif.

---

17. Voir notamment *L'Avenir*, 14 mars 1849 et *Le Pays*, 21 mai 1859.
18. «Il n'est pas douteux que l'évêque de Montréal redoutait non seulement les polémiques du *Pays* et de l'Institut sur les sujets religieux, mais aussi l'information elle-même que le journal et la société fournissaient. Ainsi *le Pays* reproduisait des textes sur le problème des relations entre l'Église et l'État en France et sur l'attitude du gouvernement et des chambres françaises sur la question romaine. De même, il ne manquait pas à l'occasion de publier des récits de voyage qui permettaient de tracer des tableaux optimistes de la région de Naples, annexée au royaume de Victor-Emmanuel. Il publiait également des biographies élogieuses des héros de l'unité italienne comme Cavour ou Garibaldi. On comprend qu'il n'était pas nécessaire de s'allonger en commentaires quand *le Pays* écrivait pour ses lecteurs qu'il venait d'apprendre par les journaux d'Europe "qu'une adresse [avait] été signée par 8943 ecclésiastiques italiens, pour demander au pape de renoncer au pouvoir temporel". En fait, le problème était de savoir qui devait avoir la principale influence intellectuelle et morale sur les Canadiens-français. Au fond, ce problème était celui de la place du clergé dans la société.» (Jean-Paul BERNARD, *Les Rouges — Libéralisme, nationalisme et anticléricalisme au milieu du xixe siècle*, Montréal, Presses de l'Université du Québec, 1971, p. 211-212).

* * *

À la fin du XIXe siècle, pour ceux des Canadiens qui ne disposaient ni des ressources ni des loisirs nécessaires pour voyager, l'image de l'Italie naissait essentiellement d'un art religieux encouragé par des clercs ultramontains, soucieux de s'aligner en tous points sur Rome, qui invitaient des peintres et des sculpteurs italiens à décorer les églises canadiennes, ou qui profitaient d'un séjour dans les États pontificaux pour passer commande de copies de tableaux pour leurs églises[19]. Ce mouvement trouva ses traductions les plus spectaculaires à Montréal, dans l'érection de la basilique Marie Reine-du-Monde, siège de l'archevêché, qui est une copie réduite de Saint-Pierre-de-Rome[20], et dans celle d'une réplique du Gesù

---

19. Toutes les institutions contrôlées par le clergé ont cédé à cette mode italianisante. Ainsi, en 1868, l'Université Laval n'a pas trouvé d'investissement plus urgent que la commande d'un grand portrait du pape : « L'Université Laval a dû recevoir un portrait du pape Pie IX, de grandeur colossale, l'œuvre de l'un des premiers artistes de Rome et exécuté sur la commande de M. l'abbé Paquet. La veille du jour de l'envoi, il y a plus d'un mois, j'acceptai avec plaisir l'invitation de visiter son *studio*. Ce tableau auquel l'artiste a travaillé pendant longtemps, est une véritable œuvre d'art et d'une ressemblance parfaite. [...] Cette toile ornera les grands salons de l'Université Laval. » (Gustave Drolet, « Lettre de Rome, 30 juin 1868 », *Zouaviana, op. cit.*, p. 79-81).

20. Le dépliant touristique à l'intention des visiteurs de la Basilique-Cathédrale Marie Reine-du-Monde décrit ainsi le projet de Mgr Bourget : « Il se trouvait à Rome, en 1870, lors du 1er Concile du Vatican ; c'est alors qu'il rêva de faire de son église une reproduction, aussi fidèle que possible, de la Basilique vaticane. Il voulait ainsi symboliser l'union étroite de l'Église canadienne avec l'autorité du Saint-Siège. La cathédrale de Montréal reproduit celle de Saint-Pierre-de-Rome, mais dans des dimensions plus modestes qui réduit la superficie de sa base au quart de cette dernière. » La construction, entreprise en août 1870, interrompue en 1878 et reprise en 1885, fut achevée en 1894. La basilique comporte une chapelle dédiée à la mémoire des zouaves pontificaux, que le même dépliant touristique présente en ces termes : « En 1868, le pouvoir temporel des papes était menacé. Victor-Emmanuel, roi du Piémont, envahissait les États pontificaux. De plusieurs pays catholiques, on vit se lever des troupes généreuses qui se portèrent à la défense des droits sacrés de l'Église et de son Chef. La lutte inégale devait se terminer à l'avantage de l'envahisseur ; mais, elle permit à des âmes vaillantes d'écrire avec leur ardeur chevaleresque et même avec leur sang,

par les jésuites du collège Sainte-Marie. L'abandon du rabat français au profit du col romain dans la tenue des ecclésiastiques
participe de la même volonté d'effacer la moindre trace de galli-
canisme et de donner une couleur toute romaine au catholicisme
canadien. Lors de la cérémonie célébrée à l'église Notre-Dame de
Montréal, le 17 février 1868, à l'occasion du départ du premier
contingent canadien de zouaves pontificaux, un chœur a chanté
un «Hymne à Pie IX» sur une musique de Rossini puis, dans une
juxtaposition significative, un «Hymne à Mgr Bourget», sur la
même musique:

HYMNE À PIE IX

Chrétiens, plus de larmes,
Chantons en ce jour
Un nom plein de charmes,
D'espoir et d'amour.

Chantons de l'Église,
Le saint protecteur,
Que Dieu favorise
De toute splendeur.

---

l'une des pages les plus émouvantes de l'Histoire de l'Église au XIXe siècle.
L'honneur revient à Monseigneur Bourget d'avoir inspiré le mouvement
d'enthousiasme qui souleva tout son diocèse et permit à 507 valeureux soldats de
prendre part à la croisade des Temps Modernes. Leur devise était: "Aime Dieu
et va ton chemin". La Cathédrale est fière de conserver quelques reliques de cette
épopée mystique; preuve plus émouvante encore que les lignes de son
architecture, de l'union de notre Église avec Saint-Pierre-de-Rome. Tout
d'abord, sur quatre grandes tablettes de marbre, sont gravés en lettres d'or les
noms de jeunes Canadiens qui prirent part à la Croisade du XIXe siècle. Puis le
drapeau du régiment, quelques pièces de l'uniforme des Zouaves, quelques livres
de prières leur ayant appartenu, un tableau de saint Jean-Baptiste qui ornait le
Cercle des Zouaves à Rome, et enfin un navire en argent, formant lampe de
chœur, fac-similé de l'ex-voto que la piété des Zouaves reconnaissants a
suspendu à la voûte de l'église de Notre-Dame-de-Bon-Secours. »

Chantons le grand homme,
L'apôtre immortel,
L'idole de Rome,
Le présent du ciel.

De paix doux symbole,
Ses jours nous sont chers,
Déjà son nom vole
Par tout l'univers.

Louange éternelle
Au digne pasteur,
Dont le noble zèle
Nous rend le bonheur.

HYMNE À MGR BOURGET

O ville éternelle,
De ton chef pieux
Le portrait fidèle
Brille sous nos yeux.

Dans notre hémisphère
Aucun plus que lui
De la Foi de Pierre
N'est le ferme appui.

La cité modèle,
Rome en raccourci,
Grâce à tant de zèle,
Se retrouve ici.

Soleil catholique,
La ville aux sept monts,
Sur notre Amérique
Verse ses rayons.

> Comme aux bords du Tibre,
> Son disque répand
> Sa lumière libre
> Sur le St. Laurent[21].

Mgr Bourget, qui allait jusqu'à cultiver une vague ressemblance avec Pie IX, aspirait à faire de Montréal une petite Rome : « tout, du rituel au catéchisme, de l'habit ecclésiastique à l'architecture des monuments religieux, des confréries aux autres pratiques pieuses devait être calqué sur l'image romaine[22] ». La ville des papes était le centre du monde et définissait une norme indiscutable à ses yeux, mais c'était une ville irréelle, exclusivement occupée au culte :

> Rome est comme le paradis de la terre, par le Souverain Pontife qui y exerce la divine autorité de Jésus-Christ dont il est le représentant, par la multitude de ses temples richement ornés, par ses fêtes pompeuses qui se succèdent sans interruption, par ses chants harmonieux qui sont comme les échos des cantiques du ciel, par ses institutions sans nombre, faites pour conserver la foi, propager la piété et exercer la charité, par les admirables Quarante Heures qui font le tour des églises de la cité dans le cours de l'année[23].

---

21. E. Lef. DE BELLEFEUILLE, *Le Canada et les zouaves pontificaux*, *op. cit.*, p. 111-112.

22. René HARDY, *Les zouaves*, *op. cit.*, p. 88 ; R. Hardy cite à ce propos une lettre de l'abbé Louis-Edmond Moreau à Mgr Bourget, en date du 27 mars 1868 (*Ibid.*, p. 88) : « [...] Vingt fois durant l'office j'ai dit à Eucher Lussier qui était avec moi : "C'est bien comme chez nous. Oui, nous pouvons nous glorifier d'imiter parfaitement les cérémonies de Rome" ». Voir aussi Pierre SAVARD, « L'Italie dans la culture canadienne-française du XIXe siècle », *loc. cit.*, p. 259 : « On peut dire que pendant cent ans et plus, les Canadiens-français ont vécu d'un art religieux surtout italien, ou mieux, romain. »

23. « Sermon aux zouaves » (18 février 1868), dans E. Lef. DE BELLEFEUILLE, *Le Canada et les zouaves pontificaux*, *op. cit.*, p. 128-129. On rapprochera cette description de la vision d'apocalypse que suscite la prise de Rome par l'armée italienne en 1870 : « On la réduit à la misère en en éloignant les milliers d'étrangers qui y faisaient régner l'abondance, en y venant assister à ses grandes

Ce sentiment était largement partagé dans les milieux catholiques canadiens-français, au point que C. E. Rouleau, en 1881, éprouvait le besoin de s'excuser de publier un livre de plus sur Rome, ce qui laissait entendre qu'il y en avait beaucoup et que les lecteurs risquaient de se lasser:

> Rome n'est pas encore connue, et elle ne le sera jamais. C'est un trésor que les savants mêmes ne peuvent épuiser. Rome renferme l'histoire de l'Église catholique, de toutes les nations, de tous les grands hommes, de tous les saints et de tous les martyrs. Rome enfin, c'est la plus grande merveille du monde entier[24].

Cette construction tout idéologique est fondée sur un idéal théocratique dont les mandements de Mgr Bourget et les *Quelques considérations sur les rapports de la société civile avec la religion et la famille* de Mgr Laflèche[25] formulent la théorie. Il n'y a donc pas lieu de s'étonner qu'à partir du moment où les clercs ultramontains l'emportent dans leur long conflit avec les libéraux de l'Institut canadien[26], l'Italie du *Risorgimento* ne présente plus au

---

solennités. On lui ravit toute sa splendeur, en la réduisant à n'être plus que la capitale du royaume d'Italie et en cherchant à lui faire perdre par là son droit antique à être la capitale du monde. On trouble la paix dont elle jouissait sous son Roi pacifique, en l'abandonnant à des hordes de barbares qui y exercent les plus affreux brigandages. D'une ville de prière on en fait un enfer par les meurtres, le viol, le pillage qui s'y commettent impunément. À en croire les rapports qui nous arrivent de la ville éternelle, il s'y commet des atrocités abominables et les moyens les plus révoltants sont pris pour soulever les mauvaises passions, pour corrompre les bonnes mœurs et gâter les esprits par la lecture des brochures les plus impies et les plus obscènes. » (*Mandement du 6 novembre 1870 de Monseigneur l'évêque de Montréal, prescrivant un «Triduum» de prières pour N.S.P. le Pape;* Institut canadien de microreproductions historiques, 1985, microfiche 46982).

24. C.-E. ROULEAU, *Souvenirs de voyage d'un soldat de Pie IX, op. cit.*, p. III.

25. Montréal, Senécal, 1866; Institut canadien de microreproductions historiques, 1984, microfiche 39043. Voir René HARDY, «L'ultramontanisme de Laflèche: genèse et postulats d'une idéologie», *Recherches sociographiques*, vol. X, n° 2-3, 1969, p. 197-206.

26. On peut fixer symboliquement la date de cette victoire à l'année 1869, lorsque Mgr Bourget obtint du Saint-Office la mise à l'Index de l'annuaire de l'Institut canadien pour 1868.

Canada français que l'image d'une révolte contre l'autorité légitime, d'un monstre d'impiété qui suscite une réprobation quasi unanime[27]. À «la cause de Dieu personnifiée dans le chef vénérable de la catholicité, Notre Saint Père le Pape, le glorieux Pie IX[28]» et au peuple des fidèles «qui se laisse conduire comme le candide enfant et l'agneau[29]», s'opposent Victor-Emmanuel, qui associe «la basse hypocrisie du roi excommunié [au] cynisme du bandit qui va dépouiller sa victime[30]», Cavour, «fourbe, intrigant, calomniateur, spoliateur sans scrupule et sans foi[31]», Garibaldi, «cette illustre ganache, surnommé à juste titre le général Fiche-ton-camp et le Duc de Montre-ton-dos[32]», et «la canaille de l'Italie, tant du nord que du sud[33]». La hiérarchie ecclésiastique canadienne s'emploie activement à consolider ce diptyque dans une série de journaux et de revues[34], auxquels il

---

27. Voir Nadia F. Eid, «*Les mélanges religieux* et la Révolution romaine de 1848», *Recherches sociographiques*, vol. X, n° 2-3, 1969, p. 237-260.

28. «Discours de Monseigneur d'Anthédon [Mgr. Laflèche, évêque de Trois-Rivières]» (17 février 1868), dans E. Lef. de bellefeuille, *Le Canada et les zouaves pontificaux, op. cit.*, p. 66.

29. *Ibid*, p. 98.

30. Louis-Edmond Moreau, *Nos croisés, op. cit.*, p. 237.

31. Thomas Chapais, «Cavour et Laurier» (30 mai 1898), *Mélanges de polémique et d'études religieuses, politiques et littéraires*, Québec, Imprimerie de la Compagnie de «L'Événement», 1905, p. 151. À cette date tardive, le prétexte de cette diatribe est un discours du premier ministre Laurier en hommage à l'homme d'état anglais William Gladstone, qu'il avait comparé à Cavour, Lincoln et Bismarck: «Parmi les hommes qui ont illustré cet âge il me semble qu'aux yeux de la postérité, quatre vont survivre à tous les autres et les éclipser. Cavour, Lincoln, Bismarck et Gladstone. Si nous considérons simplement la grandeur des résultats obtenus comparée à l'exiguïté des moyens, si nous nous rappelons que du petit royaume de Sardaigne est sortie l'Italie une, nous devons en conclure que le comte Cavour était incontestablement un homme d'État d'une habileté et d'une prescience merveilleuses.»

32. Alfred Larocque, «La bataille de Mentana», *loc. cit.*, p. 825.

33. D. Gérin, «Souvenirs de Rome», *loc. cit.*, p. 298.

34. Aux *Mélanges religieux* succède *L'Ordre* à partir de 1859, qui s'adresse, en principe, à un public plus large. Les publications contrôlées par les ecclésiastiques se multiplient alors, notamment, à Montréal, *L'Écho du cabinet de lecture*

faudrait ajouter les mandements et lettres circulaires des évêques ainsi que d'innombrables brochures écrites tantôt par des prêtres, tantôt par des laïcs pieux, qui touchent tous les publics, des intellectuels aux simples paroissiens par le relais du sermon dominical et des écoles, que contrôle le clergé[35]. Se mettent ainsi en place les instruments d'une unanimité idéologique qui a été maintes fois décrite[36], à laquelle un Thomas Chapais donnera une formulation lapidaire :

> Un Canadien-français qui apostasie ne trahit pas seulement l'Église, il trahit la nationalité. L'Église catholique et la race franco-canadienne sont indissolublement unies par les liens les plus indestructibles. Un Canadien-français qui n'est pas catholique constitue une anomalie. Un Canadien-français qui ne l'est plus après l'avoir été, constitue une monstruosité[37].

---

paroissiale fondé par les sulpiciens en 1859, puis *Le Nouveau-Monde* fondé en 1867, et, à Québec, *Le Courrier du Canada* fondé en 1857. À la fin du XIXᵉ siècle, le point de vue ultramontain règne pratiquement sans partage dans la presse ; voir René HARDY, *Les zouaves, op. cit.*, p. 29-35.

35. Voir, par exemple, la *Circulaire au clergé*, datée du 19 mars 1860, dans laquelle Mᵍʳ Bourget recommande une série de mesures propres à assurer la plus large diffusion à une brochure relative à «l'indépendance de la Papauté», c'est-à-dire au maintien des États pontificaux : «Maintenant c'est à vous de lui faire atteindre ce but, en faisant en sorte qu'elle soit lue et bien comprise. Un bon moyen pour cela serait, ce me semble, d'en distribuer un certain nombre d'exemplaires dans la paroisse, en chargeant ceux de vos paroissiens, que vous savez être les plus intelligents et les mieux intentionnés, d'en faire la lecture dans les différents arrondissements, après que vous en aurez parlé en chaire. Puis, lorsque les esprits auront été préparés à en recevoir la doctrine avec foi et humilité, vous pourriez lui donner plus de circulation, par le moyen des enfants qui fréquentent les écoles et auxquels ce livre pourrait être donné en récompense de leur application et de leur sagesse.» (Institut canadien de microreproductions historiques, 1985, microfiche 49402).

36. Voir, outre les ouvrages cités dans la note 1, la brève synthèse, toujours utile, de Pierre SAVARD, «Le repli traditionaliste», dans Pierre DE GRANDPRÉ (dir.), *Histoire de la littérature française du Québec*, Montréal, Beauchemin, 1967, t. I, p. 193-200.

37. Thomas CHAPAIS, «Le scandale de Maskinongé et le *Canadien*» (29 août 1892), *Mélanges de polémique et d'études religieuses, politiques et littéraires, op. cit.*, p. 84.

Si l'équipée des zouaves pontificaux n'a pas eu le caractère unanime et spontané que ses apologistes lui ont attribué[38], elle n'en témoigne pas moins d'une identification très forte des Canadiens français à l'Église en tant que puissance temporelle incarnée dans les États pontificaux. Thomas Chapais, encore, revendiquera comme «un titre d'honneur» l'épithète «ultramontain», qui dit «l'attachement et le dévouement le plus absolu aux doctrines romaines et au Saint-Siège»: «Le *Syllabus* et le Concile du Vatican ont fait triompher l'ultramontanisme, c'est connu, et depuis ce temps tout bon catholique doit être ultramontain[39].»

L'œuvre d'Octave Crémazie témoigne de l'incertitude du milieu du siècle, avant cette crispation idéologique[40]. Il avait fait un voyage en Italie en 1851, bref mais déterminant si on s'en remet à la lettre dans laquelle il en rendait compte à sa famille à son retour à Paris, le 3 avril:

> En Italie, la réalité a dépassé mes espérances. Voir l'Italie était le plus beau de mes rêves. Maintenant qu'il m'a été donné d'en apercevoir un instant les ineffables beautés, ce sera pour moi le plus beau, le plus aimé, le plus profond de mes souvenirs. [...] Je n'ai pas été à Naples pour ne pas manquer le steamer du 3 avril. J'ai vu Rome et Pie IX; je me contente de cela[41].

Embarqué à Marseille, le 15 mars 1851, sur le vapeur sarde *Il Lombardo*, il avait visité Gênes le 16 et le 17, Pise le 18, en profitant d'une escale à Livourne, puis Rome, du 20 au 26, après une escale à Civita-Vecchia le 19. La lettre dans laquelle il décrit son voyage est à la fois sèchement elliptique — «M. Sax m'a tout

---

38. Voir René HARDY, *Les zouaves, op. cit.*, p. 43-83.
39. Thomas CHAPAIS, «Ultramontain» (15 et 24 août 1889), *Mélanges de polémique et d'études religieuses, politiques et littéraires, op. cit.*, p. 78-83.
40. Il ne nous a pas été possible de consulter l'article de Raoul GUÊZE, «Echi del Risorgimento Italiano in alcuni rappresentati della letteratura franco-canadese del sec. XIX», *Rassegna storica del Risorgimento*, XLVI, fasc. II-III, p. 233-237.
41. Octave CRÉMAZIE, *Œuvres*, II, *Proses*, texte établi, annoté et présenté par Odette Condemine, Éditions de l'Université d'Ottawa, 1976, p. 43. Le «steamer du 12 avril» le ramènerait de France au Canada.

fait voir de Rome. Je ne vous ferai pas de description de la ville éternelle[42]. » — et lyrique :

> Gênes est la ville des palais. Il faut absolument venir en Italie pour avoir une idée de la somptuosité d'un palais. J'ai vu Versailles, Fontainebleau, enfin tout ce qu'il y a de plus beau en France. Un seul palais de Gênes contient plus de richesses en marbres, en porphyre, en malachite, en albâtre que tous les palais de France. Tout l'extérieur est en marbre blanc ; les escaliers, dans lesquels on peut monter en carrosse, sont en marbre noir ou rouge antique, les plafonds sont peints à la fresque. Il me serait impossible de vous donner une idée des palais qui bordent la rue Nuovissima. J'ai visité les palais Durazzo, Doria, Serra, Pallavicino, Spinola, Balbi et Brignole. Dans le dernier palais, il y a un salon qui a coûté 2 millions de francs.
>
> Si les palais sont d'une richesse incomparable, les églises ne leur cèdent en rien ; l'Annunziata, Saint-Cyr [San Siro], Carignan [Santa Maria Assunta di Carignano] et Saint-Laurent [la cathédrale San Lorenzo] sont les plus belles et dépassent tout ce que l'on peut concevoir en fait de richesses[43].

Mais il s'agit là, tout au plus, des notes d'un touriste, auquel ne manque même pas l'étonnement d'un bourgeois épaté par le prix d'un « salon » ; elles ne présentent d'intérêt qu'en fonction de deux poèmes que Crémazie a consacrés à l'histoire italienne. Le premier, « Guerre d'Italie », publié le 29 décembre 1859 sous la forme d'un fascicule de six pages intitulé *Hommage aux Abonnés du « Journal de Québec », 1er de l'An 1860*, évoque les batailles de Magenta et de Solférino lors de la guerre entre le Piémont, la France et l'Autriche, qui aboutit à la trève de Villafranca et au traité de Zurich, lequel permit au Piémont d'annexer la Lombardie. Le Piémont, on s'en souvient, dut alors renoncer à la Vénétie, que l'Autriche conserva, et Cavour démissionna, déçu de

42. *Ibid.*, p. 43. L'abbé Pierre-Thélesphore Sax accompagnait Mgr Baillargeon, évêque de Québec, à Rome en 1850.
43. *Ibid.*, p. 42-43.

la dérobade de la France. Crémazie, à qui ces subtilités semblaient échapper, rappelait la gloire de l'Empire — «Du soleil d'Austerlitz l'immortelle clarté», les «champs de Marengo», et même la campagne d'Égypte : «Il vit toujours celui qu'au pied des Pyramides / Les Mamelouks, fuyant sur leurs coursiers numides, / Avaient nommé Sultan de feu» —, sans s'aviser qu'aux yeux des ultramontains, Napoléon Ier, excommunié en 1809, était avant tout celui qui avait démembré les États pontificaux et emprisonné Pie VII à Savone puis à Fontainebleau. Cela ne l'empêchait pas d'affirmer par ailleurs que l'Italie avait été «des nations constamment la maîtresse, / Autrefois par le glaive, aujourd'hui par la croix[44]». Interféraient ici le culte crémazien de la gloire française et la confusion de l'Italie avec la puissance temporelle de l'Église. Les impressions de son voyage de 1851 le laissaient pressentir : l'Italie était essentiellement à ses yeux le pays des riches palais et des riches églises, avec, en son centre, Rome et le pape.

«Castelfidardo», qui paraît dans le *Journal de Québec*, le 8 janvier 1861, prend pour thème la victoire de l'armée italienne sur les zouaves pontificaux du général Lamoricière en septembre 1860. Tout se passe comme si Crémazie s'avisait que l'Italie du *Risorgimento* ne peut qu'entrer en conflit avec le pouvoir temporel de l'Église. Plutôt que l'épopée napoléonienne, il invoque alors «l'héroïque Vendée» contre-révolutionnaire, les Croisades, Bayard, et condamne les peuples «Prenant pour Dieu l'argent et pour guide le doute, / Des antiques vertus abandonnant la route / Et foulant à leurs pieds les droits les plus sacrés[45]». Par rapport à «Guerre d'Italie», «Castelfidardo» marquait un renversement complet. À défaut d'être un grand poète, Crémazie s'y révélait le sismographe de l'opinion canadienne-française. La constitution du Royaume d'Italie et le démembrement des États de l'Église, qui en était la conséquence, créèrent au Canada une onde de choc qui fut à l'origine de l'équipée des zouaves pontificaux canadiens.

---

44. Octave CRÉMAZIE, *Œuvres*, I, *Poésies*, texte établi, annoté et présenté par Odette Condemine, Éditions de l'Université d'Ottawa, 1972, p. 370-376.
45. *Ibid.*, p. 389-394.

* * *

Le général français Lamoricière, passé au service du pape en 1860, avait organisé l'armée pontificale[46]. Dès janvier 1861, Benjamin Testard de Montigny, jeune avocat de Montréal, s'était enrôlé, bientôt suivi d'un autre Montréalais, Hugh Murray, neveu de l'évêque de Kingston, Mgr Horan. Mgr Bourget écrivit alors au Vatican pour proposer l'envoi d'un contingent de volontaires canadiens; le cardinal Barnabo, préfet de la Propagande, répondit que ce projet n'avait rien d'urgent. En 1862, Mgr Bourget, lors d'un voyage à Rome, rencontra les deux zouaves canadiens et présenta une nouvelle fois au cardinal Barnabo le projet d'un corps expéditionnaire de catholiques canadiens, sans recevoir d'autre autorisation que celle d'entretenir le zèle des jeunes hommes de son diocèse qui souhaitaient s'enrôler. Depuis la bataille de Castelfidardo, en 1860, le projet de faire reposer la défense du Saint-Siège sur une armée pontificale apparaissait de plus en plus illusoire au Vatican. Mgr Bourget dut donc surseoir à son projet.

En février 1867, un troisième volontaire engagé à titre individuel, Alfred LaRocque, avait été blessé, le 3 novembre, à la bataille de Mentana. Fils de l'ancien président de la Banque d'Épargne de Montréal et petit-fils d'Olivier Berthelet, le Canadien français le plus riche de l'époque, infatigable bienfaiteur des œuvres de l'évêque de Montréal, LaRocque était issu d'une famille de notables bien-pensants. L'occasion était trop belle de l'élever au rang de héros et de martyr, ce qui donna à Mgr Bourget l'occasion de s'activer à relancer le mouvement des zouaves canadiens. Le 17 novembre, par ordre de l'évêché, des prières en sa faveur furent dites dans toutes les paroisses du diocèse de Montréal. Un comité chargé d'organiser le recrutement et de recueillir des souscriptions, opportunément présidé par Olivier Berthelet, se réunit dès

---

46. Sur l'histoire des zouaves pontificaux, voir Georges CERBELAUD-SALAGNAC, *Les zouaves pontificaux* (Paris, Éditions France-Empire, 1963) et, sur les zouaves canadiens, René HARDY, *Les zouaves, une stratégie du clergé québécois au XIXe siècle*, *op. cit.*, p. 43-83. On ne rappelle ici que les éléments de contexte indispensables.

décembre, et un premier contingent de cent trente-cinq hommes partit pour Rome, le 18 février 1868. Six autres détachements suivirent jusqu'en 1870[47], auxquels s'ajoutèrent vingt-quatre volontaires partis isolément ; au total, cinq cent cinq Canadiens s'enrôlèrent dans les zouaves pontificaux.

L'historiographie officielle a présenté ce mouvement comme un élan spontané de la jeunesse catholique, à l'émulation d'Alfred LaRocque ; en fait, Mgr Bourget organisa une intense campagne de recrutement et de souscriptions, en s'assurant le concours des curés dans les paroisses. Fait à noter, il n'avait pas obtenu l'autorisation expresse du Vatican ni l'accord des autres évêques canadiens, en particulier celui de Mgr Baillargeon, l'archevêque de Québec, opposé initialement à une entreprise à laquelle il ne se ralliera qu'à la toute fin, en 1870[48]. Tout autant que le désir de porter secours au Pape, le mouvement des zouaves, qui « s'inscrivait au cœur des antagonismes entre le clergé et les éléments radicaux de la petite bourgeoisie canadienne-française[49] », a eu pour objet la consolidation de la position dominante de l'Église au Canada français. On s'explique dès lors la violence des représentations de l'Italie du *Risorgimento* et des patriotes italiens qu'ont élaborées les ultramontains canadiens : à travers elles, c'étaient les « Rouges » de l'Institut canadien qui étaient visés, qu'il s'agissait de présenter en ennemis de l'Église, du droit, de la propriété, des mœurs et de l'ordre public[50].

---

47. Le dernier, parti le 1er septembre 1870, fut immobilisé quelques jours à Brest à cause de la guerre franco-prussienne et rentra à Montréal le 24, quatre jours après la capitulation de Rome.

48. Voir R. Hardy, *Les zouaves, op. cit.*, p. 62 et 85-96.

49. *Ibid.*, p. 13.

50. Cet enjeu local explique également que le mouvement des zouaves se soit prolongé au Canada longtemps après la disparition des États pontificaux. En 1885, lors de la célébration du vingt-cinquième anniversaire de la création des zouaves pontificaux, à l'église Notre-Dame des Victoires de Québec, le père Hamon suggéra que le corps des zouaves se perpétue : « Il est regrettable de voir disparaître un corps militaire sorti du sein même de l'Église catholique et qu'un même lien patriotique unit désormais à la nation canadienne-française. Enrôlez vos fils dans l'armée pontificale que vous représentez ; et que ces fils de soldats

Un système d'oppositions simples, pour ne pas dire simplistes, structure les écrits des zouaves[51]. On citera ici quelques exemples des plus saillants: entre Pie IX, d'une part, Victor-Emmanuel et Garibaldi, d'autre part; entre les zouaves, d'une part, l'armée italienne et les Italiens en général, d'autre part. Il faudrait analyser en détail ces textes, et les citer longuement, pour donner une idée exacte de leur monotonie mécanique, mais une telle entreprise serait sans profit aussi bien que fastidieuse: à chaque page, un bien absolu se juxtapose à un mal sans rémission, dans de plates variantes d'une ingéniosité sans invention.

À «la personne auguste et vénérable du chef de la catholicité», s'oppose «un roi voleur et parjure» (Lachance, p. 4). Pie IX, «l'illustre vieillard du Vatican» (Rouleau 1881, p. V), «l'immortel Pontife» (Moreau, p. 304; Gérin, p. 290), fait l'objet d'une véritable idolâtrie[52]. Lors d'une audience au Vatican, les zouaves ne savent «comment exprimer les transports qui [les] anim[ent]» (Drolet, p. 90, repris dans Moreau, p. 188); «on se croit transporté dans un autre monde en présence du Souverain Pontife» (Rouleau, 1924, p. 47). Lors du «plus grand événement du XIXe siècle» (Rouleau, 1881, p. 197), l'ouverture solennelle du concile à la basilique Saint-Pierre, le 8 décembre 1869, «toute l'assistance tombe à genoux, comme foudroyée par la foudre (sic), à la vue de l'auguste vieillard du Vatican et des sept cent soixante-onze têtes mitrées qui le précèdent» (Rouleau, 1881, p. 194-195). Dans la

chrétiens perpétuent au Canada le souvenir du dévouement des Croisés du XIXe siècle envers le Saint-Siège» (cité par C.-E. ROULEAU, *Les zouaves canadiens, op. cit.*, p. 55). En 1924, le régiment des zouaves pontificaux canadiens comptait un effectif de 1500 hommes, répartis en 22 compagnies dans la province de Québec et la ville d'Ottawa (voir C.-E. ROULEAU, *Ibid.*, p. 78-83).

51. Pour ne pas multiplier sans profit les notes, on indiquera désormais les renvois aux textes, dont les références sont données à la note 3, en portant entre parenthèses, après chaque citation, le nom de son auteur suivi de la pagination.

52. Par un lapsus significatif, l'auteur anonyme de l'«Hymne à Pie IX» chanté lors de la cérémonie à l'église Notre-Dame de Montréal, qui a marqué le départ du premier contingent de zouaves, reprend la périphrase fameuse de Montalembert: «l'idole de Rome»; voir *supra*, p. 40.

personne du pape se réalisent superlativement les aspirations du monde moderne : les vœux qui lui sont adressés de divers pays à l'occasion du cinquantième anniversaire de son accession à la vie ecclésiastique sont « la véritable expression du suffrage universel catholique », et « les nombreux cadeaux qui [sont] faits au Saint-Siège dans cette circonstance » équivalent à une « exposition universelle, [...] produit non de l'industrie mais de l'amour de [ses] enfants » (Rouleau, 1881, p. 186-187). Guidant un groupe de zouaves dans le palais du Vatican, « le St. Père [...] tout vêtu de blanc, coiffé de son bicorne écarlate et chaussé d'escarpins rouges, sembl[e] un astre éclatant duquel s'échapp[ent] des rayons lumineux qui [font] briller d'un éclat plus vif les trésors de peinture que [contiennent] les galeries » (Drolet, p. 87, repris dans Moreau, p. 185-186). Enfin, « une tempête accompagnée de tonnerre et d'éclairs [qui] se déchaîn[e] sur Rome », le jour de la proclamation du dogme de l'infaillibilité pontificale, n'est rien de moins que la « répétition de la scène qui se passa sur le mont Sinaï lorsque Dieu donna sa loi aux hommes » (Rouleau, 1881, p. 197).

Par contraste, Victor-Emmanuel, « roi peu galant homme », « usurpateur actuel » du Royaume de Naples, « dépense en tournois, en cadeaux, en orgies et en décorations, les millions du pays » (Drolet, p. 42). Son trait le plus constant est « l'hypocrisie » (Moreau, p. 237), qui lui vaut le surnom de « Judas du Piémont » (Rouleau, 1881, p. 260) ; « roi voleur » (Gérin, p. 293), « bandit » (Moreau, p. 237), son nom, qui devrait signifier « vainqueur-sauveur » se traduit plutôt « par les mots vainqueur-voleur » (Rouleau, 1881, p. 150). Garibaldi, « l'ermite de Caprera » (Rouleau, 1881, p. V), est encore plus copieusement injurié : « surnommé à juste titre le général Fiche-ton-camp et Duc de Montre-ton-dos » (LaRocque, p. 825, repris par Rouleau, 1881, p. 112-113), il est tout au plus un « brigand » et un « forban » (Rouleau, 1881, p. 261).

Aux zouaves, « fidèle armée de Pie IX » (Gérin, p. 290), « nouveaux croisés » venus de tous les points du monde catholique (LaRocque, p. 820), s'opposent les soldats italiens, devenus, par un renversement paradoxal, de « coupables envahisseurs » (Moreau,

p. 305; Gérin, p. 298) censés éprouver de la honte, lors de la capitulation de Rome, devant ceux qu'ils n'ont vaincus que par le nombre :

> Ce fut un beau spectacle que cette poignée de jeunes gens vaincus, mais par l'obéissance au devoir[53], défilant au son des fanfares, devant un ennemi dix fois supérieur en nombre. Les journaux italiens ont remarqué que les Zouaves passèrent la tête haute et le regard plein de fierté. [...] Aussi les rôles semblaient intervertis : pas un Italien qui soutint le regard d'un zouave ; pas un zouave qui sourcillât en face des coupables envahisseurs. (Moreau, p. 305)

Certains textes s'efforcent d'établir des distinctions entre les adversaires des États pontificaux, afin de graduer le mépris : troupes italiennes, garibaldiens et «sectaires», c'est-à-dire Romains partisans de l'unité italienne (LaRocque, p. 821); soldats italiens, garibaldiens et «exilés romains, réfugiés de toutes les villes d'Italie [...] qui entrèrent à la suite des *bersaglieri*, hurlant comme des démons : "Vive Rome capitale !" (Moreau, p. 302). Le plus souvent, tous les partisans de l'Italie sont enfermés dans le même mépris. Les soldats de l'armée italienne deviennent les «sbires du roi» (Drolet, p. 42), les «brigands du roi galantuomo» (Gérin, p. 293), les «bandes piémontaises» (Moreau, p. 300). Les patriotes italiens, dans leur ensemble, sont une «bande de canailles» (Drolet, p. 42, Rouleau, 1881, p. 261), «la canaille de l'Italie, tant du nord que du sud» (Gérin, p. 298), une «vile populace» (Moreau, p. 299), des «brigands» (Mgr Laflèche, dans E. Lef. de Bellefeuille, p. 97; Rouleau, 1881, p. 40), des «repris de justice», des «forçats» (Lachance, p. 20-21), des «échappés de bagne» (Gérin, p. 298). Ils sont les «barbares de notre siècle» (Moreau, p. 302), les «Vandales de 1867» (Rouleau, 1881, p. 77), des «barbares du temps d'Attila» (Rouleau, 1881, p. 221), des «enne-mis de l'Église» (LaRocque, p. 826), des «mécréants» (Moreau,

---

53. Pie IX avait donné aux zouaves l'ordre de se rendre sans combattre sitôt que les troupes italiennes auraient fait une brèche dans les défenses de Rome.

p. 302), des «suppôts de Satan» (Rouleau, 1881, p. 258), des «démons» (Gérin, p. 298).

Enfin, la prise de Rome, «spoliation du royaume temporel des papes» (Rouleau, 1881, p. 150), se réduit à un «vol de territoire» (Rouleau, 1881, p. 205). Elle constitue un «sacrilège» (Lachance, p. 5 et 12 ; Moreau, p. 233 et 300 ; Gérin, p. 299), que stigmatisent «des scènes affreuses», des actes «honteux et criminels», des «assassinats» (Lachance, p. 21) et «de révoltantes ignominies» (Moreau, p. 300), alors que «les révolutionnaires de 1848, les vaincus de Mentana, les échappés des bagnes [sont] là donnant libre cours à leur haine infernale» (Gérin, p. 298)[54].

Au Canada français, peu ont tenté, à l'époque, de s'opposer à cette orthodoxie délirante : paradoxalement, la défaite des États pontificaux y avait consolidé la victoire des ultramontains. Tant que les libéraux de l'Institut canadien avaient constitué une force, d'autres points de vue, plus ouverts aux aspirations des Italiens du *Risorgimento*, avaient pu se faire entendre[55]. Ainsi, le journal *l'Avenir* avait salué avec enthousiasme la proclamation de la république à Rome par Mazzini en février 1849 et pris parti contre le pouvoir temporel du pape[56] ; un peu plus tard, *le Pays* avait pris fait et cause pour l'unité italienne, condamné l'Autriche, «incarnation du despotisme le plus invétéré, le plus étroit, le plus aveugle[57]», et salué la libération de la Sicile et du Royaume de Naples par les chemises rouges sous le commandement d'«un des plus grands hommes des temps modernes[58]». Mais dès lors que Mgr Bourget l'avait emporté dans sa longue lutte contre les libéraux, le point de vue ultramontain n'avait pour ainsi dire plus trouvé d'opposants.

---

54. Mgr Bourget a amplifié et diffusé ces calomnies dans le diocèse de Montréal ; voir le texte de son *Mandement du 6 novembre 1870* [...] *prescrivant un «Triduum» de prières pour N.S.P. le Pape*, cité à la note 22.
55. Voir Jean-Paul BERNARD, *Les Rouges — Libéralisme, nationalisme et anti-cléricalisme au milieu du XIXe siècle, op. cit.*, p. 73-77, 161-165, 201-213.
56. *L'Avenir*, 3 mars 1849, 10 mars 1849, 14 mars 1849, 4 avril 1849.
57. *Le Pays*, 21 mai 1859.
58. *Le Pays*, 15 janvier 1861.

Rentré au Canada en janvier 1862, Arthur Buies publiait en octobre son premier article[59], une défense de Garibaldi et un plaidoyer pour «une grande chose, «l'Italie-Une», à laquelle ne résistent que «les esprits étroits, [...] les cœurs faux et égoïstes, [...] ceux dont l'intelligence ne va jamais qu'à concevoir le moyen d'être en repos». C'était provoquer l'évêque de Montréal lui-même : le Pays, «journal anti-chrétien, anti-catholique, anti-social, immoral et dangereux pour la jeunesse», venait de refuser de publier sept lettres sur la question romaine que lui avait envoyées Mgr Bourget[60]. Arguant de son expérience de soldat de Garibaldi en Sicile, de juin à septembre 1860, Buies y traçait un parallèle entre les zouaves pontificaux et les volontaires de Garibaldi :

> L'esprit de parti et l'ambition poussent à d'étranges consé-quences ; preuve, les raisons funèbres de ceux que l'on qualifie de héros et de martyrs tombés à Castelfidardo. Or, qu'était-ce que ces martyrs si peu martyrisés sur le champ de bataille ? À part quelques nobles et malheureuses exceptions, c'étaient les uns de jeunes fils de famille espérant avoir une épaulette, ou comme sous l'ancien régime commander un régiment à 20 ou 22 ans, ayant pour la plupart dépensé leurs revenus, et forcés de choisir entre la honte ou les aventures ; le gros de l'armée était formé de pauvres Irlandais et d'un grand nombre de gens pour qui la vie n'offrait plus de chance que celle-là.
>
> Je les ai vus de près, j'en ai connu un bon nombre ; les premiers on les eût fait pouffer de rire à leur parler de convic-tions ; ils ne firent jamais plus de plaisanteries que sur leur uni-forme pontifical ; les derniers, pour la plupart gens sans aveu, ne pouvaient combattre pour des principes. [...]
>
> Je viens de dire ce qu'étaient les volontaires pontificaux, voyons ce qu'étaient ceux de Garibaldi. Milan, Turin, Florence,

---

59. Le Pays, 21 et 31 octobre 1862 ; une troisième partie annoncée n'a pas paru. Sauf indication contraire, toutes les citations qui suivent sont tirées de cet article.
60. Georges-André VACHON, «Arthur Buies, écrivain», Études françaises, vol. VI, n° 3, août 1970, p. 285. Cet article reste la meilleure introduction à l'œuvre de Buies.

Pavie, Rome lui avaient envoyé un nombre considérable de leurs étudiants; j'ai connu un bataillon entier formé d'étudiants et de commis milanais. Le soir, après les fatigues de la marche, rien n'était intéressant, j'oserai dire touchant, comme d'entendre ces jeunes gens discuter des questions de droit, de philosophie, et souvent de politique. Un grand nombre d'étrangers de toutes les nations étaient accourus; c'est que la cause italienne n'était pas une cause de parti, mais une question de nationalité, une question européenne, la question de tous les peuples.

Surtout, prenant le contre-pied de la théologie policière élaborée par Mgr Laflèche[61], il soutenait que la révolution, « enfantement douloureux et fécond de la liberté », apportait « ce qu'on n'avait jamais vu jusqu'alors, le christianisme mis en œuvre parmi les hommes ». Une telle thèse n'était pas seulement irrecevable, mais rigoureusement incompréhensible aux yeux des lecteurs de *la Minerve*, des *Mélanges religieux*, de *l'Ordre*, du *Nouveau Monde*, de *l'Ami de la religion et de la patrie*, de *l'Écho du cabinet de lecture paroissial*, du *Courrier canadien* ou des *Soirées canadiennes*.

---

61. « Discours de Mgr d'Anthédon [Mgr Laflèche] prononcé à l'église Notre-Dame de Montréal le 17 février 1868 », dans E. Lef. DE BELLEFEUILLE, *Le Canada et les zouaves pontificaux, op. cit.*, p. 97-98 : « Revenant à la violente attaque contre le pouvoir temporel du Saint-Siège, je dis, de plus, qu'en elle se résume non seulement la lutte entre le catholicisme et le libéralisme ; mais la lutte entre l'ordre et l'anarchie, l'autorité et la révolution, enfin le bien et le mal dans le monde, et qu'à ce titre le pouvoir temporel du Pape intéresse presqu'autant les non-catholiques que les catholiques eux-mêmes. Qu'est-ce, en effet, que cette lutte, sinon la lutte entre la religion et l'homme émancipé de toute idée religieuse, se faisant sur le terrain de la politique ou du pouvoir civil ? Il s'agit de savoir si l'homme se conduira socialement sans une religion quelle qu'elle soit, oui ou non. [...] Or, comme nous l'avons dit, il est impossible qu'un état existe sans une religion quelconque. Il faut que le citoyen qui n'est pas toujours sous l'œil du magistrat, remplisse ses devoirs, souvent nombreux et difficiles, par un autre sentiment que celui de l'intérêt et de la crainte ; par le sentiment d'une responsabilité morale envers l'Être Suprême. Ce sentiment, qui l'inspire ? C'est la religion. L'homme qui le possède, se laisse conduire comme le candide enfant et l'agneau. »

Comme Buies allait le découvrir bientôt, « une léthargie écrasante s'[était] appesantie sur les consciences : tous les fronts courb[aient] sans murmure sous la terreur cléricale[62] ». Il n'était qu'une chemise rouge contre cinq cent cinq zouaves pontificaux.

---

62. Arthur BUIES, *Lettres sur le Canada* (1864-1867), texte présenté par Sylvain SIMARD, Montréal, Éditions l'Étincelle, 1978, p. 56-57.

L'Italie dans les récits de voyage québécois du XIXᵉ siècle : entre le mythe et la réalité

PIERRE RAJOTTE

> Il est un rêve que j'ai longtemps caressé
> et dont la réalisation commence : voir l'Italie[1].

AU COURS DE LA SECONDE MOITIÉ DU XIXᵉ SIÈCLE, c'est vers l'Italie[2] surtout que se dirigent les voyageurs québécois, du moins ceux qui proposent des récits à la postérité. On s'y rend pour poursuivre des études, pour faire un pèlerinage religieux à Rome, pour s'engager dans les zouaves pontificaux, mais aussi et surtout pour réaliser un rêve. À cela, rien d'étonnant quand on songe à la signification de l'Italie à l'époque, une signification

---

1. Adolphe-Basile ROUTHIER, *À travers l'Europe. Impressions et paysages*, tome II, Québec, Delisle, 1881, p. 209.
2. Pour le XIXᵉ siècle, Pierre Savard a relevé trente-sept récits de voyage qui ont trait à l'Italie, dont plus d'une trentaine dans la seconde moitié du siècle, chiffres que Robert Melançon commente ici même. Pierre SAVARD, « L'Italie dans la culture canadienne-française au XIXᵉ siècle », dans Nive VOISINE et Jean HAMELIN (dir.), *Les ultramontains canadiens-français*, Montréal, Boréal Express, 1985, p. 255-266. Voir également Pierre SAVARD, « Voyageurs canadiens-français en Italie au dix-neuvième siècle », dans *Vie française*, vol. XVI, nº 1-2 (septembre-octobre 1961), p. 15-24. Plus nombreux encore sont les récits qui paraissent dans les périodiques et les revues littéraires.

héritée de toute une tradition culturelle qui voyait en elle le fondement des grandes civilisations, le berceau de la chrétienté[3] et la patrie des arts et des lettres. Mais quelle représentation de l'Italie ces voyageurs proposent-ils ? Celle du « référent naturel », de l'Italie réellement observée, ou celle du « référent culturel », c'est-à-dire de l'image qui surgit dans l'esprit d'un lettré du xixe siècle lorsque le mot « Italie » est prononcé ? Les voyageurs se limitent-ils à reproduire des stéréotypes ou réussissent-ils à échapper à leur emprise ? Comment contournent-ils la plus grande difficulté que pose l'écriture du récit de voyage, à savoir la tension dialectique entre l'espace du référent (en tant que réalité) et l'espace de sa construction discursive ?

Les voyageurs du xixe siècle visent à peu près tous à restituer le plus fidèlement et le plus exactement possible l'Italie parcourue. Mais tous se butent au même problème : l'impossibilité d'une reproduction qui soit parfaitement naturelle. Comme le signale Christine Montalbetti, « les mots ne constituent pas un medium adapté : l'écriture paraît impropre à rendre avec exactitude un objet visuel[4] » et, partant, semble condamnée à l'approximation. « Entre l'expérience du terrain et l'écriture, note pour sa part Isabelle Daunais, il y aurait incompatibilité, une forme de démesure. "Faire une description" implique une réduction ou une fixation de l'image alors que la réalité est toujours changeante[5] ». En fait, que

---

3. Pour plusieurs voyageurs canadiens-français, mais pas pour tous, comme le montre Hans-Jürgen Lüsebrink ici même à propos d'Edmond de Nevers, le territoire italien constitue un espace sacré en ce qu'il circonscrit le berceau de la chrétienté et le royaume d'élection d'un monarque spirituel et temporel, le pape, la terre promise des catholiques, choisie par Dieu pour y installer son représentant terrestre. Chez des voyageurs comme Joseph-Sabin Raymond, l'abbé Louis-Joseph Huot, Adolphe-Basile Routhier et Jules-Paul Tardivel, en particulier, le récit de voyage tient pour une bonne part de l'apologie religieuse.
4. Christine MONTALBETTI, « Le voyage et le livre. Poétique du récit de voyage d'écrivain au xixe siècle », Paris, thèse de doctorat, Université de Paris VIII, 1993, p. 152.
5. Isabelle DAUNAIS, *L'art de la mesure ou l'invention de l'espace dans les récits d'Orient (xixe siècle)*, Paris et Montréal, Presses universitaires de Vincennes et les Presses de l'Université de Montréal, 1996, p. 50.

ce soit en raison de la texture visuelle des lieux visités, de leur nature exotique ou de leur hétéronomie, le lexique du voyageur semble le plus souvent impropre à en rendre compte. Face à cette difficulté, les voyageurs tendent à recourir à diverses stratégies.

L'ellipse constitue sans doute la solution la plus radicale. Elle permet ponctuellement de contourner le réel en évitant d'avoir à le décrire. Au sujet du cimetière Campo santo de Rome, l'abbé Jean-Baptiste Proulx écrit: «Le crayon se refuse à décrire tant de richesses, de sculptures si fines, si délicates, si variées, marbre qui pleure, qui prie, qui espère[6].» «Je n'entreprendrai pas, note Henri-Raymond Casgrain, de vous décrire les beautés du golfe de Naples qui ont inspiré les plus grands poètes et exercé la plume des meilleurs prosateurs[7].» On le voit, la description est évacuée au profit d'un hiatus, dont l'auteur se contente d'exposer le motif:

> Les belles plaines de la Lombardie, bordées de montagnes pittoresques, couvertes de villes et de hameaux florissants, tant de monuments répandus partout comme à profusion: voilà qui appellerait d'interminables descriptions, si les bibliothèques n'étaient pas déjà remplies d'ouvrages qui leur sont consacrés. Il y a belle lurette que tous ces sujets ne sont plus nouveaux, ni pour l'écrivain, ni pour le lecteur[8].

En plus de l'ellipse, les auteurs peuvent faire appel à la citation qui vient remplacer la séquence à écrire. Ainsi, pour décrire la «Villa Hadriana» ou le «palais des Césars», Adolphe-Basile Routhier recopie des pages entières des ouvrages historiques de Franz de Champagny. D'autres voyageurs, soucieux de l'attente du lecteur déjà familiarisé avec les idées couramment répandues sur l'Italie, compensent ce que leur mémoire a oublié ou ce qu'ils n'ont

6. Jean-Baptiste Proulx, *En Europe par ci, par là*, Joliette, Librairie de «L'Étudiant», 1891, p. 44.

7. Henri-Raymond Casgrain, «Lettres de l'abbé H.-R. Casgrain», *La Semaine religieuse de Québec*, n° 29, 19 mars 1892, p. 342.

8. Victor-Alphonse Huard, «Un tour d'Europe en 1900», dans *Impression d'un passant: Amérique-Europe-Afrique*, Québec, Typ. Dussault et Proulx, 1906, p. 102.

pas vu en démarquant servilement des extraits de guides touristiques ou de manuels spécialisés. L'abbé Jean-Baptiste Proulx parcourt Rome avec le « de Blézer » et le « Baedeker » en main. « Ce Blézer, écrit-il, est un livre vraiment commode qui me sauve bien de l'écriture[9]. »

La citation de même que le processus elliptique offrent une solution aux voyageurs impuissants à rendre compte de leur objet par l'écriture. Seulement, il s'agit, on le comprend, de solutions qui ne sont pas généralisables. Systématisées, la première mènerait à l'absence de texte et la seconde à un collage d'écrits qui n'est plus un récit de voyage. Aussi les voyageurs optent-ils plus communément pour d'autres stratégies de substitution qui apparaissent moins périlleuses. L'une de celles-ci consiste « à mettre en regard le monde et le corpus des textes qui en proposaient une première formulation[10] ». Pour remédier au caractère indescriptible de l'espace parcouru, les voyageurs utilisent des descriptions et des stéréotypes qu'ils connaissent ; pour redonner à l'espace actuel, paysage anonyme, toute son importance, ils évoquent l'espace passé, idéalisé et réactualisé par la convocation des livres. Ces parcours subsidiaires, qui transforment ponctuellement l'expérience du voyage, prennent tour à tour, ou conjointement, la forme d'un voyage dans le temps et celle d'un voyage dans les livres.

Le voyage dans le temps

La substitution d'un temps à un autre constitue l'une des solutions les plus courantes envisagées par les voyageurs pour appréhender l'Italie. De même que Piranese, avec ses ruines de Rome, entrouvrait les abîmes du temps, les voyageurs québécois associent systématiquement les lieux qu'ils parcourent au passé qui s'y rattache. Plutôt qu'un réel immédiat et observable, c'est l'historicité qui prédétermine leur perception de l'Italie. « Vous ne

---

9. Jean-Baptiste PROULX, *op. cit.*, p. 89.
10. Christine MONTALBETTI, *Le voyage, le monde et la bibliothèque*, Paris, Presses universitaires de France, 1997, p. 179.

pouvez pas faire un pas à Rome, note l'abbé Proulx, sans soulever le souvenir de quelque fait historique intéressant[11]. » Ainsi, l'itinéraire le plus commun consiste à visiter les ruines pour retrouver les traces d'un passé prestigieux. L'intérêt de ces vestiges ne réside pas dans leur apparence concrète, mais dans leur signification historique : « car sur toutes les couches de cette poussière, note Napoléon Bourassa, sont écrits des faits et des souvenirs qui permettent de suivre le progrès du Peuple Roi et de constater les événements de l'histoire[12] ». Ce n'est donc ni l'agencement des pierres, ni leur usure qui retient l'attention des voyageurs, mais la possibilité qu'elles leur offrent de substituer le discours historique à la description de l'espace actuel, de rappeler ce qui a déjà été dit (ou ce qui a déjà été écrit) plutôt que de dire ce qui est.

Ce hiatus entre l'espace présent, vidé de son sens, et l'espace du passé, associé à tout un savoir, se conjugue chez certains voyageurs à des mises en scène de véritables visions. L'Italie du passé renaît sous leurs yeux. L'observation laisse alors place à la convocation des ouvrages historiques : « J'ai acheté de bons livres qui expliquent tout, et qui ressuscitent pour moi un passé souvent inconnu[13] » ; ou encore à la rêverie et à la dérive imaginaire :

> Au milieu des colonnes tronquées, je croyais les [les morts] voir surgir et peupler la solitude. Ces ombres prenaient des corps, et l'antique Forum reparaissait avec son bruit, sa foule, et sa vie païenne. Elles circulaient partout, et je m'imaginais coudoyer les anciens Romains[14].

Ainsi les monuments de Rome ne sont pas admirés pour ce qu'ils sont, mais plutôt pour le passé qu'ils permettent de faire resurgir. Les voyageurs ne peuvent s'empêcher de les percevoir en fonction d'une autre temporalité que celle du voyage. En témoignent les nombreuses réactions stéréotypées face au Colisée.

---

11. Jean-Baptiste PROULX, *op. cit.*, p. 56.
12. Napoléon BOURASSA, « Souvenirs de voyage », *Les Soirées canadiennes*, IV, 1864, p. 29.
13. Jean-Baptiste PROULX, *op. cit.*, p. 94.
14. Adolphe-Basile ROUTHIER, *op. cit.*, p. 318.

Oh! quel spectacle que le Colisée au clair de la lune! Combien il vous dit de choses à l'imagination! Combien il parle à votre foi! Ces pilastres énormes, qui soutiennent cette construction gigantesque élevant jusqu'au Ciel depuis plus de 1800 ans sa tête orgueilleuse, que ni les hommes ni le temps n'ont pu abattre, sont des monuments dignes du peuple, qui, par sa grandeur et ses prodiges, avait mérité d'être appelé le peuple Roi[15].

Vestige de la grandeur du peuple romain, le Colisée représente aux yeux des voyageurs beaucoup plus qu'il n'est en réalité. Il devient topos, c'est-à-dire, précise Marie-Noëlle Montfort, «expression du mythe [italien], lorsqu'à la description objective s'ajoutent des effets littéraires, des thèmes déjà orchestrés comme l'évocation du passé, la déploration de la décadence, l'esthétique de l'usure, la beauté du clair de lune[16]».

Cette présentation de l'espace comme trace du passé permet de réduire l'infraction à l'égard de la reproduction du réel. Tout se passe comme si l'articulation entre la description des lieux et le récit historique qu'il génère, au lieu de se mettre en place dans le seul récit du voyage, était déjà contenue par l'espace. «La trace, qui inscrit dans l'espace la marque de l'événement, fait remarquer Montalbetti, fonctionne comme une synecdoque de l'effet pour la cause, et appelle ainsi le récit de l'événement qui l'a produite[17].» Le recours au récit historique, à une source textuelle pour décrire l'extra-textuel ne résulte plus d'une incapacité de l'écriture indivi-duelle à se dérouler de manière autonome, car il semble provoqué par le réel même. Les ruines entraînent un jeu de regards croisés, dans la mesure où «le voyageur voit des lieux qui ont vu[18]». Face au Forum romain, Adolphe-Basile Routhier s'exclame:

---

15. Louis RICARD, «Épisode de voyage. Route de Rome à Naples et ascension du Vésuve», *Écho du cabinet de lecture paroissial*, I, 4, 15 février 1859, p. 50.
16. Marie-Noëlle MONTFORT, «Le récit de voyage en Italie au 19ᵉ siècle. Poétique du récit et mythe d'une écriture», Paris, thèse de doctorat, Université Paris VIII, 1985, p. 309.
17. Christine MONTALBETTI, *op. cit.*, p. 229.
18. *Ibid.*, p. 233.

O marbres couchés dans la poussière, ô colonnes et chapiteaux que les tempêtes humaines ont renversés, relevez-vous et prenez la parole! Racontez-moi votre histoire, votre grandeur et votre ruine [...]. Dites-moi ce que vous avez vu depuis César jusqu'à Néron, depuis Néron jusqu'aux invasions des barbares[19].

Au fond, les voyageurs viennent vérifier l'existence de ces fragments qui garantissent la réalité de leurs connaissances et les fondements de leur culture. Or, ce réel n'est souvent pas à la hauteur de ce qu'il représente, d'où la nécessité de se rabattre sur le mythe. Si bien que plutôt qu'un dépaysement spatial, les voyageurs entreprennent un voyage dans le temps, à la rencontre d'un monde perdu qu'ils ont connu et imaginé à travers leurs lectures. Certains favorisent et entretiennent une attitude romantique de déploration et de regret du passé, d'indifférence et de mépris pour le présent. À la limite, le passé est valorisé comme plus réel que le présent, car ce présent marque une déchéance par rapport au mythe.

La valorisation de la dimension mythique de l'Italie apparaît avec évidence quand on songe à ce «type» pittoresque qu'est le brigand italien. Véritable curiosité ethnographique en train de disparaître, les brigands appartiennent au patrimoine historique de l'Italie. Toutefois, à l'instar de la Rome antique, ils ont été transformés en attraction touristique et en mode poétique. «La littérature même des récits de voyage, note Montfort, s'en est emparé et a fait d'eux des héros mythiques et romanesques, des topoï que l'on rencontre plus souvent dans les relations de voyage que sur les grands chemins[20].» Chateaubriand, Stendhal et Dumas, pour ne nommer que ceux-là, y font allusion dans leurs écrits de voyage en Italie. Les Canadiens Louis Ricard et Napoléon Bourassa ne font pas exception à la règle et rapportent plusieurs légendes magnifiées par la tradition populaire. Pour l'un comme pour l'autre, les brigands offrent des perspectives

---

19. Adolphe-Basile ROUTHIER, *op. cit.*, p. 315-316.
20. Marie-Noëlle MONTFORT, *op. cit.*, p. 292.

romanesques intéressantes, même si ni l'un ni l'autre n'en rencontrent, pas même au cours de la traversée réputée dangereuse des Marais Pontins. En fait, contrairement à Chateaubriand, à Stendhal et à Dumas qui dénoncent le mythe — «on nous a volé nos voleurs[21]» écrit Dumas qui constate que les voleurs sont plus fictifs que réels —, les voyageurs canadiens tendent à le réactiver. Leur désir de retrouver l'Italie du passé est tel qu'ils préfèrent poursuivre les «ombres des brigands[22]» plutôt que de constater les progrès de l'histoire.

Ce recours constant à l'histoire, traitée tantôt sur le mode didactique (abrégé de l'histoire d'une époque ou d'un lieu), tantôt sur le mode lyrique (la poétique des ruines, du brigand italien), vise manifestement à occulter les difficultés qu'éprouvent les voyageurs à rendre compte de l'espace tel qu'il se dévoile à leurs yeux. Tout se passe comme si la scène naturelle ne pouvait être circonscrite par l'écriture, comme si la tentative de la reproduire à l'aide notamment de l'énumération des objets vus ou de la narration des événements vécus ne suffisait pas et devait être étayée par une écriture «littéraire». Or, loin de se contenter de la portion congrue du réel, cette approche conduit toujours au-delà, vers la reproduction d'un savoir d'origine culturelle. En témoignent dans les récits les nombreuses allusions livresques qui transforment le voyage en Italie en un voyage dans les livres.

Le voyage dans les livres

Pour rendre compte des lieux qu'ils parcourent, les voyageurs recourent fréquemment à des descriptions antérieures tirées de leurs lectures, à des référents livresques qui se susbstituent aux référents réels. Sur les lieux visités, chacun retrouve le souvenir d'une œuvre littéraire et marche dans les traces des voyageurs illustres qui l'ont précédé. Il faut dire que l'Italie se transmet de

---

21. Alexandre DUMAS, *Le Corricolo*, Paris, Dolin, 1843, p. 291.
22. Marie-Noëlle MONTFORT, *op. cit.*, p. 302.

génération en génération. Elle a suscité une telle production littéraire que les nouveaux voyageurs peuvent difficilement échapper à
une forme de mimétisme culturel. Plus souvent qu'autrement
d'ailleurs, leur entreprise ne vise qu'à retrouver ces artefacts qui
ont alimenté leurs rêves du voyage.

Le recours aux allusions littéraires peut varier considérablement d'un voyageur à l'autre. Sans tenir une comptabilité rigoureuse des auteurs cités, on se rend compte que la vision de l'Italie
qu'entretiennent les voyageurs québécois est largement tributaire
de la formation humaniste qu'ils ont reçue dans les collèges classiques, une formation essentiellement médiatisée par la littérature
latine et la culture antique. Au dire de Laurent-Olivier David,
«un voyage en Grèce et en Italie est le rêve constant des beaux
génies, des grandes imaginations [...] ces deux pays furent la patrie
des Lettres et des Arts, la patrie des Homères, des Démosthènes,
des Virgiles et des Cicérons [...] On croit y entendre, ajoute-t-il,
l'écho de leurs grandes voix; leurs pensées sublimes semblent
dormir sur les ruines séculaires, amoncelées autour de leurs
tombeaux. On va en quelque sorte les éveiller[23]». Pour sa part,
l'abbé Proulx traverse la ville de Rome guidé par ce que sa
mémoire livresque lui en rappelle:

> Mes souvenirs classiques se réveillent, se dressent à chaque pas
> devant moi. Depuis le *De Viris*, passant par Ovide, Virgile,
> Horace, Tacite, jusqu'au *pro Milone*, on nous a tant parlé de la
> ville aux sept collines, puis à mon tour professeur, j'en ai tant
> parlé aux autres, que maintenant je ne puis faire un pas sans
> m'accrocher le pied dans quelque sommet historique ou
> légendaire[24].

Le séjour de Napoléon Bourassa en Italie est l'occasion de
visiter, livre en main, les lieux rendus célèbres par Virgile. Sa
manière de voir le pays lui est dictée par le cygne de Mantoue:

---

23. Laurent-Olivier DAVID, «Essai sur la littérature nationale», *Écho du cabinet de lecture paroissial*, III, 40, 12 octobre 1861, p. 315.
24. Jean-Baptiste PROULX, *op. cit.*, p. 112.

Celui qui a lu les *Églogues* de Virgile et qui connaît la Mythologie des Anciens, retrouve tout cela dans l'habillement et la vie des montagnards Calabrois. Leur costume simplifié a été évidemment le type des Dieux de la campagne. [...] Du reste, il [le montagnard] ne diffère en rien dans son esprit et son caractère, des bergers de Tityre, Corydon, ou Alexis, chantés par le Poète de Mantoue[25].

Ainsi le voyage se double d'un itinéraire symbolique, d'une lecture du monde par le truchement des livres. Plus loin, Bourassa prend Cicéron à témoin pour affirmer que le pauvre village de Pozzuoli ne ressemble en rien à l'opulente Puteola d'autrefois. Puis, c'est de nouveau Virgile qui le guide à la Solfatara. Pour un lecteur de l'*Énéide*, ce lieu représente bien autre chose qu'un simple cratère :

Enfin, on arrive avec Énée jusqu'à l'entrée du Tartare, qui est sans doute la Solfatara ou quelque cratère éteint, qui existait du temps de Virgile ; on désigne même sous le nom de Champs Élysées, une plaine qui avoisine ces lieux. Le sixième chant de l'*Énéide* a été évidemment composé sur ces merveilleuses données de la Nature[26].

À l'instar de Bourassa, Louis Ricard trouve dans les auteurs antiques de véritables cicérones : « Tout l'aspect du pays est étranger, on se sent dans un autre monde, dans un monde qu'on n'a connu que par la description des poètes de l'Antiquité qui ont tout à la fois dans leurs peintures, tant d'imagination et tant d'exactitude[27] ». Se détournant de la scène naturelle, le voyageur cherche surtout à reconstituer les lieux légendaires que lui rappellent sa mémoire et sa formation littéraire :

Je voulais y deviner l'endroit où Pline le naturaliste s'était fait coucher près du rivage de la mer, sur un drap étendu qui devait

---

25. Napoléon BOURASSA, « Naples et ses environs », *La littérature canadienne de 1850 à 1860*, Québec, G. et G. E. Desbarats, 1864, p. 305.
26. *Ibid.*, p. 313.
27. Louis RICARD, *loc. cit.*, p. 52.

lui servir de linceul. Car, dit Pline le jeune, «lorsque la lumière reparut, trois jours après le dernier soleil qui avait lui pour mon oncle, on retrouva son corps entier, sans blessure; son attitude était celle du sommeil plutôt que celle de la mort[28]».

Dans ces conditions, le récit de voyage devient un acte de lecture, ou plutôt de relecture «grandeur nature». Le Lac de Némi et la ville de Sorrente rappellent à l'abbé Henri-Raymond Casgrain des vers de Lamartine; le golfe de Baies est associé à «Virgile, qui y plaça l'entrée d'Énée aux enfers[29]» et la ville de Tusculum aux *Tusculanes* de Cicéron. Plusieurs éléments du voyage sont ainsi reliés à la fois à une expérience réelle et à un souvenir littéraire qu'explicite souvent une citation: «À un mille d'Albano, Aricie, joli village couché dans une mer de verdure nous met en mémoire cet original d'Horace, de tous les auteurs latins celui qu'on aime le mieux à se rappeler. Aricie fut sa première étape dans son voyage de Rome à Brindes. *Egressum magma me accepit Arecia Roma. Hospitio modico*[30]...» L'itinéraire du voyage présente ainsi une fonction mnémotechnique qui procède d'une implicite conception rhétorique de l'espace.

Visiblement, le voyage en Italie est l'occasion pour les voyageurs québécois de se livrer à un véritable étalage d'érudition, d'émailler leur discours de citations ou d'allusions qui sont passées dans la culture courante des lettrés. Y sont convoqués les auteurs de l'Antiquité bien sûr, mais aussi des poètes de la Renaissance et même des écrivains contemporains. Louis Ricard retrouve dans chaque lieu le souvenir d'une œuvre littéraire et les voyageurs illustres qui l'ont précédé: Chateaubriand, Madame de Staël, Lamartine. En montant sur le Vésuve au soleil couchant, il lui vient «à l'esprit le chant de Corinne sur les beautés et les souvenirs de Naples, morceau que l'on peut à juste titre appeler

---

28. *Ibid.*, p. 55.
29. Henri-Raymond Casgrain, *loc. cit.*, p. 342.
30. *Ibid.*, n° 40 (4 juin 1892), p. 475.

le chant du cygne[31] ». Joseph-Sabin Raymond estime pour sa part:

> On ne peut aller à Naples sans y retrouver le grand poète [Chateaubriand]. Le tableau qu'on a sous les yeux, l'imagination l'avait déjà gravée en elle-même. On avait vu dans le 5ème livre des *Martyrs*, le soleil se levant sur le Vésuve, l'azur de la mer parsemée des voiles blanches des pêcheurs, le passage de Naples sortant de la nuit avec tous ses enchantements[32].

Ces exemples de voyages à travers les livres, qu'on pourrait multiplier, indiquent à quel point les voyageurs ne peuvent s'empêcher de percevoir le monde à l'aide de référents culturels. Outre la littérature, des allusions à la peinture illustrent également cette tendance à transmuer l'espace en art, en tableaux possibles. Ce qui fascine Henri-Raymond Casgrain à Rome, par exemple, c'est de retrouver dans les rues des sujets identiques à ceux qui ont jadis servi aux peintres; d'admirer la matière première qui a transcendé les siècles. Ainsi, la rencontre dans la rue de deux petits enfants qui mendient l'incite à susbstituer une réminiscence picturale à une description détaillée: « Raphaël les auraient pris tous deux pour modèles, et en aurait fait ces petits anges accoudés au premier plan de son fameux tableau, la Madone de Saint-Sixte, que tout le monde connaît[33]. » L'espace tend vers sa représentation, se présente tantôt comme un modèle pour le peintre tantôt comme un objet déjà métaphoriquement constitué en tableau. En un sens, les voyageurs « déréalisent le monde réel[34] », pour reprendre l'expression de Marie-Noëlle Montfort, en le faisant habiter par les êtres irréels des peintres et des littéraires.

Face à une Italie que les mots n'arrivent pas à circonscrire, les voyageurs-écrivains mènent un jeu perdu d'avance. Aussi se

---

31. Louis Ricard, *op. cit.*, p. 56.
32. Joseph-Sabin Raymond, « Entretiens sur Naples », *La Revue canadienne*, 4, 1867, p. 223.
33. Henri-Raymond Casgrain, *loc. cit.*, n° 41, 11 juin 1892, p. 491.
34. Marie-Noëlle Montfort, *op. cit.*, p. 75.

rabattent-ils sur des lieux communs et des archétypes culturels qui imposent une vision préétablie du monde extérieur. Ces lieux communs comportent une telle valeur référentielle que les voyageurs sont souvent incapables d'interpréter la réalité sans y renvoyer, fût-ce sur le mode de la négation. Les voyageurs n'ignorent pas que l'époque à laquelle ils écrivent valorise l'originalité individuelle. Rappelons en effet que la littérature française du XIXe siècle détermine en grande partie la valeur d'une œuvre en fonction de son originalité. Afin d'éviter la redite, les voyageurs ont donc été tentés d'introduire un élément de surprise, d'originalité, en contestant certaines représentations communément admises, en dénonçant certains lieux communs. Ainsi, pour l'abbé Henri-Raymond Casgrain, les «cascatelles de Tivoli» sont insignifiantes à côté de la chute Montmorency et «doivent bien plus leur réputation aux grands hommes qui les ont immortalisées qu'à leur beauté réelle[35]». Le lac de Nemi si vanté par les Anciens lui apparaît minuscule et le détroit de Messine, le terrible gouffre de Charybde et de Scylla de l'Antiquité, moins redoutable que celui du Cap-aux-Corbeaux, entre l'Ile-aux-Coudres et la Baie Saint-Paul. «Le fameux Tibre, s'exclame pour sa part Jules-Paul Tardivel, est une misérable petite rivière qui roule en une eau boueuse, large d'un arpent ou deux. S'il était en Amérique, c'est à peine s'il aurait un nom connu des géographes[36].» Plus loin, Tardivel écrit:

> la phrase banale *Voir Naples et mourir* est une grosse sottise. Il est généralement convenu qu'il faut se pâmer en voyant Naples. J'ai eu beau essayer, je n'ai pu tomber en extase [...] Certes je n'en disconviens pas, la ville de Naples, vue d'un peu loin surtout, est très belle, [...] mais ne donne nullement envie de mourir[37].

De même, dans ses «Souvenirs de voyage» publiés dans les *Soirées canadiennes*, Napoléon Bourassa se désole de ce que le

35. Henri-Raymond Casgrain, *loc. cit.*, n° 39, 28 mai 1892, p. 467.
36. Jules-Paul Tardivel, *Notes de voyage en France, Italie, Espagne, Irlande, Angleterre, Belgique et Hollande*, Montréal, Senécal, 1890, p. 363.
37. *Ibid.*, p. 370.

présent lui offre à voir. Au sujet de la campagne romaine et plus
précisément de la porte Saint Paul qui « servait autrefois d'entrée
à la voie Ostiensis », il note : « On chercherait en vain aujourd'hui
quelques vestiges de toute cette prospérité. En franchissant la
porte St. Paul, à part la belle pyramide de Caïus Cestius qui
s'élève auprès, on ne voit plus que les côteaux [*sic*] et les cavernes
de Pouzzolane ; et au-delà, les profils de la basilique St. Paul[38]. »
Même le carnaval de Rome a perdu l'authenticité qui le caracté-
risait jadis. Désormais ce n'est plus qu'une tradition que l'on
honore, mais qui a perdu son sens véritable. Dans un article intitulé « Le Carnaval à Rome » qui paraît dans la *Revue canadienne*
en 1864, Napoléon Bourassa déplore l'affaiblissement de cette fête
de la démesure « qui a perdu considérablement de son caractère un
peu dévergondé d'autrefois[39] ». Même réaction de Jules-Paul
Tardivel à l'égard du carnaval de Venise :

> Une troisième chose que l'on a poétisée, c'est le carnaval de
> Venise. Il y a même une chanson à propos de ce « carnaval
> joyeux » que j'ai souvent entendu chanter, hélas ! Eh bien ! ce
> fameux carnaval, je l'ai vu aujourd'hui même. Je puis donc en
> parler avec connaissance de cause. C'est grotesque tant que vous
> voudrez, un peu drôle, peut-être. Mais de poésie là dedans il n'y
> a pas un vestige[40].

Nous aurions tort de croire qu'il suffit de dénoncer certains
éléments du mythe italien pour échapper aux topoï. On assiste
souvent à un changement de perspective au sein d'un même texte.
Certains voyageurs résistent en un premier temps au lieu commun. Mais on s'aperçoit vite que le cliché est tout bonnement
différé et qu'une fois les concessions nécessaires faites au réalisme
et à l'originalité, il revient au galop. De plus, les clichés sur l'Italie
que se transmettent les générations de voyageurs coexistent avec

---

38. Napoléon Bourassa, « Souvenirs de voyage », *loc. cit.*, p. 26.
39. Napoléon Bourassa, « Le Carnaval à Rome », *La Revue canadienne*,
vol. I, 1864, p. 47.
40. Jules-Paul Tardivel, *op. cit.*, p. 395.

des représentations plus circonstanciées, des clichés d'époque véhiculés par les modes littéraires. Marie-Noëlle Montfort a bien montré comment les voyageurs français qui croient éviter le lieu commun du ciel bleu d'Italie en décrivant des intempéries rejoignent dans les faits le discours romantique conventionnel en reproduisant un autre cliché, celui de la tempête et de l'orage. «Entre les clichés d'époque et ceux que porte l'Italie, les voyageurs sont pris au piège de toutes parts et ne peuvent que succomber devant le nombre[41].» Ainsi, l'expérience de la désillusion n'empêche nullement Bourassa de se conformer à l'usage et d'exploiter les thèmes littéraires. Après avoir évité le lieu commun du carnaval à Rome, il rejoint le discours romantique conventionnel en introduisant la pulsion de mort, notion qu'il articule au principe de plaisir :

> Au moment où je quittais le Corso pour remonter vers la Place d'Espagne, je vis apparaître, à l'une des extrémités, près du palais de Venise, les premiers rangs d'une procession funèbre. [...] tous ces personnages de la rue si burlesquement accoutrés, toutes ces toilettes chiffonnées par la dissipation [...] puis, cette victime de la mort passant triomphalement sur cette voie que la fête a laissée jonchée de fleurs, couronnée elle aussi, mais pour aller au tombeau, que de contrastes !..... Pauvre jeune fille[42] !

Cette procession funèbre d'une jeune fille au milieu des réjouissances carnavalesques n'est pas sans évoquer Chateaubriand dont les voyages en Italie sont marqués par une contiguïté entre la beauté et la laideur, entre la vie et la mort. Dans les *Mémoires d'Outre-Tombe*, on peut lire : «La mort est ici [...] On ne voit que des défunts que l'on promène habillés dans les rues. [...] La mort semble être née à Rome[43].» Même vision dans les *Promenades dans Rome* (1829) de Stendhal :

41. Marie-Noëlle MONTFORT, *op. cit.*, p. 326.
42. Napoléon BOURASSA, «Le Carnaval à Rome», *loc. cit.*, p. 53-54.
43. François-René DE CHATEAUBRIAND, *Mémoires d'Outre-Tombe*, Paris, E et V Penaud frères, 1849, p. 321 et 365.

Tous les enterrements de bon ton viennent passer [au Corso] à la nuit tombante. Là au milieu de cent cierges allumés, j'ai vu passer sur un brancard et la tête découverte la jeune marquise C. S., spectacle atroce et que je n'oublierai de ma vie, mais qui fait penser à la mort ou plutôt qui en frappe l'imagination, et par là, spectacle fort utile à qui règne en ce monde en faisant peur de l'autre[44].

Comme plusieurs avant lui, Bourassa met en relief l'union contrastée de la mort toujours présente et menaçante, et l'expérience des plaisirs et des réjouissances toujours éphémères. De plus, sa démarche, toute moralisatrice, s'apparente au *memento mori* des philosophes. Elle flétrit les plaisirs de la vie qui masquent l'évidence de la mort : « Je compris plus que jamais [...] que les jouissances des sens s'en vont en poussière, qu'il n'y a d'éternel que la vie de l'âme[45]. »

L'approche de Bourassa, commune à la plupart des voyageurs québécois, n'est en fait qu'une façon de reprendre à son compte la réflexion de Stendhal : « L'intérêt du paysage ne suffit pas ; à la longue, il faut un intérêt moral ou historique[46]. » Mais surtout elle témoigne de l'influence du romantisme. De Chateaubriand en particulier, les auteurs québécois ont appris que la poésie est moins dans la nature que dans l'œil de celui qui la regarde. Comme lui, ils cherchent non pas à rendre un compte exact du décor, mais à communiquer l'émotion qu'il suscite, quitte à le trafiquer légèrement. Comme lui, ils sont sensibles aux contrastes entre le passé et le présent, entre la vie et la mort, entre la culture et la nature :

Rome est pleine de contrastes, et j'y trouve un charme incomparable. J'ai vu des chèvres brouter les herbes entre les marbres

---

44. STENDHAL, *Promenades dans Rome*, Paris, Delaunay, 1829, p. 731.
45. Napoléon BOURASSA, « Le Carnaval à Rome », *loc. cit.*, p. 54.
46. STENDHAL, *Mémoires d'un touriste*, cité par J.-M. GAUTHIER, « Introduction », dans CHATEAUBRIAND, *Voyage en Italie*, Genève, Librairie Droz, 1968, p. 9.

du perron de Saint-Jean de Latran. Du tombeau de Scipion, j'ai chassé des moutons qui s'y étaient mis à l'ombre, et qui se croyaient bien chez eux. Sur la Roche Tarpéienne, une servante sarclait des légumes[47].

À Rome, les contrastes de ce genre ne manquent pas : les sarcophages antiques servent d'abreuvoir ; le Forum est devenu le *Campo Vaccino ;* le tombeau d'Hadrien, garni de créneaux, a été transformé en forteresse ; « illustration qui vient à point nommé pour étayer cette idée, devenue un leitmotiv depuis Volney, à savoir, que les empires tombent et disparaissent comme les hommes[48] ».

En somme, tout se passe comme s'il ne pouvait y avoir de représentation personnelle de l'Italie, chaque expérience singulière ne faisant que s'engager sur une voie déjà balisée. Les voyageurs semblent contraints de choisir entre les poncifs séculaires et les modes littéraires du siècle, entre les auteurs antiques qui leur permettent de faire revivre un passé mythique, et les auteurs romantiques qui les amènent à porter un regard neuf sur les ruines de ce passé. D'une façon ou de l'autre, l'Italie réelle cède inévitablement sous la prégnance des acquis culturels. Autant dire, à la suite de Jean-Claude Berchet, que « toute représentation forte du réel passe par des représentations collectives, et qu'à la limite seul est réel, c'est-à-dire seul a un sens, ce qui est déjà "culturalisé" »[49].

La connaissance procède normalement du connu à l'inconnu et, en ce sens, participe d'une certaine forme de reconnaissance. Aussi, pour rendre compte de l'Italie qu'ils parcourent, les voyageurs recourent-ils spontanément à des archétypes culturels

---

47. Adolphe-Basile ROUTHIER, *À travers l'Europe. Impressions et paysages*, tome II, p. 314.

48. J.-M. GAUTHIER, *loc. cit.*, p. 24.

49. J.-C. BERCHET, « L'Autre : le voyageur et ses doubles : le trouble des identités dans le récit de voyage romantique », dans Ilana ZINGUER (dir.), *Miroirs de l'altérité et voyage au Proche-Orient*, Colloque international de l'Institut d'histoire et de civilisation françaises de l'Université de Haïfa, Genève, Slatkine, 1991, p. 154.

(allusions mythologiques, historiques, littéraires, etc.) qui, dans la société de l'époque, « connaissent » ce pays, l'expriment, le donnent à voir. Il semble bien difficile, en effet, pour les voyageurs canadiens d'échapper au discours du topos dans une entreprise littéraire qui appartient avant tout à la tradition et au patrimoine culturel. Bon nombre tendent à percevoir l'Italie à travers son prestige défunt et à lui accorder une existence qui doit beaucoup à l'imaginaire et à la littérature. Entre la désillusion du présent et l'image du passé, s'opère tout un travail d'élaboration mythique de la réalité. Du cliché météorologique du « ciel bleu d'Italie » à l'arrivée mémorable à Rome sous le soleil ou au clair de lune, de la visite des ruines du Colisée à l'escalade du Vésuve, de l'admiration pour la Rome antique et chrétienne à l'attachement pour la Papauté, les voyageurs canadiens s'insèrent dans la tradition immuable en corroborant la plupart des topoï. Très peu prennent vraiment le contre-pied des idées reçues, en ne voyant, comme les frères Goncourt[50] en 1894, par exemple, que laideur là où les autres admiraient la beauté, en ne ressentant que dégoût là où d'autres éprouvaient tristesse et nostalgie. Très peu également dénoncent, comme Chateaubriand et Stendhal, la disparition de certains éléments constitutifs du mythe de l'Italie : les sigisbées, les brigands. Bref, très peu tendent, par réaction bien naturelle contre l'Italie factice, à tenir pour plus réel tout ce qui sera perçu comme prosaïque et trivial. La majorité préfère répondre à l'attente de leurs lecteurs déjà familiarisés par d'autres lectures ou par les idées couramment répandues sur l'Italie. Si quelques-uns réagissent contre la tradition, c'est presque toujours au profit de nouveaux stéréotypes et de nouveaux thèmes littéraires plus à la mode.

Compte tenu de sa dimension mythique, l'Italie semble donc sans cesse décrite indirectement, à travers une vision préexistante, un modèle culturel préétabli. « D'une certaine manière, note Marie-Noëlle Montfort, le voyage en Italie se plie à une liturgie.

---

50. Edmond et Jules DE GONCOURT, *L'Italie d'hier. Notes de voyages 1855-1856*, dans *Œuvres complètes*, XXV-XXVI, Genève-Paris, Slatkine Reprints, 1986, viii, 287 p.

Il ne peut s'effectuer que selon certaines règles et le voyageur n'atteindra le cœur de l'Italie qu'à travers la redécouverte de formules rituelles[51]. » Autant dire que la fonction du récit de voyage, « dérisoire, est de prouver que la réalité est conforme à l'érudition qu'on en a[52] ». Oscillant entre le mythe et la réalité, la consignation du voyage devient une opération métaphorique de récriture et de relecture. La littérature rend l'Italie lisible, se présente comme une prosopopée de l'Italie parcourue. « Étonnants voyageurs ! [...] Dites, qu'avez-vous vu ? », disait Baudelaire, mais plus encore peut-être : dites, qu'avez-vous lu ?

---

51. Marie-Noëlle Montfort, *op. cit.*, p. 315.
52. François Moureau, « L'imaginaire vrai », dans *Métamorphoses du récit de voyage*, Actes du colloque de la Sorbonne et du Sénat, 12 mars 1985, Paris, Champion, Genève, Slatkine, 1986, p. 166.

« *Il y a un charme poétique dans le seul nom, Italie[1] !* » *Edmond de Nevers et ses* Lettres de Venise et de Rome *(1890–1891)*

HANS-JÜRGEN LÜSEBRINK

Rêves et réalités

Edmond de Nevers, l'auteur de *L'avenir du peuple canadien français* (1896) et de *L'âme américaine* (1900), fit en Italie, pendant l'hiver 1890-1891, un séjour aussi bref qu'intense. Sans pouvoir le déterminer avec précision, les documents conservés et quelques témoignages montrent qu'il a vécu en Italie et séjourné à Venise, à Rome et à Naples, et peut-être aussi à Florence, entre le milieu du mois de novembre 1890 et la fin mars 1891[2], séjour pendant

---

1. Edmond DE NEVERS : « En Route pour Rome », Venise, 20 novembre 1890, *La Presse*, 6 décembre 1890, p. 6. Réédité dans Edmond de Nevers : *Lettres de Berlin et d'autres villes d'Europe*, édition critique par Hans-Jürgen LÜSEBRINK, Québec, Nota Bene, 2002.

2. Wilfried Camirand, son ami de collège qui publia après sa mort en 1906 des extraits de poèmes et de lettres d'Edmond de Nevers dans le périodique *Le Soleil*, pense qu'il passa six mois en Italie : « En moins d'une année il parlait cette langue [l'allemand] aussi bien que sa langue maternelle ; puis passa quelques mois à Vienne ; séjourna six mois à Rome, Florence, Naples, se rendit maître de la

lequel il perfectionna ses connaissances de la langue italienne au point de pouvoir lire la presse ainsi que des livres en italien et même traduire un poème de l'italien, dans une des *Lettres* envoyées de Venise qu'il publia dans le quotidien montréalais *La Presse*. La première de ces trois *Lettres* date, en effet, du 20 novembre 1890 et fut écrite à Venise ; la seconde, écrite exactement un mois plus tard, le 20 décembre 1890, fut rédigée à Rome, comme la troisième et dernière, datée du 15 mars 1891. Une lettre privée, datée de Rome du 20 novembre 1890, ainsi qu'un manuscrit daté du 28 janvier 1891 et intitulé « À propos du pouvoir temporel du pape » qui était probablement destiné à *La Presse*, mais ne fut pas publié, sans doute à cause des réflexions sur le déclin de la papauté et l'anticléricalisme en Italie qu'il contient, sont conservés aux Archives Nationales du Québec. Voilà les traces écrites d'un séjour en Italie qui constitue une étape parmi d'autres du long périple d'Edmond de Nevers en Europe, suite à son séjour à Berlin et à Vienne, entre avril 1888 et octobre 1890, et son séjour de presque neuf ans à Paris, précédé, d'après des témoignages de ses amis et de son frère Lorenzo, d'un voyage en Espagne et au Portugal qui se serait déroulé entre son départ de Rome et son arrivée à Paris, comme le prouve une lettre datée du 23 mai 1891[3].

L'Italie ne constitua ainsi, pour Edmond de Nevers qui fut le premier — et pour longtemps le seul — écrivain et intellectuel canadien-français à vivre une expérience approfondie et intense de plusieurs pays d'Europe (et non seulement de la France), qu'une assez brève étape parmi d'autres sur son long trajet européen dont les stations majeures, et symboliquement opposées, voire antagonistes, étaient Berlin et Paris. Mais à y regarder de plus près, l'Italie forma au cours de ce périple une étape importante et hau-

langue italienne », Mémo [Wilfried CAMIRAND] : « Edmond B. de Nevers », *Le Soleil*, 28 avril 1906.

3. Lettre d'Edmond DE NEVERS. Paris, 23 mai 1891. 8 pages ms. Bibliothèque Nationale du Québec, Ms 359. Voir aussi le témoignage de Wilfried Camirand sur ce voyage en Espagne et au Portugal, suite à son séjour en Italie, *loc. cit.*

tement significative dont on trouvera les traces dans ses deux grands ouvrages ultérieurs et dans plusieurs articles consacrés notamment à la réflexion historique.

Ce fut d'abord, pour Edmond de Nevers, la réalisation d'un rêve nourri depuis longtemps, depuis ses années de collège au Séminaire de Nicolet. «Tous», écrit-il dans sa lettre de Venise du 20 novembre 1890:

> [...] nous avons plus ou moins rêvé de voir un jour son beau ciel, de rendre hommage, dans ses musées et ses temples, aux génies des siècles envolés. Ce rêve est maintenant pour moi réalité et en saluant Venise, c'est la belle Italie de Dante, de Raphaël, de Michel-Ange, de Rossini et aussi [...] l'Italie de Cavour qui, sur les ruines des idoles et des divinités abandonnées du passé, a donné aux artistes de l'avenir une nouvelle muse inspiratrice — la liberté[4].

Cette citation indique, en même temps, que ce fut autant l'Italie mythique et rêvée que les nouvelles réalités sociales et politiques de l'Italie de Vittorio Emmanuele et de Garibaldi qui l'intéressèrent. Si la première lettre, consacrée à Venise, est encore, de l'aveu même de l'auteur, empreinte de «lyrisme» et apprend «peu de choses aux lecteurs de la *Presse*[5]», les deux *Lettres* de Rome focalisent l'attention sur une Italie en pleine transformation pour laquelle les ruines et monuments du passé ne sont plus qu'un décor imposant pour touristes.

Edmond de Nevers fut ainsi témoin, en premier lieu, des transformations politiques survenues depuis 1860 et du mouvement d'unification de l'Italie. Comme à Berlin, il constate la puissance sociale, culturelle et mentale d'un nouveau nationalisme (qu'il prônera plus tard pour les Canadiens français, notamment dans *L'avenir du peuple canadien-français*[6]); ce nationalisme,

---

4. DE NEVERS «En route pour Rome», réédité dans *Lettres de Berlin et d'autres villes d'Europe, op. cit.*, p. 2.
5. *Ibid.*, p. 2.
6. Paris, Henri Jouve, 1986; rééd. Montréal/Paris, Fides, 1964.

constituant à la fois un mouvement politique et un puissant élan collectif avait, selon lui, profondément fondu, en l'espace de deux décennies, des populations de langues et cultures très différentes en un seul peuple italien largement uni. « Quoi qu'il en soit, écrit-il dans sa *Lettre de Rome* du 20 décembre 1890, Rome a repris une apparence de vie et les Romains sont maintenant "fiers comme des Romains", ce qu'ils avaient cessé d'être depuis longtemps — on reconnaît une nation qui veut redevenir grande et s'élever à la hauteur du progrès moderne[7]. » Il observe, pendant ses promenades dans Rome, l'inscription de la nouvelle mémoire nationale sur le visage de la capitale, notamment ses noms de rues qui sont « destinés à perpétuer la mémoire des héros de la "jeune Italie", comme Garibaldi, Cavour et Farini, et à rappeler les grands événements de l'unification nationale, comme la "Via del venti Settembre", commémorant le jour de l'entrée de Vittorio Emmanuele dans Rome en 1870. » Dans une de ses lettres privées écrites de Rome, il approfondit ses observations sur la « nationalisation » de l'espace, mais aussi (et surtout) des mentalités collectives en Italie, en constatant l'emprise du nationalisme sur l'ensemble du peuple italien, et en particulier sur l'esprit de la jeune génération :

> L'Italie dont je vous ai indiqué, dans ma dernière lettre, la politique mal orientée de ces dernières années, est militairement la cinquième puissance de l'Europe. Elle peut mettre sur pied, en temps de guerre, au delà de huit cent mille soldats, sûre de son unité, se souvenant de sa grandeur passée, confiante en l'avenir, elle briserait tout obstacle contre lui, elle a la foi patriotique des néophytes, tous ses écrivains, ses orateurs, ses poètes artistes exaltent ce sentiment, où on n'est plus toscan, vénitien ou romain, on est « italien », et on se ferait tuer avant de renoncer à ce titre si cher.

Et plus loin, dans la même lettre :

---

7. Edmond DE NEVERS : « À première vue », Rome, 20 décembre 1890, *La Presse*, 10 janvier 1891, p. 3. Réédité dans *Lettres de Berlin et d'autres villes d'Europe, op. cit.*

[...] toute la jeune génération est libérale, enthousiaste et progressiste fanatique. On est écrasé de taxes et cependant on ferait sans murmurer les derniers sacrifices pour le maintien de ce qu'on appelle l'intégrité italienne[8].

Rome, à l'époque où Edmond de Nevers y séjourna, était une ville en pleine expansion et en pleine transformation dont il releva, avec acuité, les signes d'évolution dans l'espace urbain : multiplication par deux de sa population en deux décennies ; construction d'une ville nouvelle « à côté de l'ancienne[9] », d'un grand nombre d'édifices publics et de résidences confortables ; percée de nouveaux axes de circulation comme la rue nationale, mais aussi aggravation des inégalités sociales qu'il observe à travers la foule de mendiants agressifs à l'égard de tout étranger. La troisième et dernière lettre écrite d'Italie se termine sur la vision d'une conquête de Rome par le capital financier américain : « On parle de manufactures, d'usines, enfin Rome va redevenir un grand entrepôt commercial et un port de mer. C'est *uncle Sam* qui l'a dit et le million est tout puissant. » Et à la fin, après l'évocation du projet d'un canal entre Rome et la mer également financé par des promoteurs américains, symbolisant ainsi un retournement du mouvement de l'histoire moderne commencé avec la découverte de l'Amérique par le Gênois Christophe Colomb, Edmond de Nevers ajoute une note au ton très ironique :

En 1492, un Italien se lança sur les mers et donnait au monde civilisé un nouveau continent, l'Amérique ; en 1892, l'Amérique amènera une mer captive aux pieds de la capitale de l'Italie, patrie de Christophe Colomb[10].

---

8. Edmond DE NEVERS, « À propos du pouvoir temporel du pape », Rome, 28 janvier 1891, 9 pages ms. Bibliothèque Nationale du Québec, Ms. 359. Réédité dans *Lettres de Berlin et d'autres villes d'Europe, op. cit.*
9. DE NEVERS, « À première vue », p. 2.
10. Edmond DE NEVERS, « Autour des monuments et des ruines de Rome », 15 mars 1891, *La Presse* (Montréal), 28 mars 1891, p. 6. Réédité dans Edmond de Nevers : *Lettres de Berlin et d'autres villes d'Europe, op. cit.*

Le sujet socio-politique qui retint le plus l'attention d'Edmond de Nevers, notamment dans une de ses lettres privées, fut sans doute l'annexion de l'État du Pape par l'Italie et la perte considérable de l'influence de la papauté et de l'église catholique en général, qu'il observa avec étonnement et une certaine révolte, à peine perceptible dans ses *Lettres* publiées, mais en revanche très prononcée dans son manuscrit non publié, daté du 28 janvier 1891[11]. Il s'y montre même scandalisé que les Italiens aient pu accepter, dans leur grande majorité apparemment, un acte violant la souveraineté de la papauté et son indépendance par rapport au pouvoir laïque. «Nous Canadiens, considérons le fait d'avoir dépossédé le pontife romain comme un mal sacrilège, mais pour les nations protestantes et libre-penseurs de l'Europe, le pape est un souverain ordinaire[12].» Edmond de Nevers qui était, selon le témoignage de ses amis, loin d'être un dévot, et aurait même abandonné la pratique religieuse en quittant le collège[13], se montra néanmoins surpris, voire irrité, face au sentiment antipapiste et antireligieux notamment parmi les jeunes et les couches populaires pauvres de la société italienne de l'époque: «Parmi le pauvre peuple surtout règne une rancune invincible contre les princes romains»[14], constate-t-il ainsi dans sa lettre du 28 janvier 1891,

---

11. Edmond de Nevers mentionne, en guise d'introduction à sa lettre de Rome du 28 janvier, le décalage entre ce qu'il a dit dans ses lettres privées et dans ses lettres publiées dans *La Presse*: «Un ami m'écrivait dernièrement: "...Dis-moi franchement ta pensée sur ce qui concerne le pouvoir temporel; crois-tu à sa prochaine restauration, Rome deviendrait-elle bientôt la capitale libre du monde catholique, ou devons-nous encore ajourner nos espérances? Déposes-moi les faits tels qu'ils sont, tels que tu les comprends que tu ne pourras le faire sur un journal, dans une lettre destinée au public, mais entre nous..."», Bibliothèque Nationale du Québec, Ms. 359, p. 1.

12. Edmond DE NEVERS, «À propos du pouvoir temporel du pape», Rome, 28 janvier 1891, Bibliothèque Nationale du Québec, Ms. 359.

13. Claude GALARNEAU, *Edmond de Nevers, essayiste*, suivi de textes choisis et présentés par Claude Galarneau, Québec, Les Presses de l'Université Laval, 1959, p. 22.

14. Edmond DE NEVERS, «À propos du pouvoir temporel du pape», 28 janvier 1891, Bibliothèque Nationale du Québec, Ms. 359.

pour faire déboucher sa réflexion sur des mises en relation entre anti-cléricalisme et essor nationaliste :

> [...] si l'on se rappelle que le mouvement patriotique unitaire commencé vers 1842 n'a rien perdu de son intensité, a augmenté au contraire malgré que l'on sache maintenant tout ce qu'il en coûte pour être une grande nation, si l'on considère que la foi religieuse n'existe presque plus parmi la jeune génération italienne (à Naples excepté) que les grandes solennités du culte ont à peine le pouvoir d'attirer les curieux, que la carrière ecclésiastique ne recrute presque plus de fils parmi les familles influentes cléricales, enfin que toutes les écoles du royaume sont chargées de répandre parmi le peuple avec l'amour de la patrie italienne, l'horreur du gouvernement pontifical, on s'avouera avec tristesse que du côté de l'Italie nous n'avons rien à espérer[15].

L'Italie — *mémoire et utopie d'une nation nouvelle*

La « tristesse » ressentie par Edmond de Nevers face au déclin du catholicisme en Italie et à la perte du pouvoir de la papauté qu'il mentionne à la fin de la lettre citée est certes, vu sa personnalité et son œuvre, à la fois sincère et feinte : sincère parce qu'il était intimement convaincu qu'un peuple doit rester « fidèle à sa religion, sa langue et à ses traditions, si l'on veut prospérer »[16], une vision de l'histoire qui reste profondément sceptique par rapport aux phénomènes de révolutions et de rupture, comme il a pu les observer dans l'Italie des années 1860 à 1890[17]; en même temps,

---

15. *Ibid.*, p. 6.
16. Edmond De Nevers, « L'évolution des peuples anciens et modernes », *Revue Canadienne*, 1904, suite et fin, p. 538-559.
17. Edmond de Nevers reprendra cette attitude sceptique dans son livre *L'avenir du peuple canadien-français*, p. 130, où il utilise dans cette perspective une citation des *Discorsi politici* de Machiavel : « Avec la langue d'un peuple, c'est tout un passé qui s'efface ; il se fait une interruption dans la civilisation qui lui est propre, dans la marche de sa culture. "Les changements de religion et de langue étouffent la mémoire des choses." (Machiavel, *Discorsi politici*, chap. V, livre II). Certains souvenirs ne se traduisent pas, les traditions populaires ne se

sa tristesse ne paraît pas totalement sincère, car Edmond de Nevers reconnaît, ici et dans d'autres écrits, la dimension para-religieuse du nationalisme moderne dont il observa, en Allemagne comme en Italie et plus tard en France, la force de mobilisation émotionnelle et affective qu'il prône lui-même dans son livre *L'avenir du peuple canadien-français.*

Loin de former pour Edmond de Nevers uniquement une expérience vécue au présent, son voyage en Italie constitua ainsi également, et peut-être surtout, une expérience du passé et de l'avenir. Son appréhension du passé de l'Italie — l'Empire Romain surtout, mais aussi de l'histoire de la République de Venise et la mémoire de la Renaissance italienne — était forte-ment imprégnée des leçons d'histoire de l'historien allemand Theodor Mommsen dont il avait fréquenté les cours à l'Université de Berlin en 1888 et 1889. Dans le sillage des réflexions de l'au-teur de la *Römische Geschichte*[18], il considéra, dans sa longue étude sur « L'évolution des peuples anciens et modernes » publiée en 1904 dans la *Revue Canadienne,* la Grèce et Rome, « peuplées, elles aussi, d'hommes de race aryenne, la seconde continuant l'œuvre de la première »[19], comme les puissances pionnières de l'Europe, phares et berceaux de la civilisation moderne. L'Italie du renouveau national lui apparaît, de même que la France, comme héritière de la civilisation ancienne dont Edmond de Nevers vise à transplanter l'esprit au Canada français, à travers des institutions scolaires, académiques et universitaires, et par l'essor à donner à l'art et à la littérature :

---

transmettent pas sans la langue dans laquelle elles se sont d'abord incarnées et perpétuées. »

18. Edmond de Nevers mentionne cet ouvrage majeur de Mommsen dans son article « L'Évolution des peuples anciens et modernes », *Revue Canadienne,* 1904, p. 167-180 (1ère partie): « L'illustre savant allemand, Mommsen, dont l'*Histoire romaine* est reconnue dans le monde entier, comme la meilleure qui existe [...]. »

19. Edmond DE NEVERS : « L'évolution des peuples anciens et modernes », *Revue Canadienne,* 1904, vol. II, p. 167-180, p. 279-290, p. 538-560.

Le soleil, a-t-on dit, a allumé autour de la Méditerranée, les premiers foyers de la véritable civilisation. La Grèce, dans ses minuscules républiques, a créé une sorte de serre-chaude où mûrirent, pour le monde à venir, tous les fruits du progrès : art, poésie, littérature, sciences, commerce. Elle fut la pépinière où pendant longtemps on alla chercher la beauté pure, le pur idéal, qui devaient se greffer, plus tard, sur les plantes encore sauvages, mais pleines de sève et de vigueur, du centre et du nord de l'Europe. Elle reçut, comme engrais, les vestiges des civilisations mortes, de la Vallée du Nil, de l'Euphrate et du Tigre[20].

Edmond de Nevers perçoit ainsi l'Italie du tournant des années 1890-1891, et les villes de Venise et de Rome qu'il évoque dans ses *Lettres,* à travers les yeux d'un lecteur, et d'un étudiant fasciné par les leçons de Theodor Mommsen, certes l'historien le plus renommé de l'époque qui devait recevoir, pour la qualité littéraire de son écriture, en 1906, le prix Nobel de littérature. Comme dans l'optique de Mommsen, pensant l'évolution des grandes civilisations en terme de genèse, de mûrissement, de décadence, de déclin, et de possible renouveau, De Nevers observe dans l'histoire italienne une longue période de décadence, d'« anarchie » et de « luttes intestines » dont elle n'était sortie qu'à la fin du XVIIIᵉ siècle, avec le soutien de la France révolutionnaire et impériale[21]. À ses yeux, l'Italie nouvelle était, après la France, la Pologne, la Belgique, la Grèce — toutes aidées, comme Edmond de Nevers le souligne, dans leurs mouvements de libération nationale par la France[22] — et avant l'Allemagne, l'illustration

---

20. *Ibid.,* p. 173.
21. *Ibid.,* p. 287 : « L'Italie a traversé des siècles d'anarchie, de luttes intestines au sujet desquelles je ne dirai rien ; elle a subi le sort de la plupart des autres grands peuples européens jusqu'au moment où elle a conquis son unité, il y aura bientôt un demi-siècle, avec le secours des armées françaises. Elle a payé un lourd tribut aux famines, à l'insécurité qui a désolé l'Europe pendant plusieurs siècles, ses villes ont été pillées par les soldats mercenaires et les condottieri : on apprenait à se défendre avec le poignard et le couteau ; c'est depuis le XIVᵉ siècle que ces armes sont en honneur parmi les Italiens. »
22. *Ibid.,* suite et fin, p. 538-559, ici p. 542 : « La France est généreuse et chevaleresque ; au XVIIᵉ siècle, elle a contribué à l'affranchissement des Provinces-

majeure de ce puissant ressort formé par le nationalisme dans les sociétés modernes : « Les liens de solidarité entre les groupes qui composent ces nations, écrit-il dans sa longue étude sur "L'évolution des peuples anciens et modernes" [...] sont devenus plus forts, plus intenses, sont devenus plus sacrés, pour ainsi dire, surtout depuis les conquêtes réalisées par la démocratie, au cours du siècle dernier. Le grand fait social de notre temps, c'est la "nationalité", il domine, comme je l'ai dit ailleurs, les concepts anciens de monarchie et de république, quand il ne se confond pas avec eux, il défie les frontières et peut ignorer le drapeau[23]. »

Mais sa fascination pour l'Italie et sa civilisation, renforcée par les leçons de Theodor Mommsen à l'Université de Berlin et son propre voyage en Italie, remonte, en définitive aux années de collège à Nicolet (près de Trois-Rivières) dont Edmond de Nevers fut un des plus brillants élèves pendant sa scolarité entre 1873 et 1879[24]. Il fut fortement influencé par l'abbé Thomas-Marie-Olivier Maurault (1839-1887), polyglotte et savant qui maîtrisait plusieurs langues dont l'italien[25] et lisait des œuvres de la littérature classique italienne dans l'original, comme la *Divina Commedia* de Dante, les *Lezioni di Eloquenza* d'Audisio et l'*Orlando furioso* d'Arioste[26], Edmond de Nevers était un de ses élèves

---

unies et de la Suisse ; plus tard elle a versé son sang pour la liberté de la Grèce, des États-Unis, de la Belgique, de l'Italie. »

23. *Ibid.*, p. 551.

24. Claude GALARNEAU, *Edmond de Nevers, essayiste, op. cit.*, p. 13-22 (« Au Séminaire de Nicolet »).

25. [Anonyme], « Feu M. l'Abbé Maurault », *Le Nicolétain*, 13 octobre 1887 : « Pour mieux en goûter et les faire partager à ses élèves, il avait tenu à puiser aux sources mêmes et à étudier les grands auteurs dans le texte même. C'est pour cela qu'il lisait, et qu'il parlait couramment, outre le français et l'abénakis, l'anglais, l'espagnol, le norvégien, le suédois, l'allemand, l'italien, le latin, le grec et l'hébreu. » Les Archives du Collège de Nicolet conservent sous la cote F 166/F3/9 des papiers de Maurault le dossier « Étude de langues étrangères : originaux : Italien ».

26. Archives de Nicolet, F 166/A1/3, Papiers personnels de Thomas-Marie-Olivier Maurault, prêtre, professeur, Nicolet, dossier « Catalogue de mes livres », ms., p. 1, p. 5.

favoris[27]. Un des cours de l'abbé Maurault dont le manuscrit est conservé aux Archives du Collège de Nicolet, portant le titre «Rome et Florence», traitait précisément de l'essor du nationalisme en Italie et de la dépossession de l'état pontifical[28], des thèmes et des idées qu'Edmond de Nevers reprendra plus d'une dizaine d'années après, dans ses lettres envoyées de Rome. Parmi les dissertations d'Edmond de Nevers lui-même, conservées au Collège de Nicolet, on relève d'ailleurs un bref texte comportant un dialogue entre «Arminius et son frère Flavius», daté du 28 octobre 1878 qu'il présenta devant la Société Littéraire du Séminaire de Nicolet dont il faisait partie. Ce dialogue thématise le conflit — qui hantera également, d'une certaine manière, son auteur et ses œuvres futures — entre amour de la patrie et amour du lointain, entre fidélité aux traditions ancestrales et fascination de l'Autre, incarné ici par la Germanie du chef chérusque et Rome, «puissante» et rayonnante sur un empire qui «s'étend depuis la riche Asie jusque sur nos montagnes[29]».

Regards croisés — Rémi Tremblay et Edmond de Nevers

On mesure la particularité et aussi l'originalité des *Lettres de Venise et de Rome* d'Edmond de Nevers[30], si on les compare à celles d'un

---

27. Il écrivit ainsi à son sujet, après sa mort prématurée en 1887 : «Je garde un souvenir ému de l'admirable prêtre qui fut mon professeur de Belles-Lettres, au collège de Nicolet, et qui mourut prématurément, il y a quelques années...», cité d'après GALARNEAU, *Edmond de Nevers*, p. 17.
28. Archives de Nicolet, F 166/E 3/1, Papiers personnels de Thomas-Marie-Olivier Maurault, prêtre, professeur, Nicolet, dossier «Essais et dissertations, s.d., 1860-1866».
29. Edmond DE NEVERS : «Arminius à son frère Flavius», signé Edmond Boisvert. Nicolet, 28 octobre 1878, ms. 2 pages, ici p. 2. Archives de l'Académie, Recueil de discours, 1873-1888.
30. L'originalité de ces textes apparaît d'autant plus évidente dans le contexte idéologique de la seconde moitié du siècle qu'analyse, ici même, Robert Melançon et par rapport aux lettres des voyageurs étudiées par Pierre Rajotte également dans le présent volume.

contemporain, parcourant à la même époque en partie les mêmes villes, confronté aux mêmes monuments, aux mêmes réalités sociales et à la même situation politique, le journaliste et éditeur Rémi Tremblay (1847-1926) qui publia ses *Impressions de voyage* également dans le quotidien montréalais *La Presse*, entre avril et juin 1890, quelques mois avant celles de son compatriote. Partant de Paris, comme première (et souvent unique) étape, presque obligée, du parcours européen des Canadiens français de l'époque, Rémi Tremblay, en compagnie probablement du typographe et éditeur de journaux Aristide Filiatreault[31], voyagea dans le sud de la France puis dans le nord de l'Italie, évoquant dans ses *Impressions de voyage* notamment ses séjours à Florence, Rome et Naples. Rémi Tremblay partage avec Edmond de Nevers le souci d'interpeller le lecteur, de s'adresser personnellement à lui et d'en faire un compagnon de voyage. «Dans ma prochaine lettre, écrit-il ainsi avant son départ de la capitale française, je quitterai Paris et si vous voulez m'accompagner ami lecteur, nous ferons ensemble aussi rapidement que possible le voyage d'Italie[32].»

Sa perception de Rome, que Rémi Tremblay visita à peine six mois avant Edmond de Nevers, en quatre jours au total, est pourtant radicalement différente de celle de son compatriote français. Elle est celle d'un touriste, savant et privilégié certes, et d'un catholique croyant pour qui Rome reste essentiellement une ville sainte, le siège de la papauté et un haut-lieu de pèlerinage. Il consacre ainsi une bonne partie de ses «Impressions de voyage» de Rome à l'audience que lui a accordée le pape, parlant de «l'indéfinissable émotion» qu'il éprouva en l'approchant[33], à la messe du Pape Léon XIII à la Basilique Saint-Pierre à laquelle il a pu

---

31. Aristide Filiatreault (1851-1913), typographe, propriétaire et éditeur de journaux et de revues, et auteur lui-même, était très lié à Rémi Tremblay. Le texte des *Impressions de voyage*, ne mentionne pas explicitement son nom, mais parle seulement de «compagnon».

32. Par exemple dans [Rémi TREMBLAY], «Impressions de voyage», signé XXX, *La Presse*, 7 avril 1890, p. 2.

33. Cette citation et les suivantes sont extraites de Rémi Tremblay, «Impressions de voyage», *La Presse*, 29 mai 1890, p. 2.

assister, aux visites des différentes églises de Rome, et aux reliques qu'il a pu voir et toucher : telle une épine de la couronne du Christ, un doigt de Saint-Thomas, les chaînes de Saint-Pierre qu'il a dit avoir «baisé[es]», ou encore la relique de la passion à la Scala Santa dont il dit avoir gravi les marches «à genoux». Sa description de Rome, comme celles de Naples[34] et de Florence[35], est également touristique puisqu'elle enchaîne les visites de *monuments*, quasi exclusivement religieux, tout en mentionnant aussi les chefs-d'œuvre des peintres de la Renaissance ainsi que la bibliothèque et la fabrique de mosaïque du Vatican.

Le regard d'Edmond de Nevers est foncièrement différent. Il ne décrit aucun monument, mais se contente de les énumérer en passant, dans sa *Lettre* publiée le 28 mars dans *La Presse*, intitulée précisément «Autour des monuments et des ruines de Rome» :

> Trois cents soixante et quinze églises, huit ponts sur le Tibre, cent six ruines antiques, soixante et quinze palais plus ou moins historiques, nombre de villas et de maisons associées en quelque manière avec les faits importants du passé, des catacombes, des tombeaux, des fontaines, des statues, etc., voilà le bilan des merveilles qu'offre Rome à la curiosité des visiteurs et qui font de cette antique capitale une espèce de ville-musée[36].

À Venise il annonce d'emblée au lecteur : «Je ne vous décrirai ni le Lido, ni le pont de Rialto, ni l'île Murano, ni les nombreux palais, temples et musées de Venise... et pour cause[37].» Edmond de Nevers propose une perception non pas touristique, mais historique et sociale des réalités de l'époque, partant de sa propre

---

34. Rémi TREMBLAY, «Impressions de voyage», *La Presse*, 26 juin 1890, p. 2.
35. Rémi TREMBLAY, «Impressions de voyage», *La Presse*, 3 juillet 1890, p. 2. L'article commence, après une brève introduction, par la phrase : «Citons d'abord le Baptistère de Saint-Jean, édifice octogone bâti au VIIe siècle, avec des matériaux d'un temple païen.»
36. Edmond DE NEVERS, «Autour des monuments et des ruines de Rome», p. 2. Réédité dans *Lettres de Berlin et d'autres villes d'Europe, op cit.*
37. Edmond DE NEVERS, «Sur la route de Rome», p. 2. *Ibid.*

expérience et de son propre vécu. Dans ses deux «Lettres» de
Rome, il part ainsi, comme dans celle écrite sur Venise, d'images
fixées dans l'esprit de ses lecteurs : «Rome! La ville éternelle — la
ville aux sept collines, la ville de Romulus, la ville de César, la ville
de Néron, la ville des papes, etc. Rome[38]!» Pour évoquer ensuite
tour à tour, et à travers une écriture proprement essayistique, des
souvenirs personnels, les transformations de Rome, la nationalisation de l'espace urbain, lisible dans les noms des rues, le «mili-
tarisme à outrance importé d'Allemagne», les survivances de
l'histoire ancienne, mais aussi les bruits de la rue, les paroles des
commerçants-colporteurs qu'il saisit, transcrit et traduit. Edmond
de Nevers a également le sens de l'anecdote significative, du petit
fait divers à la fois éclairant et croustillant, quand il évoque par
exemple le comportement des marchands romains à l'égard des
touristes anglais, les «femmes à barbe» à Rome et les chants des
gondoliers à Venise.

La vision qu'il développe de l'Italie, et les conclusions qu'il en
tire, paraissent ainsi diamétralement opposées à celles de contemporains canadiens-français comme Rémi Tremblay : au lieu d'évoquer la permanence d'une ville sainte sanctuaire de la chrétienté,
il souligne sa profonde laïcisation dans le sillage du renouveau
national de l'Italie : «Plus de bénédictions du pontife, plus de
populations agenouillées, les basiliques sont abandonnées. Rome
s'est temporalisée», note-t-il, dans sa première lettre de Rome[39].
Et loin de constituer uniquement un «musée» et un rêve poétique
dont il évoque la force et la fascination dès son arrivée à Venise, et
qu'il mentionne de nouveau explicitement en parlant, dans sa
première lettre de Rome, de la «puissance fascinatrice sur notre
imagination» exercée par les seuls noms des monuments romains
comme «Sainte-Marie-Majeure, Saint-Jean-de-Latran, château
des Anges, Vatican, Capitole, Colisée»[40], la nouvelle Italie de

---

38. Edmond DE NEVERS, «À première vue», p. 2. *Ibid.*
39. *Ibid.*, p. 2.
40. *Ibid.*, p. 2.

Cavour et de Garibaldi représente à ses yeux aussi et surtout une vision utopique d'avenir[41], associant nationalisme, liberté démocratique et héritage culturel, dont il va s'inspirer dans ses livres futurs, comme *L'avenir du peuple canadien-français*.

---

41. Voir en général sur la dimension utopique dans l'œuvre d'Edmond de Nevers l'étude (qui ne mentionne toutefois pas les texte analysés ici) de Fernand DUMONT, «Situation d'Edmond de Nevers», dans Aurélien BOIVIN, Gilles DORION et Kenneth LANDRY (éds.), *Questions d'histoire littéraire. Mélanges offerts à Maurice Lemire*, Québec, Nuit Blanche éditeur, 1996.

Italiens et Québécois

BRUNO RAMIREZ

I

L'arrivée d'Italiens au Québec remonte à la Conquête, alors que quelques individus font partie du personnel militaire britannique, mais ce n'est qu'au début du vingtième siècle que la présence italienne se fait réellement sentir, particulièrement dans la région montréalaise. À cette époque, l'émigration — temporaire ou permanente — vers l'Amérique du Nord, est un phénomène répandu dans presque toute la péninsule italienne. Alors que les États-Unis constituent, de loin, la destination privilégiée, d'importants contingents d'Italiens sont néanmoins attirés par le Canada, particulièrement par les provinces les plus industrialisées de l'Ontario, de la Colombie-Britannique et du Québec.

Les 2805 individus d'origine italienne recensés au Québec en 1901 se concentrent surtout dans la région de Montréal, destination que choisiront de façon continue les prochaines vagues d'immigrants se fixant dans cette province. Lorsque, vers 1931, le choc de la Grande Dépression met un frein à l'immigration au Canada, on dénombre dans la région montréalaise près de 25 000 résidents québécois d'origine italienne.

Il faudra, pour que les Italiens en viennent à constituer la plus importante minorité ethnique de la province — suivant de près celle d'origine britannique —, le flot massif d'immigration consécutif à la Seconde Guerre mondiale. Les Italiens font néanmoins partie, dès la fin de la décennie 1920, du paysage socioéconomique et culturel de Montréal. Les petites enclaves urbaines du tournant du siècle ont fait place à d'importants regroupements de résidents dans des quartiers tels que le Mile-End et Ville Émard. Les besoins sociaux et culturels de ces immigrants et de leurs enfants nés au Québec sont comblés par un actif réseau d'associations. Un édifice construit dans les années 1930 sur la rue Jean-Talon (près de Saint-Denis), la Casa d'Italia, devient le centre de la vie communautaire alors que depuis 1912 déjà, la paroisse italienne Notre-Dame-de-la-Défense — au cœur de la Petite Italie — dispensait des services religieux et cérémoniels à la population italienne en essor. De plus, l'apport des Italiens à l'économie urbaine ne se limite plus à la main-d'œuvre non spécialisée mais se concrétise aussi à travers un réseau d'entreprises familiales offrant produits et services à une clientèle autant canadienne-française qu'italienne. Fait sans doute plus important encore, à la veille de la Seconde Guerre mondiale, la plupart des Italiens sont passés du statut d'immigrants à celui de citoyens canadiens, confiant leur avenir et celui de leurs enfants à leur patrie d'adoption.

La présence de cette population fermement implantée dans le paysage socioéconomique et institutionnel montréalais constitue un facteur déterminant pour l'étude de l'immigration italienne post-Seconde Guerre mondiale et des diverses stratégies d'intégration qui l'accompagnent.

Pour la majorité des dizaines de milliers d'émigrants italiens qui — de la fin des années 1940 jusqu'au début des années 1970 — s'installent à Montréal, le choix de cette destination est dicté par l'existence de réseaux propres à fournir l'aide essentielle à l'arrivée. En vérité, l'essor économique au Québec — autant que dans tout le Canada — engendre une demande sans précédent de travailleurs qui contraint les autorités canadiennes à envisager une immigration massive. Concrètement, cette expansion migratoire a comme effet de recréer les réseaux familiaux et parentaux tissés dans les villages d'origine, qui avaient poussé les Italiens vers Montréal durant la précédente migration. Ce modèle de parrainage tacite était l'usage depuis le début du vingtième siècle, mais dans les années de l'après-guerre, la politique d'immigration adoptée par les autorités canadiennes contribue à l'officialiser. En vertu d'un programme de parrainage, les candidats à l'immigration peuvent donc être admis au Canada dans la mesure où des parents — même lointains — résidant au pays en acceptent la responsabilité financière le temps qu'ils s'établissent. De tous les groupes d'immigrants, ce sont les Italiens qui tirent le meilleur parti de ce système. Plus de 90% des Italiens qui entrent au Canada entre 1946 et 1967 — alors que le programme est réduit de façon radicale — bénéficient du parrainage de leur parenté canadienne. Cette tactique de parrainage réactive des réseaux de migration préexistants et crée ainsi de nouveaux mécanismes d'attraction qui ont un effet sur la structure à caractère régional des populations italiennes dans les principaux centres urbains du Canada. La Molise, par exemple, continue de forger les plus importantes chaînes migratoires vers Montréal; d'autres régions de l'Italie méridionale, telles la Calabre et la Sicile, jouent un rôle tout aussi important. Quoique la région septentrionale du Frioul et quelques districts de l'arrière-pays vénitien aient contribué de façon significative à ces migrations, le Midi italien demeure, de loin, le principal déversoir de population au Québec. Jusqu'à ce que l'immigration italienne dans la province de Québec (et dans le reste du Canada) ralentisse considérablement — au début de la décennie 1970 —, il n'était pas rare que des groupes provenant d'un même village ou d'une même ville d'Italie soient plus nombreux à Montréal que dans le lieu d'origine.

Il n'est pas étonnant, dès lors, que les associations créées par les Italiens de Montréal soient si imprégnées de régionalisme. Quoique conçues pour veiller aux intérêts de leurs membres ou simplement pour leur proposer des activités ludiques, ces associations répondent également à un besoin psychologique et émotionnel en rassemblant des gens provenant d'un même village, d'un même district ou d'une même région; des gens qui très souvent se connaissaient avant d'émigrer, parlent le même dialecte et souhaitent faire revivre dans la métropole moderne du Québec les sociabilités connues là-bas. D'autres types d'associations, spé-

cialisées dans les affaires, l'information et les relations intercul-
turelles voient aussi le jour, mais ce sont celles qui permettent de
recréer l'ambiance régionale et villageoise perdue qui demeurent,
encore aujourd'hui, particulièrement chez les Italiens plus âgés, le
meilleur véhicule de socialisation hors du cercle familial.

II

Si la migration en chaîne reste le premier facteur explicatif du
choix de Montréal en tant que destination, elle aide aussi à comprendre l'importance capitale de la famille et du réseau de parenté
dans les stratégies d'établissement.

Le processus d'adaptation au marché urbain et industrialisé
n'est pas facile pour cette population migrante le plus souvent
originaire de districts ruraux. Très souvent, l'incapacité à s'exprimer dans un langage adéquat et le manque de qualification professionnelle relèguent ces travailleurs à des emplois sous-payés,
généralement dans les domaines de la construction, de l'industrie
légère, ainsi que des services. C'est par ailleurs les réseaux de
parents et de covillageois qui constituent le lien économique
immédiat. C'est par leur entremise que les nouveaux arrivants
accèdent à l'information concernant l'emploi, les salaires, les
conditions de travail, et souvent à leur premier emploi. C'est le cas
de M.G., arrivé à Montréal en 1955 en provenance du Frioul:

> Le premier emploi, c'était un vieux Frioulan qui travaillait pour
> une compagnie et que je rencontrais dans le bistrot où j'allais
> souvent. Nous nous sommes raconté ce que nous faisions, d'où
> nous venions. Je lui ai dit que je n'avais pas de travail. Il m'a dit:
> «Viens avec moi, dans la compagnie on cherche des ouvriers».
> C'est lui qui a parlé pour moi[1].

---

1. Cité dans Mauro Peressini, «Migration, famille et communauté: les Italiens
du Frioul à Montréal», Montréal, Université de Montréal, *Études italiennes*, n° 2,
1990, p. 98.

Le même réseau d'entraide est également utile aux nouveaux arrivants qui cherchent à se loger. Le film documentaire «Caffé Italia, Montréal» relate un cas typique de parrainage familial : la sœur d'un résident italien arrive à Montréal avec son mari et leur bébé. Une chambre leur est réservée à la maison de son frère et l'on pourvoit à leurs besoins essentiels jusqu'à ce que, quelques mois plus tard, la jeune famille soit prête à louer un appartement[2].

Désireux de réussir leur projet de migration, les Italiens ont démontré leur capacité à adapter leurs valeurs familiales traditionnelles — tels la règle patriarcale, les rôles domestiques, la coopération — à la réalité urbaine et industrielle. Cela s'applique particulièrement au rôle que les femmes sont appelées à jouer dans l'économie familiale. Tandis que, dans le contexte agricole traditionnel, le travail rémunéré des femmes est tributaire des tâches saisonnières ou de l'artisanat pratiqué à domicile, à Montréal, c'est dans les manufactures ou dans les services qu'elles doivent gagner leur vie. Elles optent en général pour des emplois qui leur permettent de travailler et de se déplacer en compagnie d'autres Italiennes, souvent parentes ou originaires de leur village. En outre, les femmes italiennes sont fréquemment supervisées sur leur lieu de travail par des contremaîtres d'origine italienne, ce qui réduit la tension liée à l'obligation d'apprendre le français ou l'anglais.

De plus, les mères italiennes peuvent compter, la plupart du temps, sur le réseau des parents et voisins qui assure officieusement la surveillance des enfants pendant leur absence, ce qui allège les exigences rigoureuses du travail en milieu urbain. La contribution monétaire des femmes s'inscrit donc dans un effort de coopération familiale qui vise à atteindre un certain degré de sécurité et d'indépendance. En effet, au nombre des priorités établies par une telle stratégie, l'objectif principal est sans doute la possession d'une maison. Désir ancestral d'une sécurité économique et psychologique, la possession d'une maison permet aux

---

2. «Caffé Italia, Montréal», réal. Paul Tana, ACPAV, Montréal, 1985.

immigrants italiens de remplir des objectifs économiques et culturels importants. Non seulement leur permet-elle de poursuivre de façon autonome différentes activités liées à l'économie domestique, mais elle leur offre en outre une certaine indépendance, un certain statut dans l'organisation des fonctions sociales au sein de la parenté et des *paesani*.

La participation majeure des Italiens au *boom* immobilier de l'après-guerre et à l'extension des limites résidentielles de Montréal est liée à la poursuite de cet objectif. Au cours de ces années, en effet, un processus important de relocalisation de la population italienne se produit. Alors que les acheteurs de maisons se dispersent communément dans les banlieues, le déplacement des Italiens provoque plutôt l'émergence de nouvelles zones résidentielles dans des quartiers tels que Ville LaSalle, Montréal-Nord et particulièrement Saint-Léonard. Le désir de perpétuer les contacts quotidiens de la famille et de la parenté explique cette nouvelle configuration résidentielle. Une étude effectuée à Montréal à la fin des années soixante démontre que sur le nombre d'individus formant l'échantillon, deux Italo-canadiens sur trois (nés au Canada) vivaient dans le même immeuble ou à quelques minutes de marche d'un parent. L'étude montre également que si l'on exclut les considérations de coût, plus de la moitié des Italo-canadiens composant l'échantillon avaient choisi d'acheter un logement dans un secteur donné parce qu'ils connaissaient déjà le quartier et que des parents et d'autres Italiens habitaient à proximité[3]. Aux chaînes migratoires qui avaient franchi l'Atlantique, amenant à Montréal des centaines de familles et de grappes villageoises, succèdent — pour ainsi dire — des nouvelles chaînes urbaines réparties dans différentes aires du Montréal métropolitain.

---

3. Jeremy BOISSEVAIN, *The Italians of Montreal: Social Adjustement in a Plural Society*, Ottawa, Queen's Printer, 1970.

III

Les valeurs familiales jouent également un rôle de premier plan quant à l'attitude des immigrants italiens par rapport à l'éducation. Tandis que dans les districts agricoles originels le séjour à l'école ne constituait qu'une courte étape de la vie des enfants — appelés à des emplois manuels ou, pour les plus ambitieux, à une situation dans la fonction publique —, à Montréal la plupart des parents italiens comprennent rapidement l'importance de l'éducation, tant pour la famille que pour l'avenir des enfants. De toute évidence, l'accès à l'éducation qu'ils trouvent au Québec, beaucoup plus facile que chez eux, autant que l'application rigoureuse de la loi sur la fréquentation scolaire les convainquent de la valeur attachée à l'éducation dans la conscience populaire. Ainsi réalisent-ils pour la première fois que l'éducation n'est plus un facteur de mobilité sociale réservé aux plus nantis mais, au contraire, un droit collectif dont ils peuvent aussi bénéficier.

Mus par un solide sens de la solidarité familiale, les parents italiens perçoivent l'éducation comme un véritable investissement. La période de fréquentation scolaire nécessaire à l'obtention d'un diplôme d'études secondaires ou collégiales, plus longue au Québec qu'en Italie, vaut bien le sacrifice si elle garantit un emploi plus stable et mieux rémunéré qui finalement contribue au progrès matériel de la famille. L'éducation, somme toute, aplanit le clivage entre Québécois et immigrants et permet aux enfants de ces derniers de tirer le meilleur parti possible du système.

Cette attitude est capitale pour la compréhension du choix linguistique fait par la grande majorité des parents d'origine italienne avant la mise en vigueur de la Loi 101, ainsi que de l'animosité publique qui l'accompagne. Loin de considérer la langue comme l'expression d'un sentiment identitaire (tel que le faisaient la majorité des Canadiens français), ils percevaient l'anglais comme un instrument de progrès social et l'opportunité pour leurs enfants d'accéder à un plus large éventail d'occasions de réussite, tant au Québec que dans le reste du Canada.

Si la notion de statut social peut être mise en corrélation avec l'appartenance professionnelle, on peut affirmer que pour la majorité des immigrants italiens de l'après-Seconde Guerre mondiale, l'ascension sociale s'est matérialisée à travers les enfants, nés au Québec ou arrivés en bas âge. Ils ont tiré parti du système et, dans nombre de cas, comblé les espoirs de leurs parents. Ainsi, la forte tendance parmi les étudiants italo-canadiens à s'orienter vers le commerce et les professions techniques, la tendance aussi prononcée parmi leurs homologues féminines à faire leur entrée sur le marché du travail sitôt leurs études secondaires terminées et à interrompre leur carrière pour se marier, sont la plupart du temps le résultat des conseils des parents et de l'idée que ceux-ci se font de la réussite. En outre, un fort sentiment de responsabilité, d'une obligation morale envers leurs parents vieillissants, porte les jeunes gens à renoncer à une certaine autonomie dans leur vie adulte et conjugale.

Par ailleurs, ni l'autorité des parents ni leurs attentes n'ont pu empêcher l'éducation de servir également d'instrument de socialisation hors du foyer et de mettre la jeunesse italienne en contact avec la modernité. Il devenait, dès lors, inévitable que les valeurs des enfants se heurtent à celles des parents, ce qui engendrait tensions, désaccords, et parfois violence dans nombre de foyers italiens. Il ne s'agissait pas seulement d'un conflit entre générations affectant les couches les plus intimes de la vie communautaire : dans ce contexte d'immigration et d'établissement en terre étrangère, la mise en question ou le rejet des valeurs parentales — en l'occurrence, patriarcales — ont pu facilement être perçus comme obstacles à la réussite des objectifs inhérents à la migration. Ce type de conflit a aussi frayé la voie aux problèmes d'identité sociale et culturelle qui se sont manifestés chez de nombreux éléments de la jeunesse italienne. Il n'est pas étonnant que ce thème ait été le sujet privilégié de plusieurs romanciers, dramaturges et cinéastes d'origine italienne (que l'on pense, par exemple, à *Addolorata* de Marco Micone et à *La déroute* de Paul Tana).

La tendance générale des parents à orienter leurs enfants vers des carrières techniques et professionnelles n'a pas empêché certains jeunes Italiens (certainement une minorité), à qui le processus éducationnel a permis de se découvrir et de développer des dispositions pour les arts et la culture humaniste, de faire preuve d'autonomie en cette matière malgré le scepticisme de leurs parents. La liste est assez courte mais de ce noyau, tant francophone qu'anglophone, émergent quelques contributions italiennes significatives à maints secteurs de la culture et des lettres québécoises[4].

Quelque limitées que soient nos connaissances de ce vaste processus d'acculturation, la capacité d'ajustement démontrée par les Italiens et par leurs enfants n'en est pas moins remarquable, ainsi que leur aptitude à composer avec de nouvelles valeurs et un nouveau style de vie. Ce que, par exemple, l'auteur de ces lignes trouva particulièrement saisissant lors d'un concert donné en 1984 par le rocker Aldo Nova, ne furent pas tant les modulations féminines de la voix de l'artiste ni sa gestuelle mais plutôt le fait qu'à la fin du concert, dans l'intimité de sa loge, son père, simple col bleu, soit venu lui exprimer son soutien. En les voyant se tenir l'un devant l'autre, nul n'aurait su dire qu'ils étaient, culturellement, à des milles l'un de l'autre : l'un à l'avant-scène de la musique populaire nord-américaine, avec son langage, ses vêtements et son style de vie singuliers ; l'autre étant l'expression même d'un quotidien lié au travail, à la maison et au bon voisinage. Interviewé, Aldo Nova insista fièrement sur le fait qu'une grande partie de son succès était due aux idéaux de travail ardu et de détermination inculqués par son père[5].

Après un siècle d'immigration et d'acculturation au Québec, les Italiens sont plus qu'une simple minorité ethnoculturelle ; aujourd'hui leur présence dans le paysage métropolitain constitue en effet, un apport solide au développement d'un authentique cosmopolitisme québécois.

---

4. Dont certaines étudiées ici même par Pierre L'Hérault.
5. «Caffé Italia, Montréal», *op. cit.*

L'Italie d'Alain Grandbois

NICOLE DESCHAMPS

*In nessuna
parte
di terra
mi posso
accasare*[1]

L'ITALIE ESQUISSÉE PAR GRANDBOIS prend des formes disparates qui viennent se fondre dans le paysage de son œuvre : souvenirs du temps passé à Florence, à Venise ou sur les routes longeant la côte amalfitaine, recueillis dans *Visages du monde*[2] ; échos de ses lectures peuplées de figures célèbres, l'une d'elles, celle d'un autre voyageur écrivain, lui inspirant les *Voyages de Marco Polo*[3] ; un poème posthume qui a pour thème « L'Adriatique » et un vers de *l'Étoile pourpre* qui évoque « Florence aux

---

1. Giuseppe UNGARETTI (1888-1969), « Girovago », dans *Vita d'un uomo. Tutte le poesie* a cura di Leone PICCIONI, Milano, Mondadori, « I Meridiani », 1969, p. 85. Sous le titre de « Voyage », le poète a donné de ce poème une version en français qui se trouve dans son recueil *Derniers jours*, p. 338.
2. *Visages du monde*, édition critique par Jean Cléo GODIN, Montréal, Presses de l'Université de Montréal, « Bibliothèque du Nouveau Monde », 1990. Cité en cours de texte sous le sigle *VM*, suivi du numéro de la page.
3. *Les Voyages de Marco Polo*, édition critique par Nicole DESCHAMPS et Stéphane CAILLÉ, Montréal, Presses de l'Université de Montréal, « Bibliothèque du Nouveau Monde », 2000. Cité sous le sigle *VMP*.

yeux de pervenche »[4] ; fragments inédits d'un brouillon intitulé *l'Italien*, vestiges d'un roman inachevé dont le titre semble étranger au contenu[5]. Peut-on parler ici de l'invention d'un pays mythique ? Pris dans leur ensemble, ces textes témoignent plutôt d'un passage, peut-être une médiation par un lieu ensoleillé où Grandbois, tels Ibsen et Sigrid Undset partis de Norvège pour mieux écrire à Rome, vient puiser dans le sud de la France ou à Florence, bref, à l'étranger, chaleur, liberté, inspiration.

Le premier contact a lieu par un voyage de tourisme en compagnie de ses parents. Alain Grandbois a vingt ans. Il ne s'identifie pas encore au poète qu'il deviendra. S'il écrit, s'il est en rupture avec son milieu d'origine, c'est secrètement, avec la complicité de ses parents qui tolèrent son manque d'assiduité aux études et assument les frais de ses déplacements. Sa passion tient alors en un mot, à comprendre dans tous les sens du terme : voyager. Inscrit comme étudiant libre en classe de philosophie au Petit Séminaire de Québec, il suspend la préparation de son baccalauréat afin d'accompagner ses parents pour un périple européen qui comprend, outre Paris, Londres, Berlin, Vienne, Athènes, les principales villes italiennes. Séduit par Florence, il revient plus tard s'y installer pour une année, afin d'y étudier la peinture, jusqu'à ce que son père exige qu'il rentre à Québec le temps d'achever ses études de droit. Son diplôme obtenu (on sait par ailleurs qu'il n'a jamais exercé la profession d'avocat), il reprend ses voyages qui le mèneront jusqu'en Asie, revenant plusieurs fois en ce pays méditerranéen associé à sa découverte de l'Europe. Situation privilégiée qui donne le ton de l'ensemble des séjours du poète en Italie et qui ne laisse pas deviner que la véritable rencontre avec la civilisation italienne aura lieu par un livre trouvé en

---

4. Ce vers est extrait du poème intitulé « La part du feu », *Poésie I*, édition critique par Marielle Saint-Amour et Jo-Ann Stanton, Montréal, Presses de l'Université de Montréal, « Bibliothèque du Nouveau Monde », 1990, p. 240. Le poème « l'Adriatique… » est tiré de *Poésie II*, p. 160.

5. Manuscrit sans date, qui comprend six feuillets paginés de 100 à 101 et de 100 à 103. Fonds Grandbois, Archives nationales du Québec, 204/2/31.

Chine, *Les voyages de Marco Polo*, plutôt que par l'exploration de l'espace autour de Venise.

Dans les textes radiophoniques de *Visages du monde* sur l'Italie, la première impression qui frappe pourrait être la frivolité. Les descriptions de lieux succèdent aux anecdotes, comme filmées par un touriste désinvolte. À la relecture cependant, ces pages d'abord destinées à l'écoute flottante d'auditeurs à la radio, laissent entrevoir une part de mystère. Par la voix réputée belle du comédien Jacques Auger, qui récitait alors les textes à la radio, c'est un peu celle d'Alain Grandbois qui se fait entendre. Ici et là, les lecteurs d'aujourd'hui reconnaîtront le poète des *Îles de la nuit*, de *L'étoile pourpre* et de *Rivages de l'homme*, le nouvelliste d'*Avant le chaos*, ou bien le singulier prosateur, si fasciné par les écrits de Marco Polo, leur histoire et leur légende, qu'il les a repris sous la forme d'un récit dont il se fait le scribe.

Cartes postales d'Italie

L'itinéraire de Grandbois en Italie est aussi capricieux que la composition de *Visages du monde*. Sur cent quatre émissions, treize sont consacrées à l'Italie et elles ne sont pas présentées d'un bloc, sauf trois d'affilée sur Gênes et Pise, puis une constellation de six textes qui ont pour thème Naples et ses environs, les golfes de Naples et de Salerne, l'île de Capri, ce dernier recoupement ayant été imaginé, avec l'accord de Grandbois, par le premier éditeur de *Visages du monde*, Léopold Leblanc. Les autres sujets traités sont Florence, Rome, Venise. À quelques exceptions près, la seule chronologie qui puisse être établie de façon sûre est celle de la séquence de la diffusion à la radio, soit au cours des années 1950 et 1951 pour les seuls récits des voyages en Italie. Quant aux séjours vécus, ils ont eu lieu entre 1920 et 1938 peut-être, suivant les lointains souvenirs de l'auteur. Même lorsqu'il s'astreint au récit, le poète voyageur semble toujours étranger à l'espace-temps qu'il habite. Dans *Visages du monde*, l'hétérogénéité de la présentation est particulièrement sensible lorsque surgit Florence, en deuxième place dans la série d'ensemble, après Shanghai et avant Paris.

Outre les descriptions des lieux, parfois empruntées à des guides de voyages ou à des monographies, les textes comportent des anecdotes personnelles anodines. À la limite des stéréotypes, ces dernières ne sauraient ni choquer ni même surprendre l'auditeur : à Rome, audience émouvante avec le pape en compagnie de sa famille ; promenade en gondole à Venise ; « printemps baigné d'une lumière incomparable » à Naples et cela même s'il pleut parfois dans « les climats de rêve » (*VM*, p. 202)... Partout, Grandbois se met en scène, mais très discrètement, un peu à la façon du narrateur d'*Avant le chaos*. Descriptions et anecdotes sont accompagnées d'aperçus didactiques sur l'histoire et la géographie, ainsi que de citations. Comme son personnage de globe-trotter et polyglotte, Bill Carlton[6], Grandbois cite abondamment soit ses lectures de chevet, soit des livres dans lesquels il puise de la documentation, soit des classiques qu'il avait probablement découverts à l'adolescence, durant ses années de collège au Petit Séminaire de Québec ou dans la riche bibliothèque de son père.

Parfois, le texte prend aussi une tournure insolite et ce sont des moments où il paraît s'animer, en écho à une facette ou l'autre des nouvelles. Par exemple, dans l'émission sur le golfe de Salerne, Grandbois interrompt le cours de son récit de voyage pour enchâsser une anecdote, qui prend la forme d'une esquisse de roman dans laquelle se retrouvent certains des thèmes d'*Avant le chaos*. L'histoire met en scène le peintre français André Favory, connaissance parisienne de Grandbois. Cet artiste, couronné de succès et heureux en amour, avait résolu de s'installer à Amalfi avec sa femme, afin de s'inspirer de la beauté des paysages. Or il avait été si « ébloui par toute cette couleur » (*VM*, p. 220) qu'il n'arrivait plus à travailler en ce lieu paradisiaque. À la suite de cet échec, il était rentré à Paris où, dans la grisaille d'un hiver pluvieux, il avait retrouvé le sens de la couleur et la maîtrise de son art. Hélas, ce peintre au talent prometteur était mort dans la

---

6. Dans la nouvelle intitulée « Le 13 », *Avant le chaos et autres nouvelles*, édition critique par Chantal BOUCHARD et Nicole DESCHAMPS, Montréal, Presses de l'Université de Montréal, « Bibliothèque du Nouveau Monde », 1991, p. 47-65.

quarantaine et sa très belle femme, qui avait été son modèle pré-féré, s'était suicidée... Ailleurs dans le même texte, Grandbois salue au passage ses amis Robert La Palme et Alfred Pellan (*VM*, p. 221). Enfin, en conclusion, l'auteur prend exceptionnellement le ton de la confidence pour énumérer, à part Ravello en Italie, des lieux où il aurait aimé finir ses jours, le dernier étant « un petit village canadien » (*VM*, p. 221) dont il souhaite taire le nom.

Cette composition en patchwork n'est pas le fruit d'une improvisation qui serait propre à la série radiophonique. Elle correspond au contraire à un choix délibéré et confirme le style de Grandbois, style également sensible dans tous ses autres écrits en prose. Dans son introduction à l'édition critique de *Visages du monde*, Jean Cléo Godin souligne le souci partout manifeste de Grandbois « d'éviter un ton didactique »[7], d'où les ruptures fré-quentes qui font alterner un exposé historique avec une descrip-tion pittoresque, une anecdote personnelle avec une citation. Grandbois lui-même explique sa méthode au début de la seconde émission sur Naples. Il se défend de faire œuvre de professeur ou d'historien. « Je dois donc me borner à raconter ce que j'ai vu dans cette partie de ma vie que j'avais consacrée aux voyages. » D'un même souffle, le voyageur se pose également en lecteur puisque, dit-il, « tout cela ne va pas non plus sans lectures » (*VM*, p. 221).

Enfin, rappelons que les récits de voyage contenus dans *Visages du monde* ont été écrits sur commande, ce que l'auteur déplorait, mais qu'il acceptait tout de même. Voici par exemple ce qu'il écrit à ce sujet en 1951 : « Je dois gagner ma vie en écrivant des choses qui ne me plaisent pas particulièrement d'écrire [sic], je suis dispersé, je vis à la pointe de ce siècle fou[8]. » Aussi bien par ce qu'il dit que par ce qu'il tait, ce témoignage a son importance. Si la lucidité de Grandbois y est ouvertement perceptible, sa pudeur s'y révèle également, pudeur à oser parler de son « œuvre »,

---

7. Introduction à *Visages du monde*, *op. cit.*, p. 13.
8. Lettre à Lionel Groulx, Montréal, le 23 novembre 1951, extraite de la thèse de Bernard Chassé, *Correspondance d'Alain Grandbois. Édition critique*, [Montréal], Université de Montréal, 2001, tome II, p. 551.

expression qui, d'après Jacques Brault, lui inspirait un sourire ironique. D'ailleurs, personne mieux que Jacques Brault, à la fois poète héritier, ami personnel et critique sans complaisance, n'a réussi à situer avec plus de justesse le destin d'Alain Grandbois comme écrivain. Ce qu'il en dit pourrait nous servir de fil conducteur dans l'exploration plus en détail des textes sur l'Italie.

> Cet écrivain à son corps défendant se fit volontiers scripteur et rédacteur. Il ne se cachait nullement d'avoir des activités alimentaires. L'essentiel se trouvait ailleurs. La poésie l'occupa du début à la fin, sans évolution notable, exactement comme s'emmêlaient en lui l'amour et la mort, comme sa hantise du temps lui tenait lieu d'espace vital. À travers les voyages et les rencontres une tendresse éperdue que n'arrivaient pas à distraire les aventures galantes le sollicitait et lui créait un horizon de détresse[9].

Tout Grandbois est là : le voyageur désinvolte, le bourgeois rétif qui refuse de pratiquer une profession reconnue par la société mais qui accepte d'écrire sur commande, l'écrivain angoissé qui s'est essayé à plusieurs genres et qui a été surpris par le succès de son œuvre poétique, le rêveur mélancolique, le solitaire, le précurseur malgré lui d'un renouveau littéraire au Québec.

Comme Florence et Venise sont deux pôles d'attraction souvent présentés en opposition, voyons comment Grandbois s'y oriente dans sa perception de l'Italie. Il les découvre presque simultanément, au cours du périple européen dont il a été question précédemment. Le ou les voyages s'étant fait en famille en 1920, on peut se demander, car l'auteur n'en dit rien, comment les distances ont été franchies en Europe après la traversée de l'Atlantique en bateau. Comment les Grandbois passent-ils, par exemple, de France en Italie ? Seront-ils allés en Grèce en bateau depuis Venise ? Sans intérêt autre qu'anecdotique, ces questions soulignent le caractère abstrait du récit qui est fait, rappelons-le, une trentaine d'années après les événements. D'imaginer le futur poète

---

9. Préface à *Poésie I*, *op. cit.*, p. 12.

en jeune homme découvrant l'Italie au volant d'une Bugatti louée par son père n'eût pourtant pas manqué de piquant. Même s'il est probable que les Grandbois aient voyagé en voiture et soient entrés en Italie par le sud de la France, en longeant la côte méditerranéenne de Nice à Gênes, cette dernière ville étant présentée comme le port d'entrée par excellence de l'Italie, rien n'est dit à ce sujet de telle sorte que le voyageur qui est mis en scène dans *Visages du monde* demeure pour ainsi dire flottant dans ses déplacements. Pour la suite du séjour, et particulièrement pour la séquence de la découverte de Florence et Venise, Grandbois raconte avoir d'abord visité Florence puis Venise, et de là s'être orienté vers Naples, sans préciser s'il est passé par Rome. D'emblée, il affirme préférer Florence à Venise, même s'il ne s'explique pas pourquoi. Peut-être tout simplement parce qu'il y a vécu plus longtemps et qu'il y a fait autre chose que du tourisme.

« *Florence aux yeux de pervenche* »

Rappelons que chaque texte de *Visages du monde* sur l'Italie a son unité propre et que le récit d'une seule visite en un lieu condense souvent plusieurs séjours faits à des époques différentes. Cela s'applique particulièrement à Florence où la première impression «fort distraite et quelque peu ahurie» (*VM*, p. 32) est suivie par la décision de venir y étudier la peinture durant une année. Or sur cette recherche, qui s'accomplit parallèlement à la gestation de son œuvre poétique, Grandbois ne dit rien d'autre que cet énoncé de fait. Le texte sur Florence paraît donc reposer sur les seules observations d'un dilettante cultivé.

Est-ce également en dilettante que le jeune Grandbois s'est initié à l'art pictural durant son plus long séjour à Florence ? Avec qui aura-t-il travaillé ? Qui ont été ses camarades d'atelier ? Les manuscrits portent la trace de l'intérêt de l'écrivain pour le dessin puisqu'ils sont abondamment illustrés par diverses esquisses. Des gouaches, des aquarelles ainsi que deux tableaux à l'huile sur carton témoignent aussi des recherches de Grandbois dans le domaine de la peinture[10]. L'artiste amateur y manifeste du talent, un certain charme, une attirance vers la modernité, celle plus rassurante de Pellan, qui devint son ami après leur rencontre en 1924, plutôt que celle de Borduas. Malheureusement, ces quelques œuvres picturales ne sont pas datées et peu d'entre elles sont signées. Impossible de savoir au juste quelle importance y attachait Grandbois ni si elles remontent à l'époque des premiers séjours à Florence. Quant à l'histoire de l'art, il est évident que l'auteur des textes sur l'Italie possède des connaissances générales en ce domaine. Nous savons par divers témoignages qu'il aimait visiter les musées et qu'il s'attardait volontiers devant un tableau ou une sculpture qui l'inspirait. Lui qui vénère les livres comme source d'inspiration s'est-il intéressé aux albums d'art? Quoi qu'il en soit, l'inventaire de la bibliothèque du poète après sa mort n'en contenait aucun.

Tel Stendhal parlant dans ses chroniques italiennes d'«une femme nommée Milan», Grandbois présente Florence, sa ville de prédilection, comme une femme qui l'eût conquis: «C'est devenu un lieu commun que de dire qu'un homme peut aimer une ville comme il peut aimer une femme» (*VM*, p. 32). L'ouverture établit cette comparaison, reprise plus tard dans le même récit, condensée ailleurs en poésie dans le vers précédemment cité de «Florence aux yeux de pervenche» puis maintenue jusque dans la correspondance des années soixante où la ville aimée dans sa jeunesse devient «la belle d'autrefois» qui le déçoit[11]. D'abord perçue comme un espace vide, cette ville-femme prend forme dans un

10. À l'initiative de Bernard Chassé et d'Éric Devlin, l'œuvre picturale de Grandbois a été exposée à la Maison Hamel Bruneau (Québec, 4 octobre - 17 novembre 1991) et à la Maison de la Culture Mont-Royal (Montréal, 22 avril - 6 mai 1993).

11. Dans une lettre à Guy Frégault, datée du 27 mai 1965, Grandbois écrit au cours d'un séjour en Europe: «Ensuite encore, Florence, la belle d'autrefois, que je chérissais parmi toutes les villes de Toscane — quand j'habitais Cannes, j'y allais deux ou trois fois par année — déception immense, *ce bruit infernal, nuit et jour.* Nous habitons un hôtel charmant, sur l'Arno, devant le Ponte Vecchio. Impossible de fermer l'œil ni le jour ni la nuit. Et cette odeur d'essence brûlée.» C'est Grandbois qui souligne. Extrait de la thèse de Bernard Chassé, *op. cit.*, p. 775.

tourbillon d'images indéfinies. «[…] lors de ce premier séjour, j'ai peu vu Florence. Je pensais aux paysages d'avant, j'imaginais les paysages d'après. Mais malgré ce dispersement, et sans que je m'en fusse aperçu, Florence m'avait conquis» (*VM*, p. 33). Dans cette métaphorisation de la ville en femme, aussi utilisée à propos de Venise «fraîche et lisse comme une jeune fille» (*VMP*, p. 324) et d'Amalfi vue en «vieille dame charmante» (*VM*, p. 218), n'allons chercher aucune allusion biographique. Si jamais le voyageur en Italie fut séduit par quelque Béatrice, il n'en existe aucune trace ni dans l'œuvre ni dans la correspondance. Au début de la vingtaine, le futur poète échange encore avec sa compatriote Simone Routier des lettres d'un romantisme exalté, mais cette idylle d'adolescence s'est achevée avec le début de la période des voyages[12]. Il se pourrait que cette métaphore de Florence-femme, au delà ou en deçà de l'image éthérée d'une figure maternelle, soit tout simplement ce qu'en dit Grandbois au début de son récit, c'est-à-dire un lieu commun.

Dans sa composition, le texte sur Florence semble suivre le parcours de la vie de Grandbois, qui passera de l'intérêt pour l'art à celui pour la littérature. Après s'être attardé à évoquer ses lieux de résidence, d'abord un «hôtel vétuste» sur le bord de l'Arno (*VM*, p. 33) puis une auberge située à Fiesole d'où il descendait chaque matin vers Florence, l'étudiant touriste est saisi par la beauté architecturale et artistique qui le subjugue.

> Je quittais l'auberge et je rejoignais Florence. Et tout de suite, tous les prestiges de l'art m'enveloppaient comme la mer, pour un moment, enveloppe le plongeur. À chaque coin de rue, à chaque piazza, la beauté me tendait des pièges dans lesquels j'étais infailliblement pris. (*VM*, p. 34)

---

12. Cette correspondance ainsi que deux textes autobiographiques montrent bien que le jeune Alain Grandbois avait été très tôt initié aux jeux de l'amour. Voir la thèse de Bernard CHASSÉ précédemment citée, p. 22 et *Proses diverses*, édition critique par Jean Cléo GODIN, Montréal, Presses de l'Université de Montréal, «Bibliothèque du Nouveau Monde», 1996, p. 24-28 et p. 38-40.

C'est l'introduction à un long développement sur le thème de
«Florence, capitale italienne des arts» (*VM*, p. 34). La figure qu'il
met de l'avant est celle de Donatello dont il fait un *précurseur*
(c'est Grandbois qui souligne) et dont il admire par-dessus tout la
statue de saint Michel «taillée dans un marbre que les siècles ont
patiné d'un or sombre, lisse et chaud comme la chair d'une belle
fille du Midi» (*VM*, p. 35). Il s'arrête également à la figure de
Raphaël, mort à trente-sept ans mais qui à cet âge précoce avait
atteint la plénitude de son art, celui qu'il admire surtout dans
l'autoportrait qu'il a vu à la galerie des Offices. Pour le jeune
Grandbois qui s'y projette peut-être, ce portrait de Raphaël «lui
donne un visage rêveur, un visage d'adolescent marqué par le
génie, d'une couleur si pure et si fraîche, et d'un dessin si naïf, que
l'on croirait qu'il a été peint ce matin même» (*VM*, p. 36).

L'évocation de Dante arrive tardivement à la fin du texte sur
Florence et elle paraît escamotée, comme si le chroniqueur radiophonique n'avait pas osé en parler à ses auditeurs, par excès de
pudeur pour une œuvre poétique qui le bouleversait ou bien pour
dissimuler qu'il l'avait lue sans la comprendre ni l'aimer vraiment.
Dante y est présenté comme «l'un des plus grands poètes du
monde» et la *Divine Comédie* est «ce livre admirable» qui ne peut
être comparé qu'à la Bible (*VM*, p. 36). Bien que l'intérêt pour la
Bible marque profondément l'œuvre de Grandbois[13], il n'est pas
certain qu'il en soit de même pour la *Divine Comédie*, comme ce
fut par exemple le cas pour Claudel, son contemporain, épris de
cette œuvre pour lui charismatique[14]. Est-ce que le jeune poète du
Québec, qui cherchait lui-même à écrire un français sans parti-
cularismes, fut sensible au fait que Dante avait écrit son chef-
d'œuvre en toscan, la langue des femmes, des enfants et des
domestiques, plutôt qu'en latin, la langue des lettrés? Touriste un

---

13. Voir Yves Bolduc, «La Bible dans la poésie d'Alain Grandbois», *Études
françaises*, vol. XXX, n° 2, automne 1994 («Alain Grandbois, lecteur du monde»),
p. 51-64.
14. Paul Claudel, «Introduction à un poème sur Dante», dans *Positions et
propositions*, Paris, Gallimard, 1928, p. 161-186.

peu étourdi ou bien étudiant trop intimidé par l'idée d'un classicisme en matière linguistique, il trouve « dur, assez guttural » le dialecte florentin qui est parlé au bar d'une *trattoria* qu'il fréquente quotidiennement. À ce dialecte, il n'entend rien, même s'il comprend assez bien l'italien, et il le compare péjorativement à « cette langue italienne classique que l'on parle à Rome, laquelle est plus douce à l'oreille qu'aucune langue au monde » (*VM*, p. 34). Cette opinion eût certainement fait rire un écrivain contemporain de Grandbois, Carlo Emilio Gadda, interprète irrévérencieux de l'italien parlé à Rome[15] et critique sans pitié de la bourgeoisie sous Mussolini. L'opinion de Grandbois n'est pas fausse pourtant, à cette nuance près que résume la formulation du linguiste Migliorini pour définir le plus bel italien parlé aujourd'hui en Italie : « *Lingua romana in bocca toscana* ».

De la personne de Dante, Grandbois fait un romantique, épris d'une jeune fille morte jeune, dont il avait gardé à jamais le souvenir, écrivain persécuté par ses contemporains et dont le génie n'avait pas été reconnu de son vivant. À peu près conforme à l'image véhiculée au début du XXe siècle, cette interprétation semble reposer sur une connaissance superficielle du poète et de son œuvre. À quel moment et dans quelle traduction Grandbois aura-t-il découvert le chef-d'œuvre qui lui inspire un respect tel qu'il raconte être allé à Ravenne s'agenouiller sur la tombe du poète ? Il y a en effet un exemplaire de la *Divine Comédie* en français dans l'inventaire de sa bibliothèque (c'est l'édition Flammarion de 1930, dans la traduction de Henri Longnon qui sera diffusée jusque dans les années cinquante), mais le jeune étudiant

---

15. Dans le roman célèbre, dont l'action se situe en 1927, *Quer pasticciaccio brutto de Via merulana*, traduit en français sous le titre de *L'affreux pastis de la rue des Merles*. Il est peu vraisemblable que Grandbois ait entendu parler de Gadda (1893-1973), ni durant ses séjours en Italie ni après son retour au Québec. Le rapprochement qui peut être fait entre les deux écrivains tient en ce que l'un et l'autre ont présenté une satire de la bourgeoisie de leur milieu, Gadda ouvertement dans tous ses romans, en particulier dans son chef-d'œuvre *La Cognizione del dolore*, Grandbois en secret dans des écrits scabreux demeurés inédits de son vivant.

à Florence aurait-il lu Dante dans une autre version? Ces questions ont leur importance à cause d'un détail qui soulève la curiosité. Pourquoi Grandbois donne-t-il à Béatrice l'étrange nom latin de *Beatrix*, alors que son nom dans l'original en italien est *Beatrice*, repris tel quel, à un accent aigu près, dans les traductions courantes en français? Probablement irréfléchi, ce choix insolite est d'autant plus surprenant que l'apparition de Béatrice est marquée par une insistance sur son identité: «*Guardaci ben! Ben son, ben son Beatrice*» (Regarde: Je suis bien, je suis bien Béatrice)[16].

Deux autres écrivains italiens ayant illustré Florence sont nommés par Grandbois: Boccace, «léger dans ses écrits, libertin, d'une philosophie souriante et nuancée» (*VM*, p. 370) et Machiavel. De ce dernier, il raconte avoir entendu dire que de nombreux chefs d'État, parmi lesquels se trouve Mackenzie King, premier ministre du Canada entre 1921 et 1930 puis de 1935 à 1948, ont fait de son œuvre leur livre de chevet. Et il conclut par un dicton qui semble alléger non seulement ces derniers propos mais tous les épisodes vécus par lui à Florence: *Se non è vero, è ben trovato* (Si ce n'est pas vrai, c'est bien trouvé).

De Gênes et de Venise, un Livre modèle

À ce point de notre itinéraire, l'espace éclate et il devient celui d'un livre écrit à Gênes au xiiie siècle et diffusé dans le monde entier, récit d'un voyage en Chine que certains qualifient de fabuleux, le *Livre de Marco Polo*. Fascinant par le mystère de ses origines, cet ancien manuscrit aurait été dicté par Marco Polo en dialecte vénitien, puis transcrit en français par un scribe du nom de Rustichello, alors que tous deux étaient compagnons de cellule dans une prison à Gênes. La conclusion de la première chronique sur Gênes porte sur cette histoire et le récit de Marco Polo y est qualifié de «chef-d'œuvre» (*VM*, p. 307). Pour Alain Grandbois,

---

16. *Purgatoire*, XXX, vers 73, d'après l'édition et la traduction de Jacqueline RISSET, Paris, Flammarion, 1988, p. 280-281.

qui découvre cet ouvrage en 1934 dans l'édition savante de Charignon[17], alors qu'il voyage lui-même en Chine, *Le Livre des merveilles* devient le Livre par excellence, celui qui transmet au delà des siècles la voix d'outre-tombe du « premier grand voyageur qui écrivit le récit de ses voyages » (*VM*, p. 307). S'identifiant à la fois au découvreur que fut Marco Polo et au scribe qui transcrivit ses récits de voyages, Grandbois imagine de réécrire *Les voyages de Marco Polo* en un récit personnel de ses lectures, qui reprennent une longue tradition à travers les notes très fouillées du savant Charignon. Comme nous l'avons entrevu précédemment à propos de Florence, l'Italie de Grandbois est aussi celle des grands hommes qui l'ont illustrée et que le jeune voyageur et l'artiste inexpérimenté se forgent comme modèles : Donatello, Raphaël, Dante, et maintenant Marco Polo et Christophe Colomb. Les paysages s'estompent rétrospectivement au profit des œuvres et des livres qui invitent à d'autres voyages.

La chronologie est également bouleversée : l'inscription de Marco Polo comme figure emblématique de *Visages du monde* correspond aux années de la rédaction des récits de voyage pour la radio, c'est-à-dire 1950-1951, non à celles des voyages qui avaient précédé. Ajoutons que les allusions à Marco Polo ne sont pas réservées aux textes sur Gênes et Venise, mais qu'elles reviennent aussi dans plusieurs écrits sur l'Orient et même en des lieux inattendus, par exemple à propos de Londres ou de la Bretagne. Rappelons enfin que *Les voyages de Marco Polo* d'Alain Grandbois ont paru en leur première édition à Montréal en 1941, après le retour au pays de l'auteur, qui n'avait alors publié que *Né à Québec*, un récit historique sur Louis Jolliet, l'un des explorateurs de l'Amérique, ainsi qu'un recueil de poésie demeuré sans diffusion après sa publication en Chine.

Si nous reprenons le fil de l'exploration des villes italiennes dans *Visages du monde*, nous trouverons d'abord Venise, déjà présentée comme ville aimée à laquelle il préfère Florence, mais

---

17. A.J.H. Charignon, *Le Livre de Marco Polo*, édition critique annotée, Pékin, Albert Nachbaur Éditeur, en trois tomes, 1924-1928.

aucunement comme port d'attache de Marco Polo. Assez curieusement, il n'est pas du tout question de Marco Polo dans le texte sur Venise, sauf indirectement par une autocitation non identifiée aux *Voyages de Marco Polo*, citation qui se prolonge sur sept paragraphes et qui résume l'histoire des origines de Venise avant l'apparition des Polo. Un autre sujet d'étonnement serait la mauvaise humeur qu'y exprime le chroniqueur. Longuement, il expose puis tente de réfuter les impressions négatives de touristes bornés : Venise sent mauvais, les visiteurs y sont exploités, les gondoles ont été remplacées par des canots à moteur bruyants, on y mange mal, il y a des moustiques... Par-dessus tout, Grandbois en a contre ces « médiocres romanciers qui ont exploité, avec beaucoup d'eau de rose, les dons trop accessibles de Venise » (*VM*, p. 86), ce qui n'enlève rien à son « charme exceptionnel » qui continue à séduire de très nombreux artistes (*VM*, p. 87). Le seul passage moins critique et quelque peu personnel évoque le souvenir de nuits de carnaval, alors que le jeune voyageur observe les gondoliers improviser entre eux des concours de *bel canto* sous l'œil appréciateur de belles Vénitiennes masquées. Ce spectacle de séduction est présenté avec une certaine complaisance.

> Le grand canal, je l'ai parcouru en gondole, par les nuits de fête de février, quand l'ombre bleue était trouée du feu rose des lanternes légendaires, et que les bateliers chantaient, au son de leur mandoline, les barcarolles célèbres. Les palais de marbre, illuminés, paraissaient alors, dans le brouillard léger, suspendus sur des eaux irréelles... » (*VM*, p. 89)

Cette mise en scène de Venise la nuit, dont nous venons de citer le début, serait à mettre en parallèle avec deux autres descriptions plus ou moins semblables qui appartiennent à des contextes différents. Elles présentent la même ville, tantôt retrouvée par les Polo à leur retour après vingt-six ans de voyages à l'étranger, tantôt réinterprétée par Grandbois, qui ne voit plus dans les fastes admirés autrefois qu'un spectacle désolant.

La première de ces descriptions est tirée des *Voyages de Marco Polo*, dans l'un des rares passages émouvants du livre, là où l'auteur des *Îles de la nuit* insuffle sa propre sensibilité aux Polo, d'abord étrangers à leur ville natale puis finalement reconnus par elle. Même si le texte est écrit à la troisième personne et qu'il prétend à l'objectivité du reportage, une émotion y affleure discrètement.

> C'était la nuit. Les Polo s'acheminèrent vers leur palais de San Felice. Seuls, tous les trois, ils longeaient les canaux obscurs, voyaient la trouée pourpre des torches, entendaient le clapotis des eaux, le cri d'un gondolier, le rire d'une femme jaillissant soudain parmi les notes grêles des mandolines, se sentaient perdus dans un monde étrange qui les enveloppait d'un mystère incommunicable et glacé. Ils cherchaient confusément un lien qui pût les rattacher à un passé que trop de choses mortes refoulaient sous des ténèbres trop épaisses. Le palais leur apparut, pâle dans l'ombre. (*VMP*, p. 323)

Les voyageurs n'ayant pas été reconnus par leurs cousins, qui habitaient maintenant leur ancien palais et les tenaient pour des imposteurs, ils passent leur première nuit dans un réduit. À l'aube, ils quittent les lieux afin d'y revenir plus tard en plein jour, «vêtus de vêtements somptueux» et «suivis d'une foule de marchands portant des cadeaux pour les cousins» (*VMP*, p. 324). Mais avant la reconnaissance par la famille, c'est le paysage de la ville qui les accueille, paysage qui prend la forme d'une femme enivrante.

> Venise était fraîche et lisse comme une jeune fille. Couleur de perle, une buée rose flottait sur le canal bleu. Déjà, les gondoliers chantaient. Ils reconnurent Venise, et ils virent que malgré l'absence, les années, les morts, Venise les reconnaissait, les acceptait. Ils respiraient avec délices cet air doux, léger, s'en enivraient comme d'un vin. (*VMP*, p. 324)

L'autre description nous ramène à *Visages du monde*. Elle est tirée d'un texte sur Londres et s'inscrit à la fin d'un paragraphe vertigineux que le chroniqueur fait démarrer par une référence à Marco Polo. Dans le *Livre des diversités et merveilles du monde*, il avait lu «qu'une ville chinoise — c'était au XIIe siècle — possédait huit millions d'habitants» (*VM*, p. 258). Suit un aperçu panoramique de la carte du monde à l'époque médiévale, ce qui lui permet de comparer la densité des villes les plus connues. Il n'oublie pas le continent américain, parle même de Montréal et de Québec figurant comme « *terrae incognitae* sur les planisphères des géographes médiévaux » (*VM, idem.*). Il en va tout autrement pour Venise qui, « avec son arsenal, ses vaisseaux transportant les chevaliers croisés, menait alors la ronde du monde occidental » (*VM, idem.*) et pouvait rivaliser avec Constantinople. À la suite de ce développement arrive le souvenir de la Venise moderne, perçue comme décevante.

> La grande ville du grand Marco Polo, je l'ai vue, parmi ses palais de marbre et ses somptueux tombeaux. Des mendiants, des aveugles, des lépreux, des chiens hirsutes, affamés et jaunes, qu'il fallait écarter à coups de bâtons, en fréquentaient les rues désertiques. Venise la magnifique est devenue une ville pour touristes, amateurs de gondoles, d'amour et de beautés, car Venise, malgré le rôle extrêmement amoindri, et pour tout dire, nul, qu'elle joue dans le monde, est toujours belle. Il en est ainsi de Constantinople. (*VM*, p. 258-259)

Comme nous l'avons vu, les références à Marco Polo sont à la fois nombreuses et disséminées dans *Visages du monde*, ouvertement exclues du texte sur Venise mais s'y trouvant implicitement par une autocitation non identifiée aux *Voyages de Marco Polo*[18], incluses dans la chronique sur Gênes, surgissant le plus souvent là où on ne les attendrait pas, en particulier dans le contexte de l'émission sur Londres. Quant au Marco Polo recréé par Grandbois, il est à la fois reconnu par Venise dans la métaphore d'une jeune fille fondue dans le paysage, suivant le texte de *Visages du monde* que nous avons cité précédemment, et méprisé par ses contemporains qui doutent de la véracité de son récit. Or le scribe

---

18. Un autre passage des *Voyages de Marco Polo*, cité dans le texte sur Ceylan et Grandbois, en donne la source en la présentant comme venant « d'un livre oublié, que j'ai écrit il y a dix ans déjà » *(VM*, p. 515). Il en va différemment dans le premier texte sur la Cochinchine où la citation, attribuée à Marco Polo, recoupe en partie un passage des *Voyages de Marco Polo* (*VM*, p. 142-143).

moderne des *Voyages de Marco Polo* réitère l'affirmation de Marco Polo sur son lit de mort, alors que sa famille l'adjure de désavouer certains passages de son livre : « Il leur dit alors que loin d'exagérer la vérité, il n'avait pas osé, connaissant l'incrédulité des hommes, relater la moitié des choses extraordinaires qu'il avait vues ou entendues. » (*VMP*, p. 337) N'est-ce pas le droit de fabuler, de voyager par les livres, qui est ici revendiqué à la fois par Marco Polo et par Alain Grandbois ?

* * *

Au chapitre de l'éclatement du sujet, il y aurait encore à considérer brièvement le fragment du manuscrit intitulé *L'Italien*. Répétons qu'il s'agit d'un brouillon de six feuillets, paginés à compter de la page 100, ce qui pourrait laisser croire à l'élaboration d'un roman dont le début est perdu. Sans attacher trop d'importance à cet écrit laissé à l'état d'ébauche, *L'Italien* nous achemine vers le *no man's land* qu'est peut-être tout pays, réel ou inventé, décrit par Grandbois.

Pas un mot dans ces quelques pages qui offre le moindre indice d'une appartenance du héros à l'Italie ou à la civilisation italienne, à moins que le sentiment d'étrangeté que « l'Italien » exprime devant l'austère paysage québécois d'une forêt sous la neige au plus froid de l'hiver ne témoigne de son statut d'émigrant, venu d'un pays moins rude que le Québec. Le personnage mis en scène, probablement un bûcheron, émerge du sommeil, évoque quelques souvenirs nostalgiques, se heurte successivement à la perception des ronflements de ses camarades encore endormis, à l'opacité des vitres givrées, au froid cinglant à l'extérieur. Le texte n'en dit pas plus long. Dès les premières lignes, on pourrait indifféremment appliquer les sensations décrites à n'importe qui et situer l'action n'importe où, par exemple imaginer que ce dormeur, qui rappelle le Narrateur proustien, est le jeune peintre et poète Grandbois s'éveillant à Fiesole par un matin radieux, ou bien Marco Polo de retour à Venise, ouvrant les yeux après sa première nuit passée à l'écart de la somptueuse demeure familiale.

Il croyait sortir d'un rêve. Une lassitude vieille comme les nuits le prenait aux membres, limitait sa conscience à un engourdissement premier, essentiel. Le souvenir de gestes anciens ne l'effleurait qu'en des parties inférieures, où l'arôme d'un soir, la brûlure d'un coup, la chaleur d'un corps, la détresse d'un moment se fondaient en grisailles lourdes. Un lent recommencement, pareil au début de chaque jour[19]...

Il en va de même pour les souvenirs remémorés par le héros : ils demeurent indéfinis. « Des souvenirs doux prêtaient leurs faces heureuses. Un coin de jardin chantant. Une mare ensoleillée. Le retour vers la maison blanche, certains soirs où le soleil vous fait marcher dans la naissance de votre ombre, Madeleine et son sourire frais. » Ces images n'ont rien de spécifiquement « italien » et, à part le nom de Madeleine qui est celui de l'une des sœurs de Grandbois, elles n'ont rien non plus qui fasse écho à la biographie ni aux écrits autobiographiques de l'auteur, ni à ses chroniques radiophoniques sur l'Italie. Deviennent-elles plus convaincantes si on les attribue à un personnage de bûcheron québécois ? Le nom du héros, Georges Blanc, permet cette hypothèse, qui rendrait le titre du manuscrit encore plus énigmatique. Par ailleurs, le décor de camp de bûcherons et le paysage de tempête de neige ne font que renforcer le sentiment d'exil que ressent le personnage tiré du sommeil et de la douceur de ses rêveries nostalgiques.

Pour Grandbois, revenir à l'Italie de ses vingt ans en un récit de voyage parmi d'autres équivaut peut-être à rêver d'un inaccessible pays d'origine. Souvenons-nous de la confidence qu'il fait à la fin de sa chronique sur le golfe de Salerne. Il cherche un refuge où il aimerait finir ses jours et il conclut qu'il aurait peine à en choisir un seul, Ravello, somme toute, pouvant être substitué à un village de son pays natal.

Ravello est un petit village paisible que l'on aimerait habiter, dans la quiétude, pour la fuite et la fin de ses jours. Mais il y a combien d'autres villages, d'autres petites villes offrant les mêmes

---

19. Fonds Grandbois, ANQ 204/2/31, p. 100 et p. 101 pour la citation qui suit.

visages tentateurs. Pour ma modeste part, si j'avais à décider du lieu de ma retraite — si toutefois j'en avais la possibilité, que je n'ai pas — je serais fort embarrassé. Il y a tant d'endroits délicieux au monde. Je connais un coin de la Côte Basque, une petite calanque de la Côte d'Azur, un petit moulin de Port-Cros, une petite plage des îles espagnoles, un petit village canadien dont je tais soigneusement le nom, mais ce sont là des rêves insensés, dans notre âge atomique. (*VM*, p. 221)

Tout écrivain touché par la modernité sait bien qu'il sera toujours dépaysé, qu'il voyage de chez lui aller retour, qu'il émigre ou qu'il choisisse de s'enraciner là où il est né. En route vers « l'horizon fabuleux »[20], l'origine est aussi incertaine que la destination. Écoutons là-dessus Ungaretti, dans la version en français qu'il a faite de son poème « Voyage », d'abord écrit en italien et dont nous avons cité la première strophe en exergue :

je ne peux m'établir
à chaque nouveau climat je me retrouve une âme d'antan
en étranger je m'en détache
revenu en naissant d'époques trop vécues
jouir d'une seule minute de vie initiale
je cherche un pays innocent

Dans toutes ses chroniques radiophoniques sur l'Italie, y compris dans son poème intitulé « l'Adriatique », Grandbois pratique ce que Proust appelle péjorativement une « littérature de notations ». Heureusement, il ne fait pas que cela. « Le littérateur envie le peintre, il aimerait prendre des croquis, des notes, il est perdu s'il le fait[21]. » Tout se passe comme si le peintre, futur poète, avait traversé en somnambule Rome, Venise, Florence, Gênes, Naples... Sauf Marco Polo, « l'Italien » trouvé en Chine, il semble

---

20. Michel COLLOT, *L'horizon fabuleux*, Paris, Corti, 1988, en deux tomes. Il serait intéressant de mettre en parallèle une analyse du paysage chez Grandbois et celle que fait Michel Collot à propos de l'œuvre poétique de Supervielle.
21. Ces deux citations de Proust, tirées du *Temps retrouvé*, sont commentées par Vincent DESCOMBES dans *Proust. Philosophie du roman*, Paris, les Éditions de Minuit, 1987, p. 78-79.

n'avoir rencontré en Italie d'autre Virgile qui l'eût initié à la poésie qu'il cherche alors en la fuyant. Les émissions radiophoniques ne contiennent aucune allusion à ces grands écrivains contemporains avec qui le chroniqueur avait sans le savoir des affinités, Eugenio Montale, Giuseppe Ungaretti, Carlo Emilio Gadda. Grandbois n'y exprime aucune opinion politique non plus, contrairement à ce qu'il avait fait avec un emportement intempestif dans ses premières chroniques sur la Chine et le Japon. Il a pourtant été témoin de la montée du fascisme ainsi que de l'effet d'un tel climat sur les écrivains et les artistes. Ce silence rejoint celui qui est si frappant à propos de la littérature italienne contemporaine. Mais un livre, comme un écrivain, ne se laisse pas enfermer dans un seul lieu et il franchit également les siècles. En Chine, Alain Grandbois a rencontré Marco Polo, voyageur et prosateur parti de Venise pour explorer le monde et rentré dans son pays pour écrire et pour mourir. C'est grâce à lui et non à Dante que le jeune peintre, qui se voulait également reporter, évolue vers la poésie. Quel que soit le livre choisi, il possède sur le mystère des origines, un pouvoir d'affranchissement.

De l'invention au mensonge :
le référent italien chez Hubert Aquin et Normand de Bellefeuille

GILLES DUPUIS

AUSSI DIFFÉRENTS qu'ils puissent sembler l'un de l'autre, Hubert Aquin et Normand de Bellefeuille ont partagé au moins une passion : celle de l'Italie. Et bien qu'ils l'aient exprimée différemment, cette passion a aussi en commun d'avoir gravité autour d'un référent *irréel*, comme si l'Italie, tout en fournissant un cadre apparemment réaliste à certains de leurs récits, ne pouvait s'y prêter qu'au détriment de l'illusion du réel.

Il peut sembler étonnant chez ces deux auteurs qui ont séjourné à plusieurs reprises en Italie, et qui ont été visiblement fascinés par ce à quoi ils ont été confrontés, que la référence italienne soit aussi discrète. À part quelques allusions, ici et là, l'Italie n'offre son cadre qu'à deux œuvres d'Aquin : une nouvelle, encore peu connue, intitulée « Les sables mouvants » (1953) et, bien sûr, le roman *L'Antiphonaire* (1969). De son côté, Normand de Bellefeuille n'a que tout récemment fait entrer l'Italie de plain-pied dans son œuvre : d'abord dans un « livre d'art », *Notte Oscura* (1993), conçu en collaboration avec Alain Laframboise, puis dans son roman *Nous mentons tous* (1997), qui constitue une reprise originale de l'œuvre précédente.

Sans gommer les différences qui les séparent — écart des générations, divergence des esthétiques et des poétiques, distinction marquée du goût qui se reflète dans le style —, l'intérêt que présente l'étude comparée de leur *corpus italien* réside surtout dans la mise au jour du référent enfoui que l'Italie, au-delà des apparences ou en deçà du cliché, semble devoir signifier pour qui en tente l'archéologie scripturaire. Derrière les références italiennes se profile un référent indicible, voire inavouable, que le filtre de l'Italie servirait, nonobstant les fuites, à masquer. Autant formuler d'ores et déjà l'hypothèse qui sous-tend cet essai : l'Italie, quoique diversement présentée par ces deux auteurs, met en scène un référent unique qui, pour se dire, se devait de demeurer tacite ou à tout le moins de s'avouer masqué. Que la stratégie soit de déjouer les fausses apparences ou au contraire de jouer du cliché trompeur, l'enjeu au fond reste le même : ruser avec la mort.

L'odyssée italienne d'Hubert Aquin

Grâce au travail récent de l'ÉDAQ, plus particulièrement à la publication des *Itinéraires d'Hubert Aquin* de Guylaine Massoutre et du *Journal* de l'auteur, nous sommes finalement en mesure d'identifier et de dater les itinéraires italiens d'Aquin. Nous savons qu'il a effectué au moins six séjours en Italie, dont trois voyages de jeunesse ou de formation (1950, 1952, 1953), un voyage d'affaires (1962), une escale touristique (1973) et une ultime pérégrination (1977) qui prend rétrospectivement une dimension tragique. Exception faite de la France et de la Suisse, pays francophones où Aquin avait songé à s'exiler, l'Italie est le pays allophone qui a le plus souvent sollicité son attention. Qui plus est, la fréquence du périple italien, qui s'est jalonné périodiquement sur les quelque trente ans de vie erratique de l'auteur, lui confère l'aura d'un pèlerinage pulsionnel. Aquin a refait à plusieurs reprises le trajet qu'il affectionnait particulièrement (la Sicile, Naples, Rome), et c'est encore l'Italie qu'il a choisi de revoir, une dernière fois, afin de décider s'il voulait continuer à vivre ou mourir.

Ce constat établi, on demeure perplexe de découvrir que l'auteur est à ce point laconique dans son journal quand il s'agit d'annoter l'expérience italienne. Si l'on compare les entrées italiennes du journal à celles qui sont datées d'ailleurs (Paris, Lausanne, Amsterdam, Athènes, etc.), on découvre que deux passages seulement intéressent directement l'Italie. Or, dans les deux cas, les impressions recueillies ne sont guère positives. Dans la première entrée, datée du 4 mai 1953 à Palerme, Aquin insiste sur le profond sentiment de désillusion qu'il éprouve à ce moment précis de son voyage. On sera peut-être surpris d'entendre dans ce passage, qui tiendrait en une seule page[1], autant de modulations pour dire la privation d'amour, qui constitue en elle-même une variation sur le thème de la solitude. La sensation du vide, conjuguée à celle de l'isolement, donne lieu à une panoplie de privatifs, scandée selon une mesure à trois temps, qui accentue l'impression de total dénuement exhalée par cette page. Toute une litanie pour chanter le plus profond désenchantement! Remarquons que des trois voyages de jeunesse, ce dernier est le seul à avoir été effectué sans compagne[2], absence à laquelle l'auteur a tenté de suppléer en choisissant le compagnonnage de... Stendhal. Mais ce succédané littéraire à l'amour charnel d'une femme n'aura réussi qu'à lui procurer du « *trompe-l'âme* ».

« Expression qui vaut sans doute pour le projet même du voyage[3] », conclut Élisabeth Nardout-Lafarge. On peut y lire aussi un jeu de mots typiquement aquinien. Bien entendu, l'expression renvoie au trompe-l'œil, technique picturale très en vogue dans l'Italie de la Renaissance et de l'époque baroque, et qui fascine particulièrement les protagonistes de *Trou de mémoire*. Or, en transférant l'effet trompeur de l'œil à l'âme, tout en l'assimilant au thème des passions stendhaliennes opposées à celui du « grand amour », Aquin spiritualise en quelque sorte un procédé purement

---

1. Hubert AQUIN, *Journal 1948-1971*, Montréal, Bibliothèque québécoise, 1992, p. 162-163.
2. En 1950 Aquin était accompagné de Colette Beaudet; en 1952, de Michelle Lasnier. Voir Guylaine MASSOUTRE, *Itinéraires d'Hubert Aquin*, Montréal, Bibliothèque québécoise, 1992, p. 52-53 et 68-69.
3. Élisabeth NARDOUT-LAFARGE, « L'Italie-berceau-de-la-culture dans *L'Antiphonaire* d'Hubert Aquin », *Francofonia*, 35, automne 1998, p. 47.

esthétique. Mais cette spiritualisation apparente cache un glissement du sens de la tromperie qui s'accentuera dans l'œuvre à
venir : glissement qui opère du domaine de l'esthétique à la sphère
plus intime de l'éthique, ou mieux de la phénoménologie des perceptions et des sensations à l'épiphanie de l'infidélité conjugale...

Dans l'autre passage du journal, signalé par trois entrées successives et très concises (Rome, les 6, 7 et 8 juillet 1962[4]), Aquin
passe rapidement d'un état de bonheur, que l'on pourrait qualifier
d'emprunté, à un état malheureux qui lui est plus naturel. En effet,
le bien-être éprouvé à minuit, assis seul à une terrasse de la Via del
Tritone, est noté explicitement avec les mots d'un autre (toujours
Stendhal) : « Il y a des jours où la beauté seule du climat de Rome
suffit au bonheur. » En revanche, c'est en son nom propre, et en
recourant à une épithète négative typique de sa plume, qu'il
exprime le malaise du lendemain : « Une heure avant j'étais intolérable : j'ai fui mon état en marchant au hasard près du Capitole.
J'avais mal au cœur. » On mesure l'écart qui sépare le bonheur,
éprouvé au diapason des souvenirs de lecture, du profond malaise
qui rend à lui-même l'être « intolérable ».

Bref, Aquin ne fut pas un voyageur heureux[5]. Il ne s'emballe
pas (ou si peu) devant les paysages et les monuments qu'il
découvre, et qu'il ne prend souvent pas la peine de décrire. Nous
devons éviter toutefois de généraliser à l'ensemble des voyages
l'humeur noire qui caractérise les pages sombres du journal :
Aquin était de la trempe de ces voyageurs *mélancoliques* (au sens
fort, freudien, du mot) qui écrivent surtout quand ils broient du
noir, au voisinage de la mort. Or nous savons, grâce à ses lettres,
qu'il fut enthousiasmé par l'Italie. A-t-il été plus explicite à ce
sujet dans le premier journal de voyage (été 1950) adressé à
Michelle Lasnier ? Nous ne le savons pas, ce dernier demeurant
jusqu'à ce jour inédit. En revanche, lors du deuxième voyage (été
1952), il avait écrit à son ami Marcel Blouin : « L'Italie me comble.

---

4. Hubert AQUIN, *op. cit.*, p. 241.
5. Élisabeth NARDOUT-LAFARGE, *loc. cit.*, p. 46.

Je me sens fiévreux, chaleureux — artiste! Tant de richesses me provoquent. Je les respecte mais je voudrais en faire autant[6]. » Cet aveu nous dit, dépouillée du masque de la fiction, l'attitude foncièrement ambiguë d'Aquin face à l'Italie, que l'on retrouvera, modulée différemment, dans les deux textes qui la mettent en scène. À l'image de la femme aimée (ou dite aimée), l'Italie le séduit et le tourmente tout à la fois, suscitant chez lui une relation fortement ambivalente d'amour-haine où se disputent complicité et rivalité, mais sans que le désir d'émulation (clairement énoncé dans la lettre) ne parvienne à réconcilier ni à dépasser leur antagonisme.

Naples surréaliste

La nouvelle de jeunesse «Les sables mouvants», écrite lors du troisième voyage en Italie (Palerme, Syracuse, Agrigente, Taormina, Naples, Rome, mai 1953), soit immédiatement après *Les rédempteurs* (1952) mais avant *L'invention de la mort* (1959), est la seule œuvre d'Aquin à situer l'action du récit dans l'Italie contemporaine[7]. Or, de toutes les impressions, sensations et expériences que l'auteur aurait éprouvées lors de ce voyage, c'est le désespoir du 4 mai 1953 à Palerme (le seul souvenir à avoir été consigné dans son journal, ne l'oublions pas) qui donne le ton à la nouvelle italienne, écrite précisément durant ce voyage effectué sur les traces et en compagnie de Stendhal, mais sans personne «à portée de désir». On en vient à croire que l'humeur noire de cette journée funeste aura fini par déteindre sur l'ensemble du voyage, au point de fournir la matière première pour sa perlaboration fictionnelle.

Si la ville de Naples procure son cadre réputé enchanteur au récit du narrateur, encore faut-il noter que ce cadre se rétrécit

---

6. Guylaine MASSOUTRE, *op. cit.*, p. 69.
7. Hubert AQUIN, *Récits et nouvelles. Tout et miroir*, Montréal, Bibliothèque québécoise, 1998, p. 145-183. Les références à cette nouvelle sont indiquées dans notre texte par le signe *SM*, suivi du numéro de la page indiqué entre parenthèses.

dramatiquement à la chambre d'hôtel qu'il occupe en sa qualité de touriste désenchanté. L'action est comprimée entre cette chambre humide et lugubre, où les fleurs du papier peint ressemblent davantage à des araignées (dans la toile desquelles le narrateur attend fébrilement la femme aimée), et la gare ferroviaire où il lui a donné rendez-vous. Tout le récit, scandé par le leitmotiv lancinant de l'attente, oscille entre les moments où le narrateur se rappelle les nuits d'amour exacerbées, passées avec Hélène à Montréal, et celles qu'il anticipe dans cette chambre d'hôtel qui augure mal. Le récit culmine d'ailleurs dans une scène fantasmatique, aux accents grands-guignolesques et surréalistes, où le rêve projeté des retrouvailles amoureuses se transforme en cauchemar éveillé et cruel. Malgré sa beauté légendaire qui est à l'origine du célèbre proverbe, Naples n'apparaît à peu près pas dans le récit. On pourrait croire qu'Aquin ait voulu de la sorte éviter le cliché touristique associé à la ville et son golfe pittoresque. Cette explication est sans doute valable pour les paysages et les monuments absents du récit. Par contre, une lecture attentive démontre que l'auteur n'a pas hésité à recourir à d'autres stéréotypes de l'italianité, plus particulièrement de la napolitanité, en ce qui a trait aux personnages.

La nouvelle s'ouvre sur le désenchantement du voyageur qui ne trouve pas le cliché que promet la belle carte postale et auquel il s'attendait :

> Je regrette maintenant d'avoir choisi Naples. Il y a tellement d'autres villes où nous aurions pu nous rencontrer. Florence, Rome, Milan même. Naples, évidemment, c'est un nom magique. Je voyais tout de suite les sérénades, les promenades au port le soir, le soleil. Elle était enchantée, elle aussi. Naples, c'était la grande aventure (*SM*, 151).

D'emblée, le cliché exotique est renversé. À l'opposé du lieu magique, le narrateur se retrouve enfermé dans une chambre d'hôtel « humide et basse [...] qui ressemble à un salon mortuaire » (*SM*, 151). Cet espace clos et impersonnel, qui pourrait aussi bien être à Naples qu'à Montréal, et qui finit par ressembler étrangement à l'enfer sartrien, constitue le lieu inconfortable de l'attente qui contamine l'humeur de son occupant. Dès lors, il devient insensible aux réelles beautés de Naples qu'il croise dans la rue, lorsqu'il déambule pour tromper l'ennui et faire passer le temps. Ou quand il les note, c'est pour souligner davantage le malaise existentiel qu'il ressent face à ce qu'il croit être le bonheur enviable des autres. C'est dans ce contexte qu'il dresse le portrait du Napolitain, où le stéréotype négatif (consciemment assumé) se superpose au cliché positif :

> Il y a assez de ces Napolitains qui m'épuisent. À toutes les trois minutes, je tâte la poche de mon veston. C'est un préjugé de touriste, mais je ne saurais m'en débarrasser. Quand j'aborde un Napolitain, je le regarde comme un ennemi. S'il approche, je me cabre. Je le traite intérieurement de sale Italien, de lâche, de voleur et je bénis le ciel de vivre dans le Nord. Parfois je les aime et j'ai le goût, comme eux, d'embrasser tout le monde. Quand je les entends chanter, je les aime. Je voudrais chanter comme eux à longueur de journée (*SM*, 163).

Un autre stéréotype concerne cette fois la femme italienne, la *chaude* Napolitaine. En déambulant dans les rues de Naples, toujours pour tromper l'attente de la femme aimée (en fait plus désirée qu'aimée), le narrateur note les visages de femmes : « Ils sont admirablement reposés, des visages paresseux et comblés. Ces femmes doivent avoir des gestes merveilleux dans un lit. Le plaisir qu'on donne à un animal si spontané doit nous être remis au centuple et par tout ce que leur reconnaissance peut inventer, en retour, de douceur » (*SM*, 163). L'affreux cliché, qui fera frémir la moindre féministe bien-pensante, n'est ici évoqué que pour critiquer, par antithèse, l'attitude de la femme attendue, trop *froide* au goût de son amant : « Hélène n'a pas de ces gestes de reconnaissance animale. Elle ressemble à ces amis qui n'accusent jamais réception des cadeaux. Un an plus tard, ils vous annoncent que ça leur a procuré un grand plaisir. Je m'attends à une rétrospective du genre avec Hélène... » (*SM*, 163).

L'aspect de l'Italie qui intéresse ici le narrateur aquinien, la seule « réalité » napolitaine à capter son regard se concentre dans la physionomie et le caractère (fussent-ils caricaturés) de ses habitants. On peut y lire aussi un bref dialogue avec le préposé de l'hôtel, rédigé dans un italien fautif, qui joue sur le malentendu causé par la barrière linguistique[8]. Malgré la méfiance ou l'impatience du narrateur, les Napolitains et les Napolitaines le séduisent, ou du moins retiennent son attention, tandis que les beautés légendaires de Naples (son golfe, ses monuments, ses églises, le Vésuve, etc.) le laissent indifférent. Le seul lieu napolitain longuement décrit est cette chambre d'hôtel anonyme — lieu éminemment aquinien — où se consume l'attente. La description de la gare n'est qu'à peine esquissée. Puis c'est la course folle dans les rues de Naples, à la poursuite du fantôme d'Hélène que le narrateur entrevoit partout. À partir de la piazza Garibaldi, située en face de la gare, les noms de rues se ruent pour signifier le rythme syncopé de la course : « via Umberto [...] Corso Vittorio, via Roma, Piazza del Plebiscito, via Cavour... » (*SM*, 175). L'ordre dans lequel le narrateur enfile ces noms, dont certains sont d'ailleurs erronés, est proprement invraisemblable. Doit-on en déduire que, déboussolé par la frustration de voir la femme désirée lui échapper, il ait perdu le sens de l'orientation ? Ou faut-il imputer à l'auteur la négligence de n'avoir pas pris la peine de contrôler le nom exact et la localisation des rues sur son plan de Naples ? Toujours est-il que la désorientation spatiale ajoute à la confusion qui règne dans l'esprit du narrateur, à ce point obsédé par l'arrivée imminente de la « personne à portée de désir » qu'il en perd jusqu'à la notion du temps : entre autres, du temps qu'il faut pour traverser d'un bout à l'autre le centre de Naples.

C'est d'ailleurs *avec le temps* — passé du souvenir, présent de l'attente et futur du fantasme — qu'on découvre non seulement la trame, mais le mobile essentiel de la nouvelle italienne d'Aquin.

---

8. À ce sujet, on peut s'étonner qu'on ait pris le parti de corriger « le texte italien souvent fautif d'Aquin » dans l'édition critique des « Sables mouvants », d'autant plus que la correction elle-même n'est pas exempte de fautes...

Comme le souligne François Poisson dans son introduction à l'édition critique du texte[9], Aquin y a inscrit tous les temps verbaux d'une temporalité non linéaire. La linéarité du récit narré au présent, entrecoupée d'analepses (les *flashbacks* illuminant les nuits d'amour avec Hélène à Montréal) et de prolepses (l'anticipation des retrouvailles à Naples), débouche sur une temporalité fictive, irréelle, où le fantasme amoureux devenu soudainement destructeur s'empare entièrement de la réalité. L'énigme ultime de cette nouvelle concerne d'ailleurs une erreur commise sur la chronologie, et plus encore sur la *chronométrie* de l'événement. Aquin a subrepticement inséré dans son récit un dispositif temporel qui, semblable à une bombe à retardement, éclate après notre lecture du texte pour en bouleverser le sens. En effet, à une première lecture des « Sables mouvants », forcément linéaire et possiblement superficielle, il peut nous échapper que le rendez-vous manqué ne soit ni attribuable à Hélène, la femme aimée, ni aux Napolitains aux « yeux d'imbéciles qui fixent toujours » (*SM*, 179), ni même aux caprices du hasard, comme veut nous le faire croire le narrateur, mais à un acte manqué dont il est lui-même le fauteur. Au début du récit, l'heure fatale du rendez-vous est fixée à « une heure quarante » (*SM*, 152). Mais plus loin, le narrateur mentionne « onze heures trente » (*SM*, 163), qu'il corrige par la suite en onze heures quarante : « Il est onze heures dix. Trente minutes seulement et le train sera là » (*SM*, 172). Bref, s'il a bel et bien communiqué le premier horaire à l'objet de son désir (et il n'y a pas lieu d'en douter), il faut en déduire qu'il s'est présenté lui-même avec deux heures d'avance au rendez-vous, donc qu'il est seul responsable de l'échec de la rencontre.

On est alors en droit de se demander pourquoi Aquin tenait à ce que ce rendez-vous avorte, jetant son narrateur dans une crise surréelle de jalousie où, après avoir tenté en vain de vendre son âme au diable, il rêve de défigurer atrocement le visage aimé. Le moins qu'on puisse dire, c'est qu'en dépit des maladresses encore imputables à la précocité de l'écrivain, cette nouvelle qui privilégie

---

9. *Ibid.*, p. 148.

le temps sur l'espace, ou mieux qui *accélère* l'espace par démultiplication des temps, anticipe singulièrement sur l'œuvre à venir. Finalement, Naples n'aura été ici qu'un prétexte pour mettre en scène les fantasmes érotiques d'un narrateur morfondu par l'attente d'une femme qui ne sera pas — bien malgré elle — fidèle au rendez-vous. La chambre d'hôtel et la gare, seuls lieux napolitains vraiment décrits dans le récit (les autres n'étant que mentionnés), transforment la ville en un cadre anonyme et quelconque, vaguement moderne, où se consume vainement l'attente. Dans l'ultime scène où le temps diabolique s'est joué de lui, le transfert de la théâtralité supposée des Napolitains au narrateur en fait l'émule déchu de Satan. L'originalité du récit est à situer à ce niveau fantasmatique où, les diverses temporalités étant fusionnées, la notion même du Temps finit par s'abolir, ce qui le rend synchrone avec le roman à venir.

Une Italie anachronique

L'Antiphonaire est le roman d'Hubert Aquin où la référence à l'Italie se pose avec le plus d'acuité. Je me propose d'y traquer le référent inavoué que les autres références italiennes avaient peut-être pour mission de masquer. Rappelons que le roman fait alterner deux récits en parallèle : le récit contemporain qui relate les aventures, ou mieux les mésaventures, de Christine Forestier, narratrice d'un manuscrit possiblement frelaté, avec un récit qui se déroule en grande partie dans l'Italie du XVIe siècle, sur les pistes d'un auteur fictif, Jules-César Beausang, raconté (en principe) par la même narratrice. L'Italie est le pivot de ces deux récits, en apparence seulement parallèles, puisqu'ils sont destinés à croiser à plusieurs reprises leur trajectoire.

L'édition critique de *L'Antiphonaire* confirme que la plupart des noms «inventés» par Aquin pour désigner les personnages italiens sont puisés dans le registre historique. Par contre, il ne semble pas que l'on ait relevé l'origine vraisemblablement italienne du nom des protagonistes québécois du récit contemporain. En effet, Forestier, qui fait bien sûr penser aux «forêts» canadiennes pour un lecteur québécois, rappelle aussi le *forestiero* italien, c'est-à-dire l'étranger. Aquin connaissait-il ce mot italien, moins familier certes que *straniero* pour désigner l'étranger, mais plus répandu dans le milieu de l'hôtellerie qu'il a forcément fréquenté en Italie? Lors de leur fuite en Suisse, rappelons que l'abbé Chigi et Antonella Zimara font halte à Sion, précisément à «l'Hôtel des Étrangers» (*A*, 151). S'il s'agit là d'une simple coïncidence, avouons tout de même qu'elle répond admirablement à la logique de l'inconscient.

Le choix de la ville de Turin comme foyer du récit parallèle, ville à peine visitée par Aquin au cours de ses nombreux voyages en Italie, devient à son tour significatif: Turin est à la fois le lieu qui renferme la «fiction» de la mort du Christ — le saint suaire — et où le philosophe fétiche d'Aquin, Nietzsche, s'est effondré dans la folie. Comme Naples dans «Les sables mouvants», ou encore Palerme dans le *Journal*, Turin s'avère décevant au niveau du récit contemporain: «Turin est un désert où le couple désenchanté s'est reposé une nuit dans un hôtel sombre» (*A*, 13). Mais transposé sur le plan de la fiction par Christine (dont le nom renvoie bien évidemment au Christ, voire au saint suaire par le maquillage des ecchymoses subies aux mains de son mari épileptique[10]), le choix de Turin en fait le sanctuaire idéal pour y enchâsser le récit *renaissant*. Les noms de lieux simplement évoqués livrent alors leur charge symbolique. Borgo Santo Spirito, Borgo San Sepulcro (sic), le cimetière de Santa Croce: autant d'invocations de l'héritage catholique de l'Italie tournant autour du référent omniprésent, et omnipotent, de la mort.

Comme il advient dans «Les sables mouvants», mais à un degré supérieur d'inventivité, l'espace italien qui fournit le cadre à une partie du récit de *L'Antiphonaire* est miné par l'intrusion d'une temporalité suspecte. Si, dans la nouvelle de jeunesse, cette question se limite — exception faite du lapsus horaire lourd de

---

10. En racontant la scène où elle est contrainte de se maquiller, Christine parle des produits de beauté «(qui me servirent à masquer — tant bien que mal — *ma sainte face*)» (*A*, 78). Je souligne.

conséquences — à un jeu sur les temps du récit pour en briser la linéarité, le temps du roman se libère des contraintes spatiales pour donner lieu à une logique que l'on pourrait qualifier d'anachronique. Anachronique est le récit qui se déroule en partie dans l'Italie du XVIe siècle par rapport au récit contemporain qui se déplace de San Diego à Montréal. L'antiphonaire étant un mode liturgique de composition musicale où alternent l'antiphone, proprement dit, et les versets d'un psaume, il est clair que l'*anachronicité* du roman d'Aquin en épouse la forme. Au fur et à mesure que Christine progresse dans son récit italien (1536-1537), elle s'immisce dans l'histoire qu'elle raconte par identification : d'abord avec Renata Belmissieri, son « double » (*A*, 31), puis avec Jules-César Beausang, autre *doppelgänger*. C'est ainsi qu'au cours de la scène du viol de Renata par l'imprimeur, on apprend que la jeune femme portait, sous ses vêtements d'époque, une petite « culotte » (*A*, 66) bien moderne... On devine que Christine imagine la scène où elle devient la protagoniste travestie, fantasme qu'elle réalisera dans un *acting out* soi-disant involontaire avec le pharmacien L. J. Gordon (alias Bob). D'autres anachronismes sont moins évidents : les Suisses traitant les étrangers, l'abbé Chigi et Antonella Zimara, de « sales Italiens » (*A*, 171, 195) ou encore ces mêmes comparses dînant dans des « restaurants » (*A*, 235). Outre le préjugé, l'expression « sales Italiens » est un cliché contemporain ; quant aux restaurants, on sait qu'ils ne font leur apparition, en France, qu'à la fin du XVIIIe siècle.

Ces anachronismes véniels rappellent des négligences similaires qui s'étaient glissées dans le film *Ben-Hur* : la trace d'un avion dans le ciel, la montre du gladiateur... Oubli involontaire de la part de l'auteur ou clin d'œil complice ? Quoi qu'il en soit, il est plus difficile d'expliquer, voire d'excuser, deux autres anachronismes, maladroits et insistants, qui ont été commis dans la scène de l'arrestation de Renata, faussement dénoncée par son amie Antonella dont l'abbé Chigi s'est fait le complice. Toute la scène mime le mauvais polar, jusque dans les dialogues stéréotypés qui ne peuvent vraisemblablement avoir été prononcés par des personnages historiques, dussent-ils être inventés. Les agents de l'ordre sont des «gendarmes turinois» (*A*, 102); en se dirigeant vers l'abbé Chigi, ils font résonner dans l'église de San Tomaso (qui deviendra San Tomasso dans le récit contemporain) leurs pas «à souliers cloutés» (*A*, 102). Puis, comble de l'invraisemblance, le «sergent du groupe» sort «un calepin de sa poche de pantalon» (*A*, 102) pour noter la déposition de l'abbé. L'effet est évidemment grotesque. Un cinéaste, même malhabile, n'aurait pas laissé passer de telles énormités, et l'on ne peut attribuer à Christine seule, malgré la confusion qui règne dans son esprit, l'entière responsabilité de ces improbables lapsus. Bref, pour d'obscures raisons de *poéthique*, Aquin tenait à ce que cette scène détonne dans l'ensemble du récit italien.

De l'autre côté, le récit contemporain (mars à août 1969) est aussi grevé d'anachronismes qui le mettent en étroite relation avec le récit italien. Par identification, Christine décrit ce qui lui arrive en des termes savants empruntés à l'œuvre fictive de Beausang (alias Paracelse). Mais elle ne se contente pas, dans le compte rendu de sa vie déchue, de déployer son érudition; involontairement, elle calque des épisodes de sa vie sur ceux de son double: le viol lubrique aux mains du pharmacien reprend la séquence du viol de Renata par l'imprimeur, tandis que l'outrage suave et voluptueux que la jeune Italienne subit aux mains de l'abbé Chigi se répercute dans la scène érotique, très douce, qui se joue entre la narratrice et le docteur Franconi. Dans cette rencontre *anachronique* de deux temporalités parallèles, on assiste à un retour spectaculaire de l'Histoire qui façonne la réalité à l'image de sa fiction, tout en forgeant la fiction comme on imite faussement une signature. À l'instar du récit italien, le récit contemporain est miné par une confusion temporelle qui finit par nous faire douter non seulement de la lucidité de la narratrice, mais surtout de l'authenticité du manuscrit, dont la paternité, finalement, demeure nébuleuse.

En dernière analyse, le référent inavouable qui se cache derrière les références érudites et les fausses apparences, défaisant le cadre réaliste que l'Italie du xvie siècle est censée procurer au récit du destin de Jules-César Beausang (auteur lui-même fictif),

œuvrerait pour lui substituer une fiction mortifère apte à conta-
miner l'ensemble du roman. Plus encore qu'elle ne signifie l'Art
ou l'Histoire, l'Italie d'Aquin est synonyme de Fiction. Or cette
fiction qui opère pour tromper la mort, pour la différer (comme
dans le jeu d'échecs du film de Bergman, *Le septième sceau*), ne
cesse paradoxalement de la remettre en scène. Comme si l'unique
façon de déjouer la mort était de la rejouer incessamment. Dans ce
sens, l'invention de l'Italie, chez Aquin, se laisse lire à la lettre
comme *L'invention de la mort* : l'obsession d'un auteur qui
s'écrivait de son vivant comme déjà posthume. Le legs profond de
l'Italie à l'imaginaire morbide d'Hubert Aquin est sans doute à
chercher du côté de ce «baroque funèbre[11]», hérité du catholicisme, qui *encre* chaque caractère de son écriture[12]. Dès lors, il ne
faut pas s'étonner qu'il ait choisi une dernière fois de revoir l'Italie
pour opter entre la vie et la mort... et que l'Italie ne lui ait pas
indiqué d'autres voies à suivre que l'accomplissement de son grand
œuvre.

L'Italie concertée par Normand de Bellefeuille

La figure du double, plus précisément du dédoublement et de son
renversement caractéristique de la trame italienne de *L'Antipho-*

---

11. Sur ce point, je ne saurais partager les conclusions de l'analyse que Marie-
Odile Liu propose du baroque aquinien dans «Petite incursion du côté du
baroque et du trans-discursif — ou *l'Antiphonaire* : un baroque à vide», *Revue de
l'Université d'Ottawa*, 57, 2, avril-juin 1987, p. 69-77. S'il est vrai que ce baroque
tourne à vide, c'est que la mort en est le référent ultime (et premier). En
confondant *baroque* et *carnaval* (p. 70 et 76-77), pire en évoquant le fantasme
d'un baroque *serein* (p. 69 et 74), l'auteur ignore les enjeux stylistiques du
«baroque funèbre», qui étaient aussi chers aux artistes italiens et espagnols de la
Contre-Réforme qu'ils l'ont été pour Aquin, lequel avouait avoir rêvé toute sa vie
«du cénotaphe d'Innocent IX, œuvre majeure du Bernin, dans laquelle le pape
est surpris par la mort» (*Appendice II*, p. 330).
12. Le jeu de mot est repris d'*Obombre*, le dernier roman inachevé, et forcément
posthume, d'Aquin: «L'auteur est absent, mais son ombre encre chaque
caractère»: Hubert AQUIN, *Mélanges littéraires I*, Montréal, Bibliothèque
québécoise, 1995, p. 340.

naire, se retrouve, bien qu'articulée autrement, chez Normand de Bellefeuille. Le premier texte de l'auteur où il est question de l'Italie — d'une Italie qui affiche d'emblée son caractère fictif — est un texte écrit à deux, telle une fantaisie pianistique destinée à quatre mains. Dans cet essai poétique, Louise Dupré (alias L.) et Normand de Bellefeuille (alias N.) échangeaient des lettres incongrues, entre Rivière-Blanche, au Québec, et Rome, en Italie, sans que les lieux, pourtant identifiés, ne soient clairement définis : Rome aurait aussi bien pu se trouver à Cuba et Rivière-Blanche en France. Entre ces deux lieux fictifs réduits à l'écho de leur nom, il y avait Babel, ou le babil des langues qui entrave la communication, lequel avait fait dire à une analphabète durassienne la phrase qui a suggéré le titre du texte : « Quand on a une langue, on peut aller à Rome[13]. »

Cette fantaisie à deux voix, et plus encore à deux langues (bien que le français soit le seul idiome adopté dans sa composition), peut être considérée comme un prélude au concerto italien que Normand de Bellefeuille nous fera entendre par la suite : dans *Notte Oscura* d'abord, qui en énonce le thème (jusque dans le titre italien), puis dans *Nous mentons tous*, qui en constitue la reprise avec variations. Dans les deux cas, c'est une Italie virtuelle, *trop* réelle — et de ce fait suspecte —, qui entre en scène.

Venise hyperréelle

À l'origine de *Notte Oscura*, il y a une femme qui écrit des lettres très partiellement datées, censément expédiées de Venise où elles auraient été écrites. Le commentateur des lettres, qui pourrait aussi en être le destinataire, prétend bien connaître l'Italie et nie systématiquement leur lieu d'émission. Qui plus est, il rétablit, moult détails à l'appui, le lieu *réel* de leur provenance : Rome, pour les sept premières ; Florence, pour les cinq suivantes ; Milan, pour

---

13. Louise Dupré et Normand de Bellefeuille, « *Quand on a une langue on peut aller à Rome* », Montréal, Éditions de la Nouvelle Barre du Jour, 1986.

les trois autres ; et un « ailleurs » (non précisé) pour la dernière. Les photographies qui accompagnent le texte participent du mensonge artistique. Si plusieurs d'entre elles dénotent l'Italie à partir d'un détail précis (une inscription en italien, du verre de Murano, un canal, une statue, etc.), aucune ne connote l'italianité à la manière d'une carte postale ou d'un souvenir touristique : « Images de lieux, toutes ou presque, mais de lieux imprécis, de lieux sans attache, et comme flottants à la surface du planisphère » (*NO*, 99).

Le jeu qui s'instaure entre le texte et les photographies n'est pourtant pas fortuit. Chacune des sections du livre, qui porte comme sous-titre le nom de la ville où auraient été rédigées les lettres, comporte douze photos. Le texte est encadré à son tour par deux clichés qui donnent leur tonalité à l'ensemble : une niche vide, qui s'avérera le trompe-l'œil d'une niche, et une femme nue, prise de dos, dans les voiles diaphanes d'un rideau. Si se tissent de subtiles correspondances entre les mots et les photos, il serait faux de prétendre que l'image se contente de refléter le texte ou le texte de se réfléchir dans l'image. Comme pour les récits alternant dans *L'Antiphonaire* d'Aquin, le texte écrit et la photographie se déroulent en parallèle, quitte à croiser de temps à autre l'ordre de leur déroulement.

Au cœur de cette fiction, qui ment nécessairement[14], il y a Venise, car l'hypercliché italien est aussi la ville la plus irréelle qui soit à force d'être photographiée, représentée, donnée pour telle, c'est-à-dire « réelle ». Le mensonge sur Venise, et plus encore *de* Venise, est évident pour le narrateur qui commente les lettres : « Là où le masque est une industrie » (*NO*, 14), où l'on ne peut que remarquer « la mauvaise qualité des miroirs » (*NO*, 15). Venise ment d'autant qu'elle ne prend plus la peine de déguiser son « beau mensonge[15]. » En fait, Venise est à l'image du couple qui vit (ou

---

14. La passion de l'auteur pour les adverbes pourrait s'expliquer par le fait qu'en français, l'adverbe dérivant d'un adjectif ment nécessaire*ment*. À ce titre, les nombreux adverbes qui jonchent cette fiction, en particulier « parfaitement », « sûrement » et « vraiment », tracent le comble du mensonge *vrai*.

15. L'expression est de Julia Kristeva : « On croit guérir le mensonge par un beau mensonge ». Mise en exergue à la deuxième partie du texte, cette citation, tout

qui aurait vécu) une déception amoureuse dont on ne connaît ni les causes ni l'issue; tout au plus devine-t-on les effets, réels ou imaginaires, que cette déception aurait eus sur lui. La femme ne cesse de souligner à quel point Venise la *déçoit*. Puis il y a cette niche vide qui n'est en réalité que le trompe-l'œil du vide. Une niche vide, c'est en soi décevant, mais une *fausse* niche vide, c'est le comble de la tromperie: «Une niche fausse, peinte, illusoire, parfaitement impossible, un lieu sans espace, somme toute inutile pour le corps que l'on y attendait» (*NO*, 67).

Venise tout entière finit par signifier ce vide que rien ne peut combler ou — revers de la médaille — ce trop-plein à ce point saturé qu'il ne laisse plus de place pour signifier autrement. Pourtant c'est l'endroit où, en dépit des déceptions encourues, la femme avoue se retrouver ou avoir trouvé la possibilité de s'inventer à nouveau: «Venise ne sent rien, mais c'est une ville où pour la première fois peut-être je m'autorise l'ennui, me permets même le malheur, la déroute» (*NO*, 25). De son côté, en niant systématiquement qu'elle s'y trouve, le glossateur de ses lettres lui interdit le seul endroit au monde, la seule *utopie* où elle pourrait elle aussi se livrer au jeu de la fiction et faire passer, sous le masque du mensonge, l'aveu d'une vérité: sa propre vérité. D'irréelle, ou trop réelle, Venise devient alors le lieu profond du malentendu. Paradoxalement, c'est le lieu rêvé pour une rupture amoureuse parce que la cité lagunaire est, par tradition, «la ville idéale» (*NO*, 17) des amoureux.

«Tu ne m'as pas laissé le temps de ne pas t'aimer» (*NO*, 49)... Ce reproche qu'adresse la femme à l'homme aimé dit, par le truchement ô combien éloquent de la double négation, l'impossibilité d'aimer à force de trop vouloir aimer. Finalement, Venise aura été le lieu absolument réel d'un amour qui ne pouvait plus être partagé. Au désordre salutaire que la femme dit y avoir trouvé, l'homme aurait inévitablement opposé sa manie de tout remettre en ordre. Comme pour la fin du film *Mort à Venise*, qu'ils interpré-

comme les autres exergues empruntés à Beauvoir, Cioran et Agamben, souligne le caractère inéluctable du mensonge.

taient de manière radicalement différente, il fallait qu'entre eux Venise demeure une fiction indivisible.

Une Italie virtuelle

Publié à la suite de *Notte Oscura*, *Nous mentons tous*[16] constitue à la fois la reprise, avec variations, du livre d'art et sa version romanesque. Le titre du roman en reprend d'ailleurs l'incipit. Comme titre, il est remis en abyme dans le roman où il désigne la version d'un scénario de film, inspiré librement des *Métamorphoses* d'Ovide, destinée au narrateur qui est chargé d'en préparer la bande-annonce. L'incipit, quant à lui, revient tel quel[17] en tête d'un roman en chantier, sans titre, que le narrateur projette d'écrire vers la fin du récit. Bref, non seulement le jeu instauré entre mensonge et vérité dans *Notte Oscura* est-il repris, il se complique ici par l'addition d'une dimension métafictionnelle tout à fait appropriée à la thématique annoncée par le titre.

Pour une meilleure compréhension des enjeux formels du roman par rapport à l'œuvre précédente, on se doit d'abord d'en résumer l'intrigue, compliquée à souhait. Un homme, dont on ne connaît pas le nom, a été délaissé par sa compagne dont on ne sait à peu près rien sinon qu'elle s'appelle Raphaëlle, qu'elle s'est fait colorer les cheveux couleur *chianti*[18] (*NMT*, 64, 124), et qu'ensemble ils ont eu un « enfant-mort » (ce détail, on s'en doute, n'est

---

16. Normand DE BELLEFEUILLE, *Nous mentons tous*, Montréal, Québec/Amérique, 1997. Comme pour les œuvres précédentes, les citations entre parenthèses se réfèrent à cette édition.

17. À l'exception près d'un signe de ponctuation : « Nous mentons tous ; toujours, nous mentons tous » (*NMT*, 174). Cette variation, infinitésimale, répond à la logique du *petit* mensonge que pratique dans le roman l'amante du narrateur : « Elle mentait tellement, les semaines qui ont précédé son départ. À propos des choses les plus anodines : le menu d'un repas pris entre amis, le trajet choisi pour se rendre au travail, le titre du film qu'elle avait regardé alors qu'il dormait déjà » (*NMT*, 163).

18. Détail en apparence anodin, mais dont la fonction est de signifier l'Italie, comme la voiture « terre de Sienne » dans *L'Antiphonaire* d'Aquin. Plus loin, il sera question d'une « reproduction de l'affiche de *Teorema* de Pasolini » (*NMT*,

pas anodin). Cet homme se met à recevoir périodiquement des lettres que la femme lui envoie d'Italie. Comme pour *Notte Oscura*, les dates ne concordent pas et l'amant soupçonne que le lieu d'expédition, Venise, ne correspond pas à la réalité. De plus, il y est vaguement question de tromperie, éventuellement de duperie. À l'aide de vieilles photographies retrouvées dans un appareil oublié, l'homme, transformé en détective amateur, amorce son enquête qui prend l'allure d'un décompte obsédant, car il a la manie des chiffres qu'il semble avoir héritée de son défunt père-comptable (autre détail révélateur). Parallèlement, il doit préparer la bande-annonce d'un film librement inspiré des *Métamorphoses* d'Ovide (clin d'œil à l'Italie de l'Antiquité classique), en compagnie du réalisateur, de la scénariste, de la vedette Béatrice (autre clin d'œil, cette fois à l'Italie de Dante), avec qui il vit une liaison passagère, et d'un autre acteur qui forment tous un vieux cercle d'amis à Montréal. Les scénarios du film comme ceux de l'enquête se multiplient, plus invraisemblables les uns que les autres à force de coller à la réalité, c'est-à-dire à son infini mensonge. L'homme finira par trouver la clef de l'énigme, c'est-à-dire le lieu de *sa* vérité, à Rome.

Du point de vue formel, le roman présente plusieurs affinités avec l'œuvre qui le précède, tout en s'en démarquant. La scansion en trois parties et un court épilogue s'y retrouve. Mais aux noms de villes italiennes qui coiffaient les trois premières parties de *Notte Oscura* ont succédé des sous-titres qui renvoient à d'autres titres de l'auteur, ou du roman en cours, et qui constituent autant de mises en abyme de l'œuvre. Les photographies ne sont pas visibles dans le roman; en revanche, les références dont elles font l'objet se multiplient. Il y est question de celles qui ont été prises par un «photographe», auteur «d'un livre, comprenant plusieurs photographies italiennes» et qui porte, comme par hasard, le titre *Notte Oscura* (*NMT*, 24). Puis il y a celles que le narrateur (ou est-ce le narrataire?) retrouve dans un vieux Pentax relégué au fond d'une armoire (*camera oscura* au deuxième degré). Les photos qu'il découvre rappellent certains clichés de *Notte Oscura*; d'autres nous paraissent *inédites*. Elles finiront par constituer, dans l'imaginaire du narrateur-narrataire, « *la pellicule italienne* » (*NMT*, 132). Enfin, ce dernier, pourtant photophobe avoué, s'improvisera à son tour photographe pour tenter de surprendre sur pellicule le « photographe-imaginaire » qui le traque.

En ce qui concerne le traitement fictionnel que reçoit l'Italie dans le roman, de nouvelles variantes sont introduites. En premier lieu, Venise n'y est plus le centre absolu de la fiction. Si le destinataire des lettres de Raphaëlle a de sérieux motifs de douter de leur authenticité, ses suspicions concernent davantage les dates (le mensonge objectif) que le lieu de leur provenance (le mensonge subjectif). Ce n'est que par déduction, voire par un obscur désir d'inventer lui aussi son propre mensonge, qu'il met en doute l'authenticité de Venise :

> Datée du quinze, la première lettre lui parvient le douze. Mais le douze du même mois. Raphaëlle lui mentirait-elle jusque-là? Il y voit mal une simple distraction : Raphaëlle n'a toujours été que rarement distraite. Alors, doit-il croire à ce *Venise*, qu'elle a écrit à la hâte, plus haut, à droite encore? Il préfère, pour sa part, l'imaginer à Rome ou à Florence, et alléger comme cela, en lui en supposant une deuxième, la première petite trahison de la date (*NMT*, 13).

La deuxième lettre est plus inquiétante. En plus de l'erreur sur la date, et du doute qui persiste quant à Venise, l'amant est convaincu qu'il n'en est pas le destinataire. Elle aurait été destinée à un autre, à ce « photographe-imaginaire », justement, avec qui l'amante aurait eu une aventure. La troisième lettre insiste dans le sens de cette interprétation en fournissant deux copies identiques du même texte[19]. À partir de là, les lettres italiennes affluent régu-

---

19. Rappel évident, et troublant, de l'œuvre précédente dont le texte d'accompagnement, texte que Raphaëlle refuse d'écrire dans *Nous mentons tous* à

lièrement, mais l'identification du lieu de leur émission devient superflue : «Venise, Rome, Florence ou Milan» (*NMT*, 42), «ou alors, peut-être, Sienne ou Bologne» (*NMT*, 130). Après avoir repoussé catégoriquement l'hypothèse de Venise[20], l'amant délaissé en vient finalement à douter de son *inauthenticité* : «Aurait-il tout imaginé? Peut-être après tout se trouve-t-elle vraiment à Venise. N'est-ce pas ce que l'oblitération du timbre, presque trop parfaitement lisible cette fois, tend à prouver?» (*NMT*, 131). Contrairement à ce qui est affirmé dans *Notte Oscura*, le narrateur ne nie plus systématiquement la véracité de Venise : comme pour les autres villes italiennes, la possibilité que Raphaëlle lui écrive effectivement de la lagune entre dans le calcul des probabilités du mensonge et de la vérité (n'oublions pas que nous avons affaire à un fils de comptable...); en revanche, en généralisant à l'Italie tout le champ du possible, l'auteur fait vaguement de la péninsule le cadre «virtuel[21]» de sa fiction. Ce qui a lieu prétendument à Venise pourrait aussi bien se dérouler ailleurs en Italie. Peu importe la ville, nous laisse-t-on entendre, *pourvu que* ça se passe en Italie. Comme cela s'est produit chez Aquin, l'Italie devient synonyme de fiction. Elle se laisse lire comme une invitation à inventer le mensonge et, du coup, à s'inventer une nouvelle identité. Bref, l'Italie est inventée pour mieux se réinventer.

Cette possibilité ne s'offre plus seulement à la femme, comme c'était le cas dans *Notte Oscura*. Elle s'étend maintenant à «l'homme de l'ordre», qui évoluera effectivement dans un

---

cause d'une scène de perversion qui l'aurait choquée, avait été rédigé par l'auteur de *Notte Oscura*. C'est pousser plus loin, et avec plus de finesse, le jeu retors de la mise en abyme pratiquée par Aquin.

20. «[...], car, je n'en doute plus maintenant, elle ne s'est jamais rendue à Venise. [...] On ne fuit pas à Venise qui fuit elle-même de toute part et qu'il faut, chaque matin, du regard, recomposer. [...] Déjà *trop de théâtre* à Venise pour lui permettre d'organiser celui-ci, lettre après lettre» (*NMT*, 105). Je souligne.

21. J'emprunte l'expression à Carla FRATTA, «L'imaginaire italien de Normand de Bellefeuille entre réalité virtuelle et identité personnelle», dans *Il Canada e le culture della globalizzazione*, sous la direction d'Alfredo RIZZARDI et Giovanni DOTOLI, Fasano (Bari), Schena editore, 2001, p. 147-152.

désordre grandissant, mais salutaire, que lui impose *sa* Béatrice :
non plus celle du film, avec qui il vit une liaison passagère, mais
l'autre, « la vraie », son guide qui l'incite à venir la rejoindre en
Italie pour y partager, cette fois, sa fiction. C'est du moins le jeu
auquel semblent le convoquer, en dernière instance, les lettres
italiennes. Pourtant, il y a une exception à la règle de la virtualité,
comme il y en a une au mensonge généralisé. Si Venise demeure
somme toute invraisemblable, ce n'est pas tant parce qu'elle
constitue en soi un décor de théâtre ; c'est qu'elle finit par ressembler un peu trop à une autre ville italienne qui prendra un
relief singulier à la fin du roman, la seule ville susceptible de
fournir au lecteur une certaine illusion du réel, selon les conventions du roman réaliste — la Ville éternelle. Déjà, en lisant une
des lettres de Raphaëlle, son amant avait cru reconnaître Rome
derrière la description en façade de Venise :

> Description d'un café et de sa terrasse. Elle y parle banalement
> de la place Saint-Marc et des pigeons. Je croirais lire un texte
> d'agence touristique. Pourtant, tout ce qu'elle y décrit me rap-
> pelle étrangement la terrasse du café Rosati, à Rome. Elle ne
> nomme presque rien, mais ces deux petites églises pourraient
> bien être celles qui encadrent la Via Del Corso lorsqu'elle ouvre
> sur la Piazza Del Popolo ; ces passants dont elle parle évoquent
> davantage des Romains affairés que des touristes déambulant
> nonchalamment sur la Piazza San Marco ; jusqu'à ces longs
> arbres au loin qui n'ont rien à voir avec le paysage vénitien, mais
> évoquent plutôt les jardins de la villa Borghese que l'on peut tout
> de même apercevoir de la terrasse du Rosati (*NMT*, 113).

Est-ce le narrateur, amant inconditionnel de Rome, qui imagine la scène ? Ou n'est-ce pas plutôt l'amante qui, en cryptant son
message, lui suggère cette piste de lecture pour l'inviter à venir la
rejoindre en Italie ? Peu importe l'explication si, pour une fois, le
fantasme coïncide avec la réalité et que la fiction devient source de
vérité. En lui donnant rendez-vous à Rome, précisément à la terrasse du Rosati, l'amant acquiescera au jeu de la femme aimée. Et,
contre toute attente, l'amante sera fidèle au rendez-vous... La

scène, longuement décrite, constitue l'épilogue du roman. L'action, qui jusque-là avait été seulement polarisée par l'attrait de l'Italie, se transporte finalement à Rome. Pour un court moment, l'Italie cesse d'être virtuelle et s'incarne tout entière dans cette terrasse ensoleillée, située au cœur d'une des places les plus animées de la capitale, où l'amante s'avance lentement vers son amant qui compte machinalement ses pas. Mais voilà, malgré l'intensité du réel qui marque cette scène amoureuse, et qui constitue l'envers du dénouement de *Notte Oscura*, c'est aussi le moment où le film prend fin, brusquement, replongeant le lecteur dans la nuit obscure. Après avoir été le théâtre des retrouvailles, le souvenir de Rome se dissipe, tout comme s'évanouit l'ombre de Raphaëlle à peine entrevue en contre-jour. Avons-nous même assisté à de véritables retrouvailles ?

Entre vérité et mensonge, l'histoire nébuleuse d'une trahison et le jeu clairement affiché de la réconciliation, la scène italienne s'est dérobée. En fut-il ainsi parce que l'aventure tournait malgré tout autour du référent de la mort ? Que ce soit le décès du père-comptable, évoqué discrètement, ou celui de l'enfant-mort qui n'a laissé qu'une date (sans nom) sur une « petite pierre blanche » (*NMT*, 114), la tentative de suicide de Béatrice ou « *les morts de Marie* » (*NMT*, 49), le pressentiment de sa propre mort ou sa représentation fictive dans *La Mort d'Orphée* (chapitre des *Métamorphoses* d'Ovide sur lequel bute sans cesse le narrateur-lecteur), le récit est parsemé de références obliques au référent inéluctable. S'il n'est plus question cette fois de *Mort à Venise*, spectre qui hantait encore *Notte Oscura*, en revanche le cliché du cimetière italien, non identifié (à l'instar de la pierre tombale de l'enfant-mort), rappelle au narrateur cet autre *cliché*, le seul à ne pouvoir être retourné puisqu'il constitue, en dernière instance, la figure ultime du retournement : « Comme si la mort, après coup, toujours insatisfaite, travaillait à rebours » (*NMT*, 181-82)[22].

---

22. C'est en des termes similaires — réversibilité, travail à rebours — que Jean Baudrillard désignait la pulsion de mort freudienne dans *L'échange symbolique et la mort*, Paris, Gallimard, 1976.

* * *

L'Italie de Normand de Bellefeuille ne revêt plus le caractère réaliste qu'Aquin tentait encore de lui préserver, malgré le coefficient élevé d'inventivité avec lequel son prédécesseur a affabulé ses intrigues italiennes ; en revanche, tout en demeurant de l'ordre de la réalité virtuelle ou du fantasme, elle est plus plausible que l'Italie mise en scène par l'auteur de *L'Antiphonaire*. Son souvenir lancinant chez de Bellefeuille, ainsi que la description minutieuse qu'il accorde au cadre romain dans la scène finale de *Nous mentons tous*, animent, ne serait-ce que par moments fugaces mais intenses, le théâtre de l'Italie qui était demeuré, chez Aquin, à l'état de décor conventionnel.

Force nous est de constater, par ailleurs, que Normand de Bellefeuille ne met pas en scène des personnages italiens dans ses œuvres *italianisantes*. Invité à l'Université de Bologne pour y prononcer une conférence portant précisément sur la représentation de l'Italie dans la littérature québécoise[23], l'auteur s'en était expliqué. Il attribuait l'absence de personnages italiens à une certaine pudeur : en bref, ce serait par respect de l'Autre, que l'on connaît mal et dont on se refuse d'usurper l'identité, que les écrivains québécois renonceraient à mettre en scène des personnages italiens dans leurs œuvres, où prime en contrepartie le fantasme de l'Italie comme lieu de la fuite ou d'un exil imaginaire. De son côté, si Aquin a négligé l'aspect de la représentation dans l'adaptation du cadre italien à certaines de ses œuvres, il faut reconnaître le rôle important qu'y jouent les personnages d'origine italienne, que cette origine soit stéréotypée, lointaine ou affublée de facticité.

En dernière analyse, l'Italie des deux auteurs tourne autour d'un même référent qu'on a tour à tour identifié avec la fiction et la mort, voire avec l'*invention* de la mort. Comme si l'invention de

---

23. « La figure de l'Italie dans la littérature québécoise : métaphore, symbole ou phantasme ? », Université de Bologne, 24 mars 2000.

l'Italie, ou son mensonge, ne pouvait advenir qu'au prix d'une mise en scène se soldant par l'échec de toute tentative de représentation. Si l'intuition de Normand de Bellefeuille s'avère juste, à savoir que les auteurs québécois fascinés par l'Italie répugneraient à mettre en scène des personnages italiens, préférant conserver ce pays dans les limbes de leur imaginaire, il est légitime de douter que l'invention de l'Italie ne débouche jamais, au Québec, sur une représentation de type réaliste. Parions cependant qu'une nouvelle génération d'écrivains-québécois-fascinés-par-l'Italie ne tente, précisément, de relever ce défi.

Le Québec entre Colomb, Cabot et Capone : du mythe de la fondation à l'épopée ducharmienne

> Cette belle histoire, croyez-le ou non, fut vécue.
> Elle m'a été imposée comme un passé par quelque chose
> Que j'ai dans la tête mais que je n'entends plus,
> Par une sorte de soleil obligatoire noir et rose.
>
> RÉJEAN DUCHARME, *La fille de Christophe Colomb*

QU'Y A-T-IL DE COMMUN entre deux explorateurs de la Renaissance et un gangster américain des années trente et quarante ? Tout simplement qu'ils sont tous les trois d'origine italienne et que Ducharme en fait trois personnages de son « roman » *La fille de Christophe Colomb*[1]. Nous allons donc examiner comment cet auteur travaille dans son œuvre la représentation de l'Italie et comment celle-ci s'inscrit dans un discours beaucoup plus vaste, qui plonge jusqu'au cœur des récits de la fondation du Québec. En effet, l'Histoire avec un grand H est là dès le titre, car tout lecteur ne pourra aborder ce roman sans

---

1. Réjean DUCHARME, *La fille de Christophe Colomb*, Paris, Gallimard, 1969. Dorénavant les références à ce roman seront indiquées entre parenthèses avec le sigle *FCC*. Les numéros de pages renvoient à l'édition signalée.

mobiliser immédiatement ses connaissances historiques concernant le navigateur. Cette œuvre pourrait-elle être classée dans le groupe des «historiographic metafictions» tel qu'il a été défini par Linda Hutcheon[2] ? C'est à cette question que nous allons tenter de répondre dans notre conclusion.

Le rapprochement entre l'Italie et Ducharme a déjà été établi: en 1993 par Lise Gauvin[3] et en 1998 par Élisabeth Nardout-Lafarge dans un article sur Hubert Aquin et l'Italie où il est aussi question de Ducharme et plus précisément des cours d'italien que «la patronne» prend dans *Dévadé*[4]; en 1992 par Jean-Claude Lauzon dans *Léolo*[5]. Dans ce film, l'identification entre l'Italie et Ducharme est forte, car le rêve italien et un des romans de Ducharme, *L'avalée des avalés*, ont la même fonction diégétique fécondatrice: ils font naître le protagoniste, le premier au sens propre — car Léo, le protagoniste, se crée une origine mythique en imaginant être le fruit de l'union d'une tomate sicilienne recouverte de sperme italien et de sa mère québécoise; il s'attribue donc le nom italianisant de Leolo Lauzone —, le deuxième à la création poétique — car la lecture du roman de Ducharme, seul livre présent chez les Lauzon, va conduire Léolo vers l'écriture. Mais ce qui nous intéresse ici plus précisément, et que nous développerons, ce sont les rapports qu'entretient l'œuvre la plus controversée de Réjean Ducharme, *La fille de Christophe Colomb*, avec l'Italie.

2. Linda HUTCHEON, *A Poetic of Postmodernism. History, Theory, Fiction*, New York and London, Routledge, 1988.

3. Lise GAUVIN, «La place du marché romanesque: le ducharmien», *Études françaises*, vol. XXVIII, n° 2-3, 1993, p. 105-120.

4. Élisabeth NARDOUT-LAFARGE, «L'Italie-berceau-de-la-culture dans *L'Antiphonaire* d'Hubert Aquin», *Francofonia*, 35, automne 1998, p. 35-48.

5. Jean-Claude LAUZON, *Léolo*, Les Productions du Verseau et Flach Film, 1992. Nous signalons qu'un séminaire intitulé «Cinématographie du Canada francophone: le Québec et la Sicile. Les racines, le rêve, le multilinguisme» a eu lieu à l'Université de Messina (Italie) le 8 mai 1997 (actes disponibles: Maria Gabriella ADAMO (aux soins de), *Il Québec e la Sicilia nella cinematografia del Canada francofono: le radici, il sogno, il multilinguismo*, Roma, Herder Editore, 1999; une partie des textes seulement est rédigée en français).

Dans ce roman, Colombe Colomb, fille du célèbre découvreur de l'Amérique, tue involontairement son père et décide de parcourir le monde à la recherche de l'amitié. Exploitée et rejetée à plusieurs reprises par les êtres humains, les étrangers aussi bien que ses compatriotes les Mannois, elle se tourne vers les animaux et fonde une sorte de communauté animale itinérante qui voyage vers l'est. Appelée au Canada pour participer aux célébrations du millénaire de son père, elle est une fois de plus dégoûtée par le comportement humain et préfère réintégrer son groupe d'animaux, désormais très nombreux. Cependant, la communauté est menacée par les humains qui veulent la détruire : une guerre est déclenchée d'où les animaux sortiront vainqueurs et le genre humain sera complètement rayé de la carte.

La présence de l'Italie s'inscrit dans ce roman à trois niveaux différents. Nous avons déjà analysé la présence d'intertextes italiens (l'*Énéide* de Virgile et le film *Un Americano a Roma* avec Alberto Sordi)[6], et avons fait ressortir la nature de récit de fondation de *La fille de Christophe Colomb*, qui serait une critique amère et corrosive des responsabilités de la civilisation occidentale, issue de la gréco-romaine, en même temps qu'une prise de distance ironique à l'égard d'un pessimisme cosmique et nihiliste (premier niveau). Il reste à examiner, d'une part, la présence dans le roman de personnages portant les noms de figures historiques ayant toutes un rapport avec l'Italie et l'Amérique (deuxième niveau), et, d'autre part, les clichés et les références à l'Italie et à sa culture (troisième niveau).

Ducharme utilise, pour son roman, des noms de personnages italiens ou d'origine italienne : il s'agit, comme nous venons de le dire, de Christophe Colomb, de Jean et Sébastien Cabot (encore

---

6. Anna GIAUFRET-HARVEY, « De *La fille de Christophe Colomb* à la culture italienne : Réjean Ducharme contre Alberto Sordi », 68ᵉ colloque de l'ACFAS, Montréal, 12-19 mai 2000. À paraître dans les actes du colloque. La référence à l'histoire de la guerre de Troie, d'où commence l'épopée d'Énée, est renforcée par la ressemblance frappante entre la naissance de Colombe et celle d'Hélène : toutes les deux sont issues d'un œuf d'oiseau. De plus, les ruines et le cheval de Troie sont mentionnés dans le texte (*FCC*, p. 113 et p. 211).

deux explorateurs) et d'Al Capone. Leur présence dans la diégèse n'a pas la même importance et est d'ailleurs exploitée de façon différente. Si, d'une part, Colomb et Al Capone sont représentés dans le roman sous les traits, quoique fictionnalisés, des référents auxquels ces noms renvoient, de l'autre, Jean-Sébastien Cabot (personnage qui regroupe en un seul être le père et le fils Cabot) n'est même pas un humain, mais un chien, jeu de mots certes facile mais auquel Ducharme n'a pu résister. Laissant de côté le critère de distinction animal/humain, il est évidemment possible de regrouper les explorateurs d'un côté et le gangster de l'autre, ou encore les personnages de la Renaissance et celui du XXᵉ siècle. Il est donc extrêmement intéressant d'analyser ce que ces représentations impliquent, car sous une apparence anodine, les trois noms cités sont des références fondamentales pour les cultures américaine, canadienne et italo-américaine, italo-canadienne ou encore italo-québécoise.

En particulier, les noms des deux explorateurs cristallisent toute une série d'implications majeures en ce qui concerne le rôle de certaines communautés, ou du pays d'origine de ces communautés, dans la découverte et la fondation de l'Amérique. En effet, dans l'imaginaire collectif de chaque groupe — qu'il soit états-unien, italien, canadien anglais ou québécois — s'élève la figure patriarcale et héroïque d'un fondateur (représentée par Colomb, Cabot et Cartier). Examinons donc de plus près la valeur sociale et les connotations dont ces personnages sont chargés.

La première question qu'il est légitime de se poser est de savoir pourquoi en 1969 un romancier québécois fait de Christophe Colomb un des personnages de son roman, alors que celui-ci est pratiquement absent de la tradition littéraire québécoise. Nous avons déjà souligné les liens étroits qui existent entre *La fille de Christophe Colomb* et *L'avalée des avalés*[7], qui aurait été une sorte de noyau contenant en puissance l'histoire de Colombe. Il est également important de souligner que les années soixante

---

7. Réjean DUCHARME, *L'avalée de avalés*, Paris, Gallimard, 1965.

voient l'arrivée massive d'immigrants italiens au Québec[8] : en 1968, les Italiens constituent 9,5 % des immigrés et sont le troisième groupe par ordre d'importance après ceux d'origine britannique (20,3 %) et états-unienne (12,1 %)[9]. Au cours de ces mêmes années 1967-69, la bataille linguistique se déclenche entre les Québécois — qui veulent remplacer les classes bilingues, fréquentées par les immigrés, par des classes entièrement francophones — et les communautés «allophones», surtout celle d'origine italienne. Parce que cette bataille «se déroule sur plusieurs fronts à la fois ; auprès du gouvernement, devant les tribunaux, dans les médias et même dans la rue[10]», plus particulièrement à Montréal, dans le quartier Saint-Léonard, il est possible que tous ces événements aient contribué à attirer l'attention sur les Italo-Québécois.

En outre, Christophe Colomb, quoique considéré aux États-Unis comme le découvreur officiel du continent, ne fait pas non plus partie de l'imaginaire littéraire américain. En effet, les Américains préfèrent glorifier l'Amérique coloniale et les «Pilgrims», alors que le célèbre explorateur ne figure en littérature que dans une épopée en vers, *The Vision of Columbus*, écrite au XVIIIe siècle (1787) par Joel Barlow (1754-1812), dans laquelle le destin radieux de l'Amérique est révélé au découvreur par un ange, alors qu'il gît dans un cachot. Dans une deuxième version du poème (*Columbiad*, 1807), l'auteur accentue encore davantage sa volonté de célébration. Ducharme connaissait-il cette œuvre dont *La fille de Christophe Colomb* constitue un habile renversement ? Quoi qu'il en soit, que le choix de Ducharme s'arrête sur Colomb est

---

8. Voir Paul-André LINTEAU, René DUROCHER, Jean-Claude ROBERT, François RICARD, *Histoire du Québec contemporain*, Tome II : *Le Québec depuis 1930*, Montréal, Boréal compact, 1989, p. 580 et 589-591.
9. Donald AVERY, Irmgard STEINISCH, «Immigrant Workers, Refugees and Multiculturalism : Comparison of the Canadian and German Experiences (1950-1995)», dans Pierre SAVARD, Brunello VIGEZZI (eds.), *Multiculturalism and the History of International Relations from the 18th Century up to the Present*, Milano, Edizioni Unicopli ; Ottawa, Les Presses de l'Université d'Ottawa, 1999, p. 347-368.
10. Paul-André LINTEAU, René DUROCHER, Jean-Claude ROBERT, François RICARD, *op. cit.*, p. 602-603.

certainement significatif, d'autant plus qu'il le fait en le mettant côte à côte avec le chien Cabot.

Le personnage de Cabot — ou plutôt des deux Cabot, le père et le fils — est très chargé à cause de la place que lui accorde l'histoire canadienne, qui en fait les deux découvreurs officiels du Canada. Nous lisons à propos de Jean Cabot dans *Le Petit Robert des noms propres* :

Navigateur italien (Gênes ou Venise v. 1450 – Angleterre 1499). Au service de l'Angleterre, il proposa à Henri VII de découvrir une route maritime septentrionale vers la Chine. Avec son fils Sébastien, il découvrit Terre-Neuve, explora les côtes du Groenland, du Labrador et de la Nouvelle-Angleterre.

Et à propos de Sébastien :

Navigateur d'origine italienne (Venise v. 1476 – Londres 1557). Fils du précédent. Après la découverte de Terre-Neuve et du Labrador (1497) avec son père, il tenta de trouver un passage méridional vers les Indes et atteignit ainsi la côte occidentale de l'Amérique du Sud, explora le Rio de la Plata et la Paraná jusqu'au Paraguay (apr. 1525). Il a réalisé une mappemonde où figurent ces découvertes[11].

L'histoire des rapports entre les Canadiens et Cabot, abordée dans de nombreux ouvrages[12], est analysée avec une grande clarté dans un article de Robert Perin[13] dont je m'inspirerai abondam-

---

11. *Le Petit Robert. Dictionnaire illustré des noms propres*, Paris, Dictionnaires Le Robert, 1995.
12. Entre autres : Robert PERIN, Frank STURINO (eds.), *Arrangiarsi : the Italian Immigration Experience in Canada*, Montréal, Guernica, 1989 ; Rosella MAMOLI ZORZI, Ugo TUCCI (dir.), *Venezia e i Caboto. Le Relazioni Italo-Canadesi*, Venezia, Marsilio, 1992 ; Peter E. POPE, *The Many Landfalls of John Cabot*, Toronto, University of Toronto Press, 1997 ; Gabriele SCARDELLATO, *Voyages to a New World : Giovanni Caboto and Italian Immigration to Canada/ Viaggi Verso il nuovo mondo : Giovanni Caboto e l'immigrazione italiana in Canada*, Roma, Regione Lazio, Assessorato alle politiche per la qualità della vita, 1997.
13. Robert PERIN, « Caboto as a Contested Ethnic Icon », dans Rosella MAMOLI ZORZI, *Attraversare gli Oceani. Da Giovanni Caboto al Canada multiculturale*, Venezia, Marsilio, 1999, p. 87-99.

ment dans les lignes qui suivent. L'auteur y retrace un parcours, qui commence à la moitié du XIXᵉ siècle et va jusqu'aux années soixante-dix, au fil duquel l'intérêt pour la figure de Cabot se concentre de moins en moins sur son exploit pour poser plutôt une question identitaire. Ce processus se compose de trois phases. Au cours de la première, Cabot, parfaitement oublié de tous, est ramené sur le devant de la scène et transformé en symbole de l'impérialisme britannique contre le nationalisme états-unien grandissant. L'exposition internationale de Chicago de 1893 avait fait de Christophe Colomb (lors du quatrième centenaire de la découverte de l'Amérique) « the archetypal American : fearless, freedom-loving, and forward-looking[14] ». Les membres de la Royal Society of Canada entreprennent alors, en vue du Jubilé de la reine Victoria de 1897, de forger leur mythe de la découverte et lancent un mouvement de reconnaissance nationale de l'entreprise cabotienne qui suscitera les premières divergences d'opinion avec les partisans de Jacques Cartier. Ces conflits à l'intérieur de la Royal Society réduiront la portée de la campagne dont l'issue ne sera pas un monument grandiose au découvreur du Canada sur l'île du Cap Breton, mais une simple plaque dans le Parlement de la Nouvelle-Écosse portant l'inscription beaucoup moins significative de « Italian navigator[15] ». Tout cela se produisit au cours des préparatifs pour la commémoration du quatrième centenaire du débarquement de Cabot, qui eut lieu, selon les historiens, le 24 juin 1597, date qui coïncide (malheureusement) avec la Saint-Jean-Baptiste, fête nationale du Québec.

Alors que la première campagne en faveur de Cabot avait surtout eu lieu dans les milieux intellectuels, la deuxième s'annonce complètement différente. Il s'agit cette fois-ci d'un mouvement organisé par la communauté italienne du Canada et habilement piloté par les organisations fascistes qui s'étaient implantées depuis 1925 dans le pays. En particulier, le quotidien montréalais

---

14. *Ibid.*, p. 88.
15. Royal Society of Canada, *Proceedings*, Ottawa, John Durie and Sons, 1897, p. 25, cité dans Robert Perin, *op. cit.*, p. 91.

de langue italienne *Il Cittadino* lança, en 1928, une souscription pour la réalisation d'une statue de Cabot à Montréal et, en même temps, une violente campagne contre les Canadiens français, accusés de méconnaître l'importance du découvreur du Canada, car, contrairement à tous les autres Canadiens, ils fêtaient le 24 juin la Saint-Jean-Baptiste et non le *Cabot Day*. En fait, une campagne pour la « réhabilitation » de Cabot aux dépens de l'« usurpateur » Cartier avait déjà été lancée en 1925 par la branche québécoise des Order Sons of Italy, totalement sous le contrôle des fascistes. Voici quelles étaient leurs revendications : « 1) that the Italian Navigator be recognized officially as the discoverer of Canada ; 2) that 24 June, the anniversary of the historical voyage of 1497, be declared Caboto's day ; and 3) that text books be rewritten to reflect historical truth[16]. » Malgré la pauvreté diffuse causée par la grande dépression, il fut possible de recueillir une somme suffisante à la réalisation d'une statue (par un artiste fasciste, Guido Casini), mais la municipalité de Montréal refusa d'accorder un espace public où l'ériger et refusa aussi d'admettre la définition de « découvreur du Canada ». L'entreprise se solda donc par un échec de la part des promoteurs qui durent se contenter de placer l'œuvre, en 1935, au coin de Sainte-Catherine et Atwater, donc en dehors du centre-ville, et d'y inscrire : « To Giovanni Caboto, the Italians of Montréal[17]. » On retient de ce deuxième mouvement en faveur de Cabot : la parade de 1927 pour la commémoration du quatrième centenaire du Canada, à laquelle les fascistes participèrent avec un char allégorique représentant Jean et Sébastien Cabot[18]. Les auteurs cités donnent deux interprétations différentes de l'attitude des Italo-Québécois : Perin affirme qu'ils demandent à être traités comme des Canadiens à part entière alors que, selon Principe, ils souhaiteraient se démarquer

---

16. Angelo PRINCIPE, « Chronicles from Cabotia : 1925-1935 », dans Rosella MAMOLI ZORZI, *op. cit.*, p. 109.

17. Robert PERIN, *loc. cit.*, p. 95.

18. Voir *ibid.*, p. 113.

des autres Canadiens et maintenir leur italianité à l'intérieur du pays qui les accueille[19]. La première attitude se fait jour également dans le discours ducharmien : «Les Mannois, très nationalistes, ne lui [à Colombe] ont pas / permis de venir partager leur vie d'ondines[20]» (*FCC*, p. 74). Colombe est bien la fille d'un immigré italien.

La troisième campagne cabotienne, beaucoup moins agressive, commença en 1971, avec la politique multiculturelle lancée par Trudeau et son refus de l'idée des deux communautés fondatrices du Canada. Encore une fois, le but de la campagne était de donner un sentiment d'orgueil aux Italo-Canadiens; sentiment nécessaire car «[p]romoting a national hero of Italian origin would help to wipe out the stigma of the media's negative stereotyping of Italians in North America[21]». Voilà donc un lien bien précis avec le personnage d'Al Capone, qui représente l'autre facette de l'Italo-Américain et qui concentre en lui tout ce qu'il peut y avoir de connotations négatives. Toutefois, avant de passer à l'analyse de ce personnage, arrêtons-nous sur la représentation que Ducharme donne de Colomb et de Cabot dans son roman.

La controverse Colomb / Cabot est évoquée dès le troisième chapitre du roman : «Christophe Colomb arriva ici en 1949 [...] On croyait encore / qu'il avait décelé du neuf, / qu'il était le découvreur de l'Amérique du Nord» (*FCC*, p. 12). Le navigateur serait donc arrivé sur l'île de Manne dans l'après-guerre, pendant cette vague d'immigration vers le Canada, dont les Italiens, entre 1946 et 1960, représentent plus de 16 %[22]. Christophe Colomb, le «soi-disant découvreur» (*FCC*, p. 18, 27), «dégradé» (p. 12), «père déchu, pauvre et manquant de frotons» (p. 13), est carac-

---

19. Robert Perin, *loc. cit.*; Angelo Principe, *loc. cit.*, p. 125.
20. Le narrateur lui-même intervient avec une remarque du même type, pendant le récit du séjour de Colombe en Italie : «Quelqu'un qui a trotté sous les cieux / vous le dit : ne vous mêlez pas aux étrangers» (*FCC*, p. 36).
21. Robert Perin, *loc. cit.*, p. 96.
22. Paul-André Linteau, René Durocher, Jean-Claude Robert, François Ricard, *op. cit.*, p. 221.

térisé par une gloutonnerie gargantuesque («Gouffre sans fond, Christophe s'envoie tous ses poissons», p. 13 ; «Son estomac était roi. Il ne pensait qu'à devenir plus lourd», p. 78 ; «Mon père était un gros mangeur de poisson», p. 213) qui le conduira à la tombe. Malgré ses caractéristiques bestiales («La nuit, il ronfle comme un putois», p. 14 ; «Le poisson le faisait roter fort, même dans son sommeil», p. 213), il fait partie, avec sa fille, des «justes» et «de la race des seigneurs» (p. 18). Toutefois, son dénuement seul l'a empêché d'avoir d'autres vices que la gloutonnerie : «Il n'avait pas un sou. Donc il n'a pas pu connaître l'avarice» (p. 213). En ce qui concerne son portrait physique, nous savons seulement qu'il a un «visage barbu» (p. 26) et qu'il a au moins trois cents ans (p. 23). Ce personnage, cependant, ne manque pas de faire preuve d'attitudes typiquement italiennes, car, avant de mourir, «il boit son dernier Cinzano» (p. 26). On a donc la sensation que l'appétit d'aventures et de connaissances de Colomb s'est misérablement réduit à une volonté de dévorer des aliments[23], sans par ailleurs se retourner contre la société qui l'a rejeté. Cependant, la vengeance posthume de Colomb sera une véritable «dévoration» de la planète par l'intermédiaire de la foule d'animaux guidée par Colombe, qui, commençant par le désert du Sahara, finira avec l'humanité tout entière : «"Pourquoi le Sahara est-il devenu si profond, diable ?" / «Il s'est creusé sous nos dents. Manger nous dûmes. / Il a baissé parce que nous ne cessons de manger son sable. / Et si ça continue, il ne suffira pas […]"» (*FCC*, p. 222).

Comme Colomb, dont les exploits sont mis en doute et qui a perdu lui-même toute certitude au sujet de son voyage («[…] il se rend à Fautre voir un ami / De longue date, un ex-matelot qui était sur la Niña quand / Ont été aperçues, de loin les côtes … d'Haïti, / De San Salvador ou de la République Dominicaine ? / Christophe ne se rappelle plus très bien / Quelle île des Antilles a été vue la première», *FCC* p. 19), Cabot est lui aussi une figure de l'incertitude, malgré son apparence de personnage solidement

---

23. Ce qui n'est pas sans rappeler, encore une fois, *L'avalée des avalés*, qui s'ouvre avec les mots : «Tout m'avale».

ancré dans l'histoire : son lieu de naissance est encore inconnu des historiens et il pourrait même ne pas avoir été italien. Et même s'il s'avérait Génois, Vénitien ou originaire de Gaeta (ce sont les hypothèses les plus plausibles[24]), est-ce que parler d'Italie a un sens au XVIe siècle, dans une société cosmopolite où les navigateurs se mettent, comme Cabot, au service des rois les plus puissants et les plus riches pour se lancer dans l'exploration du globe ? Cette indétermination se reflète dans la représentation que Ducharme donne de Cabot. Il est décrit, lors de sa rencontre avec Colombe, comme « un gros chien à poil blanc, un animal qui a des cheveux plein la figure[25]. [...] il a la tête basse et il n'a pas de médaille » (*FCC*, p. 128). Il ne voit donc pas où il va et n'appartient à personne ; il est « blanc comme givre » (p. 129) et, quelques lignes plus loin, « noir de sang » (p. 130) ; c'est un chien qui ressemble à une chatte (p. 132), qui a des attitudes humaines (« Il marche comme s'il dansait. Il lève les pattes haut », p. 132 ; il est bilingue, p. 177) et surtout il met bas quatre chiots, qui ont chacun une couleur issue d'un mélange d'autres couleurs[26] (p. 133). Il est donc marqué par une identité sexuelle incertaine (malgré son statut de mère des chiots, il est toujours masculin dans le roman), désigné par un prénom qui unit en un seul être le père et le fils Cabot (filiation bizarre comme celle de Colombe dont le prénom est une féminisation du nom de famille de son père[27]), et par un nom de

---

24. Voir Gabriele SCARDELLATO, « John Cabot, Jean Cabot or Giovanni Caboto : what's in a Name ? », dans Rosella MAMOLI ZORZI, *op. cit.*, p. 105.
25. Colomb et Cabot, vieillards à barbe blanche, sont des figures du patriarche.
26. Pour ce qui est des quatre chiots, on pourrait, en poussant l'analyse un peu loin peut-être, y voir une représentation symbolique de quatre des communautés constituant la société canadienne : le chiot cinabre (couleur proche du rouge) représenterait les autochtones, car il se fait écraser par un engin immonde (les Occidentaux) « qui n'a même pas eu l'air de s'en apercevoir » (*FCC*, p. 134), et les trois autres pourraient figurer les Canadiens anglophones (fuchsia : rouge et rose), les Québécois (indigo : bleu et violet) et les Italiens (gris : noir et blanc). Alors que le fuchsia et l'indigo sont proches des couleurs des drapeaux canadien et québécois, il n'est pas facile de trouver une explication du gris. Peut-être s'agit-il encore d'un message qui signale au lecteur que rien n'est jamais vraiment « noir » ni vraiment « blanc », même les Italiens ?

famille qui oscille entre «Chien» et «Cabot» (à la connotation clairement péjorative); il possède des attitudes mi-humaines, mi-animales.

L'apparition du personnage de Cabot marque par ailleurs le changement de numérotation des chapitres, qui passe des chiffres romains aux chiffres arabes. Il s'agit peut-être de souligner un moment clé dans l'histoire (ou dans l'Histoire), où se produit un changement bouleversant: la découverte du Canada. Colombe a dû en effet traverser l'Atlantique (ou le Pacifique) car elle passe de l'île de Manne — qui, comme le narrateur nous le dit, se trouve en Biélorussie — à l'autoroute «entre Los Angeles et San Antonio» (*FCC*, p. 133). Entre-temps, «Entre Vrofville et les monts de Mauvaise-Augure» (p. 128), elle a rencontré Cabot, sous des auspices évidemment défavorables. Malgré cette incertitude qui marque profondément son personnage, Cabot reçoit dans le texte l'appellation de «premier»: «Mais celui dont / Elle est le plus fière, c'est Jean-Sébastien Cabot / Son premier» (p. 156) et «Colombe trouve Jean-Sébastien Cabot au premier rang» (p. 221). Conscient de son importance, Cabot, le moment venu, refuse bien sûr d'accompagner Colombe au millénaire de son père (p. 210) sans donner de raison pour se justifier, mais en prenant «pompeusement la parole» (p. 210).

Il semble donc que le roman tisse petit à petit un intertexte historique extrêmement clair. Les personnages de Colomb (et en particulier la célébration du millénaire), de Cabot, ainsi que la mention du mot «fasciste» (p. 141 et p. 198) — dont la deuxième occurrence apparaît seulement quelques lignes après la description du défilé de la Saint-Jean-Baptiste[28] (p. 197) — semblent renvoyer aux événements relatés ci-dessus. Ce qui permettrait d'interpréter l'affirmation du narrateur ducharmien de *La fille de Christophe*

---

27. Voir à ce propos Nicole Deschamps, «Histoire d'E. Lecture politique de *La fille de Christophe Colomb*», *Études Françaises*, vol. XI, n° 3-4, octobre 1975, p. 325-354.
28. Le prénom Jean-Sébastien est d'ailleurs formé avec presque les mêmes lettres que Jean-Baptiste. Serait-ce un hasard?

Colomb — « Cette belle histoire, croyez-le ou non, fut vécue. / Elle m'a été imposée comme un passé par quelque chose que j'ai dans la tête mais que je n'entends plus, / par une sorte de soleil obligatoire noir et rose » (*FCC*, p. 195) — comme une réélaboration à la fois de la campagne en faveur de Cabot et de l'histoire entière du Canada.

Par ailleurs, le questionnement de l'histoire ou plus précisément de l'historiographie est un des traits marquants du roman des années soixante et soixante-dix, au Québec comme ailleurs, comme le prouve de façon significative l'œuvre d'Hubert Aquin. Pour le Québec, il est d'autant plus important et vital qu'il porte sur des interrogations majeures concernant l'identité du pays et son rapport avec les Canadiens anglais. En déplaçant la perspective du côté des Italiens, Ducharme pousse encore plus loin ce questionnement et montre que, déjà dans les années soixante, la dialectique identitaire ne se joue plus simplement entre les communautés québécoise et canadienne-anglaise, mais qu'il faut tenir compte d'autres groupes qui seront appelés à jouer un rôle grandissant au Québec et au Canada. Nous reviendrons sur ce point dans la conclusion.

Quoi qu'il en soit, dans cette guerre à grands coups d'explorateurs, il en est un dont l'absence se fait remarquer : il s'agit de Cartier. Serait-ce parce que dans le monde de Colomb et de Cabot il a été effacé des livres d'histoire, comme le souhaitaient (ou presque) certains Italo-Québécois des années vingt ? Ou serait-ce parce qu'en le laissant en dehors de cette œuvre comique (ainsi que nous le lisons dans *La fille de Christophe Colomb*, p. 102) et donc parodique, il serait en quelque sorte préservé de l'humour corrosif ducharmien qui semble grignoter tout ce qui lui tombe sous la dent ?

Par contre, une victime certaine de l'humour ducharmien est Al Capone[29], car celui-ci véhicule, quant à lui, tout un ensemble

---

29. Les trois personnages ayant tous un nom qui commence par la lettre « C », il y a une étrange coïncidence avec les trois « Colombes », Trudeau, Marchand et Pelletier, arrivées à Ottawa en 1968.

de clichés composant le stéréotype négatif de l'Italo-Américain, surtout celui des États-Unis. En effet,

> In the United States Italians do not have a positive image and are often associated with organized crime. Thanks to a few historical figures such as Al Capone, thanks to the novel by Mario Puzo, *The Godfather*, and thanks to a whole Hollywood industry of Mafia movies, Italians in North America have been demonized beyond the point that any ethnic minority groups could possibly endure[30].

Nous voyons donc à l'œuvre ici une double ironie : il est raisonnable de penser que la surenchère de clichés italiens utilisés par Ducharme dans la représentation d'Al Capone a pour effet d'en révéler le caractère raciste et stigmatisant. En effet, Al Capone est le personnage qui réunit à lui seul certains traits physiques et traits de caractère considérés comme typiquement italiens et connotés négativement : « Comme tous les Italiens, Al aime sa mère et l'ail » (*FCC*, p. 50), il a été baptisé (p. 49) et il « rit, de ces [sic] trente dents en or » (p. 233). Son italianité, inscrite somme toute seulement dans la phrase « comme tous les Italiens », est donc établie, sans être approfondie. Par contre, l'élément central de sa personnalité, et celui qui est développé tout au long du roman, c'est sa soif de pouvoir et sa volonté de puissance. Sa vie dans l'au-delà sera en effet marquée par une foudroyante carrière qui le conduira à conquérir le paradis d'abord (p. 50), à se substituer ensuite à Dieu le Père et à s'approprier tous ses attributs (omniscience, p. 101 ; capacité d'inspirer les croyants, p. 127) au point que Colombe l'invoquera à plusieurs reprises (p. 122, 150, 177) et, pour finir, il se lancera même à la conquête de l'Enfer[31] (p. 95). Le roman se

---

30. Joseph Pivato, « Contributions of Italian-Canadian Writers », dans *Attraversare gli oceani. Da Giovanni Caboto al Canada multiculturale*, Venezia, Marsilio Editore, 1999, p. 186.
31. On ne peut s'empêcher de penser ici à une autre épopée, *Paradise Lost* de John Milton, qui raconte la révolte de Satan et des anges rebelles.

termine sur le rire énorme d'Al Capone, vraisemblablement devenu maître de l'univers.

Si Al Capone est devenu Dieu, l'autorité suprême, omnisciente et toute-puissante, ne ressemble-t-il pas de très près à une figure auctoriale[32]? Voilà donc que Ducharme met en question, une fois de plus, l'autorité qui fonde la narration, et, par conséquent, dans le cas de ce roman, l'Histoire. Si les événements racontés ont été imposés au narrateur, c'est par une sorte d'action de la divine Providence, guidée par Al Capone, ex-gangster et Italien.

Abordons maintenant le troisième niveau, c'est-à-dire la représentation de l'Italie au cours du voyage de Colombe ainsi que les références, éparses dans le texte, à ce pays. Le séjour de Colombe en Italie occupe les chapitres XXI à XXVI et constitue l'étape la plus longue de son voyage à travers le monde. Le paysage est présenté par quelques traits rapides : il y a un fleuve, un «cours d'eau minuscule» (p. 34) et des collines couvertes d'oliviers (p. 35). Comme «la mauvaise odeur» (p. 34) y règne et que «ça sent les spaghettis» (p. 35), faut-il en conclure que c'est justement ce plat, devenu surnom péjoratif, qui est la cause de cette puanteur? Il est d'ailleurs souvent question d'aliments : on boit «du vin / Avec du poivre et de la glace» (p. 39), on se soûle (p. 39) et on mange la queue et les oreilles du veau, ami de la protagoniste (p. 40). Colombe s'y sent quand même, au début, «tout à fait libre et heureuse» (p. 34) et y recherche la paix (p. 35), mais elle sera bientôt déçue par les Italiens. Ceux-ci, apprenant qu'elle est la fille du navigateur, «se mettent à rire comme des fous» (p. 35), car «ils ne prennent rien au sérieux» (p. 36); ils sont également avides (comme l'avocat et le dentiste, p. 38 et 40), avares (comme le tavernier, p. 39), ivrognes (comme les échevins, p. 39), de même que méchants et violents (comme la famille du dentiste, p. 40-41). Pis encore, la municipalité lui demande de

---

32. Voir à ce propos Gilles MARCOTTE, «Réjean Ducharme contre Blasey Blasey», *Études françaises*, vol. XI, n° 3-4, octobre 1975, p. 247-284.

payer des impôts et des taxes, mais Colombe est incapable d'interpréter correctement les mots : «pour elle, un compte est un conte et une lire, ma foi, / Est une lyre» (p. 37). Quoi de plus vrai dans le pays pour lequel «tous les poètes n'ont eu qu'amour» (p. 35)? Colombe va donc voler des lyres dans des magasins d'instruments de musique et finir en prison (p. 37), d'où elle sortira contre son gré grâce à un avocat qui est un «vautour» (p. 38) et un harceleur sexuel. Elle sera ensuite agressée par des échevins parce que son ami veau a mangé les souliers d'une petite fille, puis atteinte de douleurs dentaires aiguës. Derniers déboires italiens de notre héroïne : elle est forcée par l'«arracheur de dents» (p. 40) à travailler pour lui comme femme de ménage pendant trois ans ; elle dort dans une boîte d'allumettes (p. 84) ; la femme du dentiste cuisine le veau ; son fils et sa fille la battent et finissent par lui crever les yeux. C'est alors que Colombe «quitte l'Italie pour ne plus revenir» (p. 41). Ce sont là exactement les mêmes mots qui seront employés plus loin à propos de la décision de Colombe de quitter Manne, sa patrie. Bureaucratie aveugle, caractère volage et vices en tous genres, voilà ce qui ressort, sous une apparence de beauté et de paix, de ce portrait de l'Italie.

Par ailleurs, l'Italie est souvent évoquée dans le roman à travers des références religieuses, historiques et culturelles. Les premières sont surtout représentées par la mention du mot «pape» (p. 29, 158, 191) toujours employé de façon ironique : dans la première occurrence, il «a permis aux prêtres de se marier» (p. 29) ; ensuite il est le comparant d'une similitude comique dont le comparé est le groupe d'animaux dirigé par Colombe («Les doigts dans le nez, sérieux comme des papes», p. 158) ; et enfin «Pape du bâtiment [navire que les animaux utilisent pour traverser l'Atlantique] Colombe est proclamée» (p. 191). Le personnage de Saint-Pierre, souvent mentionné dans les passages consacrés à Al Capone, contribue aussi à renforcer cette isotopie de la religion catholique. Les références historiques, quant à elles, renvoient à l'histoire antique et soulignent encore une fois la problématisation historiographique à l'œuvre dans le roman : «Le nom du Héron est vite trouvé : Néron» (p. 152) et «Ils [les noirs] lui reprochent d'avoir mis Rome et

Athènes dans son passé, / Et de n'avoir mis dans leur histoire que bananes et noix de coco» (p. 175). Enfin, les références culturelles sont à la fois plus nombreuses et plus variées, mais presque toutes marquées par une connotation négative, sauf deux: les «miroirs vénitiens» (p. 83) qui se trouvent dans la «chambre des visiteurs de marque» (p. 82) du juge Gruzelle, où, pour la première fois, Colombe dort dans un vrai lit, et l'épisode de l'opéra auquel elle assiste entourée de ses animaux. Mais là encore, les miroirs déforment l'image de Colombe, car «Elle s'y voit en flou» (p. 83), alors que le baryton interprète, dans *La fiancée vendue* du compositeur tchèque Smetana[33], un personnage bègue (p. 185): il y a bien un défaut dans la capacité de représenter le monde et de s'exprimer. Comme nous avons déjà mentionné les références contenues dans le voyage en Italie et celles qui concernent Al Capone, il ne reste donc à analyser que le «bon croc-en-jambe italien» (p. 58) que Colombe et la cigogne font à un poids-lourd pour se l'approprier, ainsi que trois des personnages douteux qui entourent la fille du découvreur lors des célébrations pour le millénaire: «Il y a celui qui vient lui laver les cheveux: un Italien. / [...] Il y a celui qui lui apprend le grec et le latin. / [...] Il y a celui qui lui fait une robe de Ricci / Et qui veut la lui faire essayer à tout bout de champ» (p. 211). Notons que «Italien» rime ici avec «coquin» et que ces coiffeurs, enseignants de langues classiques et couturiers (ou présumés tels, car quelqu'un qui fait une robe de Ricci sans être Ricci est certainement un imposteur) sont tous caractérisés par la volonté

---

33. Précisons que l'opéra mentionné dans le texte, *La fiancée vendue*, est bien une œuvre de Smetana, quoique à notre connaissance elle ne présente pas de personnages bègues. Soulignons par ailleurs que Smetana acheva ses jours dans un asile d'aliénés (comme Nelligan) et que cet opéra ne fait pas partie des grandes œuvres patriotiques de l'auteur. Le thème de l'opéra, et les mots «Les chanteuses sont énormes également» (p. 184) nous renvoient encore une fois à la dédicace des *Enfantômes* (Paris, Gallimard, 1976), dans laquelle l'acteur italien Alberto Sordi est mentionné: «ah la dernière séquence de *Femmes d'un été* quand il part en voyage de noces en décapotable avec Ada sa grosse chanteuse d'opéra» (voir à ce propos mon article «De *La fille de Christophe Colomb* à la culture italienne: Réjean Ducharme contre Alberto Sordi», *loc. cit.*).

d'abuser sexuellement de la pauvre Colombe et tous soudoyés par l'historien, venu en personne la chercher au milieu du désert pour l'emmener à Montréal dans son avion.

La représentation de l'Italie et la réflexion sur l'Histoire sont donc deux facettes du même questionnement ducharmien qui rapprochent ce roman de ce que Linda Hutcheon a appelé «*historiographic metafiction*» et qui serait un des modes privilégiés de l'écriture postmoderne. Il est certainement possible d'affirmer, avec Hélène Amrit, que «les romans contemporains québécois collaborent et participent à la constitution de la fiction postmoderniste[34]», et plus particulièrement ceux de Ducharme, qui utilisent la «subversion ironique[35]» comme arme contre une censure au sens large, celle de la conformité. En effet, Ducharme «mix[es] the historical with the fictive and [...] tamper[s] with the "facts" of received history [...] making the reader aware of the particular nature of the historical referent[36]». Ce processus intervient non seulement au niveau diégétique, mais également au niveau formel, qui correspond bien aux critères définissant la métafiction historiographique donnés par Hutcheon: «[...] its theoretical self-awareness of history and fiction as human constructs [...] is made the ground for its rethinking and reworking of the forms and contents of the past[37]». L'épopée étant le genre par excellence à travers lequel la voix du poète inspiré par la divinité tente de révéler au commun des mortels le sens de l'Histoire et de sa destinée, Ducharme réussit de manière très efficace à subvertir tous les codes et à mettre en question toutes les idées reçues sur la trajectoire historique de l'humanité, de la guerre de Troie à sa propre fin.

Qu'en est-il de l'Italie dans tout cela? Certainement, il ne s'agit pas d'en donner une représentation précise et réaliste, car

---

34. Hélène AMRIT, *Les stratégies paratextuelles dans l'œuvre de Réjean Ducharme*, Paris, Les Belles Lettres, 1995, p. 212.
35. *Ibid.*, p. 214.
36. Linda HUTCHEON, *op. cit.*, p. 89.
37. *Ibid.*, p. 5.

nous avons vu que Ducharme joue précisément sur le registre de la déréalisation presque féerique en ce qui concerne aussi bien les personnages que les temps et les lieux de son récit. Ce parti pris d'irréalisme, dû partiellement au choix formel de l'épopée en vers, permet toutefois au lecteur de ne pas se faire coincer dans une vision particulière de la réalité, mais d'englober d'un seul coup d'œil l'humanité entière. Les références italiennes sont incontournables dans ce processus, car elles renvoient à la fois à la naissance de l'histoire du Canada (sa découverte présumée par Cabot) — tout en la situant dans une chaîne d'événements beaucoup plus vaste, à savoir l'histoire de la civilisation occidentale —, à sa problématisation et à l'image stéréotypée d'une des communautés qui composent la société canadienne et québécoise. Le roman de Ducharme travaille donc la représentation de l'Histoire et de la société québécoise par un jeu de miroirs (vénitiens, peut-être ?) qui nous montre une réalité déformée, simplifiée, réduite à ses seuls clichés. Les Québécois, les Mannois, les Italiens et tous les autres peuples que Colombe rencontre au cours de son périple sont ridiculisés de la même manière, ainsi que leurs habitudes, leurs institutions et leur culture. Dès lors, ce processus entraîne le lecteur dans un tourbillon qui lui fait perdre ses points de repère, faisant table rase de ses certitudes en matière de représentation et d'interprétation du monde. Par conséquent, les Italiens sont à la fois, à travers Cabot, Colomb et Capone, les historiographes (découvreurs de l'Amérique, les premiers, dieu tout puissant, le second) et les victimes de l'historiographie, génératrice de clichés stigmatisants et de renversements soudains dans le destin posthume des personnages. Connaître la vérité devient alors une entreprise impossible par définition, toutefois il ne faut jamais cesser de la chercher dans la démultiplication des points de vue et dans les multiples facettes de la réalité.

Comment détruire
un mythe italien par la parodie:
Marie José Thériault,
Quatre sacrilèges en forme de tableaux

Carla Fratta

> *[...] una delle prime e più nobili funzioni delle*
> *cose poco serie è di gettare un'ombra di diffidenza*
> *sulle cose troppo serie — e tale è la funzione seria della parodia.*

[...] une des premières et plus nobles fonctions des choses peu sérieuses est de jeter une ombre de méfiance sur les choses trop sérieuses — et telle est la fonction sérieuse de la parodie.

Umberto Eco
Diario minimo, note à l'édition de 1975
(notre traduction)

Devant les grandes créations artistiques, le spectateur peut avoir deux réactions opposées, quoique nées d'un même mouvement admiratif: soit s'immerger dans l'extase contemplative au point de se sentir partie intégrante de l'œuvre, sans pour autant s'interdire la faculté critique; soit s'extraire du spectacle et, pour ne pas en être dominé ou paralysé, prendre une distance critique poussée à l'extrême, parfois même manifestement déformante. C'est le cas, en ce qui concerne la deuxième position, de spectateurs artistes comme, par exemple, Picasso et Marcel Duchamp : refusant de supporter le poids de la tradition, ces derniers, dans un geste spectaculaire de rupture, ont commis un acte de désacralisation face à leur œdipe artistique afin d'affirmer leur existence créative autonome. Un tel geste peut donner lieu précisément à une parodie, qui se laisse lire, selon l'étymologie du terme, comme la volonté de se situer à la fois « à côté » et « contre » l'œuvre parodiée, réélaborée de diverses manières, envers laquelle s'expriment alors deux sentiments opposés.

Si la posture parodique face à une œuvre de peinture utilise le plus souvent le même code iconique, elle peut aussi se réaliser à travers un transfert de codes d'expression différente, par exemple du code pictural à celui du langage verbal.

C'est le cas de l'opération réalisée par Marie José Thériault dans ses contes intitulés *Quatre sacrilèges en forme de tableaux*[1] où, à partir de quatre célèbres tableaux de maîtres italiens, l'auteur écrit quatre contes brefs à caractère comique et burlesque qui altèrent complètement les traits distinctifs et la signification des œuvres originales. L'effet de distorsion et de déplacement qui en résulte est plutôt divertissant, même s'il ne peut manquer de choquer par son audace iconoclaste vis-à-vis des grands chefs-d'œuvre. Qu'est-ce qui peut bien avoir poussé une écrivaine comme Thériault, de surcroît amante de l'Italie, à poser un tel geste : celui de détruire en un instant (et seulement pour un instant) tout un mythe en le couvrant de ridicule, de rompre sans discrétion le silence consacré par le temps, de briser par sa parole subversive l'unité compacte et reconnue existant entre le plan de l'expression et celui du contenu de l'œuvre, pour en bouleverser le processus de signification. S'agit-il d'un sentiment de familiarité ou bien de saturation ? De l'idée de pouvoir plaisanter impunément avec ses pairs ou de la sensation d'être excédée par l'autorité écrasante des maîtres ? C'est à travers une analyse descriptive des modalités et des procédés parodiques réalisés par l'écrivaine, en

---

1. Marie José Thériault, *Quatre sacrilèges en forme de tableaux*, dans *La cérémonie*, contes, Montréal, La Presse, 1978.

rapport aux œuvres parodiées, que nous tenterons de formuler une réponse à ces questions.

Pour commencer, rappelons que les quatre tableaux «manipulés», reproduits à l'intérieur des récits, sont, dans l'ordre de leur présentation : *Les deux courtisanes* par Carpaccio, les deux portraits de *Battista Sforza* et de *Federigo da Montefeltro* par Piero della Francesca, *Le concert* par Giorgione et *L'annonciation* par Botticelli ; les contes qu'ils inspirent, quant à eux, portent chacun le titre *Fantaisie sur*, suivi du titre du tableau en question. Il s'agit d'œuvres tellement connues et présentes à l'esprit de tous qu'il n'était pas vraiment nécessaire de les reproduire, si ce n'est en les proposant de nouveau concrètement aux yeux du lecteur, comme il les a toujours vues et traditionnellement interprétées, pour en faire réverbérer les conventions de lecture enfreintes ; il ne pouvait qu'en résulter un accroissement de l'effet de scandale. À travers le silence des siècles, ces peintures muettes parlent un langage qui traduit le discours désiré par l'auteur, suspendu dans le temps, universellement consacré dans sa fixité et respecté par le public en vertu du principe d'autorité — l'unique liberté inhérente aux œuvres étant celle de perdurer et de proposer (ou imposer ?) à l'infini leur valeur esthétique. Si les personnages représentés sont, comme on dit, des portraits «parlants», ils le sont normalement dans le sens et les limites du «discours» que le peintre leur prête, sans possibilité de dérogation : ainsi, l'archange Gabriel ne peut que tenir un discours aphone, mais sans équivoque, sur le mystère de l'immaculée conception de Marie, et les Ducs d'Urbino ne peuvent que prononcer les paroles hautaines qui siéent à leur dignité. C'est d'ailleurs pourquoi ils ont été peints : afin qu'ils puissent traduire et répandre un message institutionnel, indiscutable, inaltérable dans le temps, comme apparaît aussi leur identité — la Vierge sur l'autel d'une église florentine, les Ducs dans une salle du Palais d'Urbino. Quant au *Concert* de Giorgione (ou peut-être du Titien, selon certains), c'est une scène de genre, un épisode sur un sujet semi-religieux. Il fournit l'occasion à l'artiste de brosser un portrait (celui, au centre, du religieux) d'un mysticisme dramatique, où les deux figures latérales (peintes probablement par une autre main) contribuent à l'ensemble du message, qui serait celui d'une complicité, d'un accord commun, d'une même intelligence des choses réalisés à travers la musique. Le tableau dit des *Deux courtisanes* est une autre scène de genre, mais cette fois sur un sujet profane, interprété de différentes manières par les historiens de l'art (il pourrait s'agir de deux dames au balcon, faisant possiblement partie à l'origine d'une toile plus vaste, *La chasse dans la lagune*), où l'impassibilité des visages ne semble suggérer rien d'autre, sinon une atmosphère de parfaite harmonie avec l'immobilité analogue de l'arrière-plan (la lagune de chasse).

Or, l'opération de Thériault consiste exactement à détourner le texte iconique de sa signification originaire, en acheminant le discours vers un autre sens par l'altération non pas des traits dénotés — qui restent inchangés du moment que l'intervention n'est pas de type graphique —, mais des connotations, dont le fonctionnement est désamorcé en vertu d'une manipulation des procédés de lecture du «texte» de base. L'espace non verbal que le tableau a laissé vacant est rempli, en effet, par l'intervention et l'interférence linguistiques de l'écrivaine qui, à partir de sa lecture picturale, s'écarte volontairement de la réception traditionnelle pour en transformer le message en vue de le corrompre. Ainsi, tout en demeurant intacte, la forme est-elle séparée de ses contenus qui, suite à cette rupture, se transforment, entraînant dès lors un changement dans l'identité même du tableau. L'effet global de transformation du système consiste donc dans une oscillation créée entre la norme et l'écart, qui dérive à son tour d'une interprétation du langage pictural en termes dynamiques — en particulier comme dramatisation verbale comique et burlesque — dans une intention ludique et provocatrice. En somme, non seulement le tableau finit-il par dire ce qu'il n'a jamais dit, mais surtout par dire ce que, de par son statut, il n'aurait jamais dû dire; l'effet du nouveau message «non sérieux» naît précisément de la conscience que le lecteur-spectateur a d'un dit antérieur, qui est au contraire «sérieux». Le jeu parodique consiste ainsi en une double opération d'emprunt et de réélaboration dans le sens de la raillerie.

L'écrivaine lit la scène en d'autres termes que ceux sanctionnés par le code du peintre et reconnus par la postérité, et voici que survient l'effet de dépaysement. Tout, d'un coup, devient étrange ; on se retrouve en face d'un tableau méconnaissable, d'un autre tableau, bien que celui que nous ayons sous les yeux, et en regard du récit qui en résulte, soit toujours le même : magie de l'image qui se décompose, magie de l'affabulation verbale qui recompose et métamorphose. Comme on le verra par la suite, il s'agit de mettre en scène une parole irrévérencieuse, « sacrilège » selon la définition même de l'écrivaine, qui poursuit les formes en les persécutant, irrespectueuse du modèle qu'elle calque et qu'elle altère au moyen du surplus de son verbe impertinent, lequel introduit la quantité suffisante de discordance pour créer l'effet de déstabilisation entre un « avant » et un « après », entre l'hypotexte et l'hypertexte : là où la qualité de la dissonance parodique devient une question de sens. Dans les *Fantaisies*, le sujet ciblé par la parodie est, rappelons-le, un sujet noble et élevé (*L'annonciation, Les Ducs d'Urbino, Le concert*), ou du moins respectable en vertu du fait qu'il a été traité par un grand maître lui ayant conféré une dignité (*Les deux courtisanes*). Bref, il s'agit d'une cible idéale pour la parodie qui, de par son statut, doit faire montre d'ironie, sinon de dérision, en abattant le piédestal sur lequel repose le sujet afin de le rendre commun, trivial, voire grotesque. Cet effet est réalisé grâce à la nouvelle façon de présenter le sujet, ou mieux de surprendre le spectateur-lecteur en lui offrant un aspect neuf du sujet sous les vieilles apparences (qui semblent pourtant intactes), dans un va-et-vient continuel entre conformisme envers ce qui est reconnu et transgression de ce que la contrefaçon a renouvelé. En effet, comme le remarque Freud[2], la parodie est dirigée contre des personnes et des objets qui prétendent posséder une autorité et avoir droit au respect, qui dans un sens ou dans un autre sont « éminents », « sublimes » : elle est un processus de « rabaissement »

---

2. Voir Sigmund FREUD, *Le mot d'esprit et sa relation à l'inconscient*, Paris, Gallimard, « nrf », 1988, p. 353 ss.

qui détruit l'unité existant entre le caractère de certains personnages (qui est connu de nous) et les paroles et les actions de ceux-
ci, en remplaçant les personnages sublimes et leurs propos par des
gens et des propos de qualité inférieure.

Bien sûr, l'écrivaine a dû d'abord observer très longuement les
quatre tableaux pour s'imprégner en profondeur de leur signification «conventionnelle», pour repérer les traits saillants et les
éléments symboliques de chacun d'eux et isoler les caractéristiques
qui en constituent la pertinence et l'adéquation aux sujets traités.
En somme, elle a focalisé le nœud signifiant de chaque œuvre
pour s'en servir ensuite comme point d'appui à son propre jeu,
traîtreusement développé à partir de ce point, semblable à une
plaie vive taillée dans la chair par où s'insinue le venin.

Ainsi, dans *L'annonciation*, le processus s'amorce à partir de la
figure centrale du lys. Symbole reconnu de la pureté et de la
virginité, ainsi que de l'élection dans la tradition biblique, il est
l'attribut par excellence de la Vierge Marie. Toutefois, dans le
symbolisme profane et la mythologie antique il fait l'objet d'une
interprétation fort différente, où il représente la tentation, les
amours interdits et, en vertu de son pistil impudique, la génération[3]. Cette lecture inversée du symbole, mise en relation avec
l'archange Gabriel, semble avoir enflammé l'imagination de la
parodiste qui, à partir de cet élément, s'est employée à subvertir le
mythe iconographique chrétien. À ceci, il faut ajouter un autre
élément central de la représentation de Botticelli qui a fait lui
aussi fonction de détonateur, à savoir le geste canonique des mains
des deux protagonistes de la scène : geste d'invitation d'une part,
d'humble soumission de l'autre. Mais Thériault a dû être frappée,
comme quiconque regarde ce tableau, par l'air quelque peu insi-
nuant et sournois qui accompagne le geste de l'ange, auquel fait
pendant, chez la Vierge, une attitude bienveillante, un peu affec-
tée, maniérée. Cela aura suffi à la parodiste pour lui suggérer un
développement déviant du dialogue et de la rencontre entre les

---

3. Voir Jean CHEVALIER et Alain GHEERBRANT (dir.), *Dictionnaire des symboles*,
Paris, Laffont, 1969.

deux personnages, où l'annonciateur de la conception sacrée et immaculée se propose en personne comme agent charnel de la fécondation.

Dans les deux portraits de Piero della Francesca, ce qui frappe l'observateur est la complémentarité absolue des deux personnages face à face : même ritualisme dans les poses et dignité dans les rôles ; un effet spéculaire dans l'allure, le profil et l'habillement. Ces époux, si près l'un de l'autre dans leur confrontation, sont tout autant éloignés par l'austérité solennelle de leur attitude et de leur regard, lequel se perd dans les distances du paysage ou peut-être dans les profondeurs de leurs pensées, sous les paupières mi-closes. Les lèvres scellées dans un silence glacial, le corps et la tête recouverts de vêtements qui forment d'impénétrables cuirasses, la femme est évanescente et exsangue (rappel de sa mort en couches, selon une hypothèse), l'homme coloré et vigoureux. Or, Thériault a justement saisi comme trait caractéristique cette ligne de contiguïté entre les deux personnages, comprise à la fois comme proximité et séparation, afin d'y insérer la lame perverse du geste parodique, bouleversant et transformant le face à face public et courtois du couple en un rapprochement privé insoupçonné, où tout advient sous le niveau du cadre. La salle du trône se transforme ainsi en un lieu intime où Federigo réussit à vaincre les résistances conjugales de Battista, tandis que nous continuons à admirer les deux bustes impassibles et officiels du couple ducal.

Dans *Le concert* de Giorgione, l'écrivaine a cueilli comme noyau le regard intense du claveciniste, qui suggère des émotions non exprimées. Ce dernier occupe en saillie, avec la masse noire pyramidale de son corps, le centre de la composition, pressé de chaque côté par deux autres personnages unis dans un arrière-plan légèrement estompé et plat, avec un regard voilé qui semble converger vers un même point situé à l'extérieur du cadre. En détournant sa lecture de l'idée d'une entente commune des trois personnages autour de la musique (selon l'étymologie du mot « concert »), unis dans l'harmonie, Thériault a souligné la séparation des plans de la composition, et donc des personnages, en imaginant un complot *concerté* par deux d'entre eux contre le troisième. En interprétant, en outre, le personnage de gauche comme une femme (au lieu d'un jeune page), elle y a ajouté le mobile d'une complicité érotique, jusqu'à projeter l'élimination violente du claveciniste mystique.

Dans *Les deux courtisanes*, l'élément caractérisant, et donc détonant en vue de la parodie, semble être, comme il a déjà été noté, la fixité des deux femmes, comme hébétées dans cette immobilité de laquelle n'émane aucun sentiment sinon l'ennui. Similaires par l'habillement et l'attitude, elles aussi semblent liées par une forme d'harmonie, incorruptible comme l'atmosphère et le temps suspendu qui les entoure. Vissées à la balustrade de leur terrasse, elles semblent de solides statues de chair, immuables à travers les siècles. La parodiste a choisi de travailler sur ces caractéristiques et d'animer l'ennui immobile des deux dames pour en faire deux bavardes hargneuses réciproquement jalouses, au point où l'une d'elles, à la suite d'un litige dont le mobile est ici aussi érotique, finira par défenestrer l'autre.

Pour générer le dialogisme entre l'hypotexte parodié et l'hypertexte parodique, Thériault aurait pu intervenir directement sur les tableaux en les commentant ; en décidant, au contraire, d'accorder la parole pour ainsi dire aux tableaux, ou plutôt aux personnages qui y sont représentés, elle a créé l'illusion que l'effet dialogique naît du cadre lui-même, par l'intermédiaire précisément du dialogue instauré entre les personnages. La production à l'intérieur de la fiction picturale d'une autre fiction, de type théâtral, dramatise et actualise au maximum la scène statique, grâce notamment à la vitalité que le recours à la langue dialoguée comporte, avec tout ce bagage de jeux de langage que s'échangent les protagonistes en fonction du punch et de la surprise finale. En vertu du discours déployé par les personnages pour raconter, avec un naturel apparent, leur extravagante et paradoxale histoire, la nouvelle scène devient à sa façon convaincante ; entre autres, parce qu'elle est rendue hypervisuelle et hyperloquace, et qu'elle se réalise à travers ces «interstices» du cadre, dont nous avons parlé auparavant, que la parodiste a identifiés en les jugeant significatifs et utiles à son propos. Le résultat est celui d'un comique aux tons burlesques, doublé de l'atout de l'intonation grivoise, qui se propose de prendre (temporairement) le dessus sur l'autorité — celle du sujet pictural, du maître, de la culture et de l'histoire en général —, pour lui lancer un défi et déverser dans une autre direction, c'est-à-dire vers le bas, le trop plein des émotions esthétiques.

L'annonciation devient une scène de séduction, où l'ange a tout l'air d'un playboy aux prises avec une jeune fille de bonnes manières et totalement ingénue. Le registre linguistique est celui du quotidien le plus banal, domestique et concret, auquel se conforment toutes les connotations sacrées et surnaturelles, grâce aux jeux de mots répétés et aux allusions à double sens. La moindre aura de mysticisme est gommée; les personnages appartiennent au monde terrestre, à ses pulsions, à ses habitudes, à son langage. Tout ce qui se produisait auparavant dans une perspective verticale (ciel/terre) advient maintenant dans une perspective horizontale (homme-femme), s'affaisse, se retrouve étymologiquement «humilié».

Quant aux *Ducs d'Urbino*, les dispositifs formels dans le fonctionnement de la parodie font ici aussi appel à l'humanisation des personnages — eux-mêmes, à leur manière, «célestes» — pour construire encore une fois un dialogue tourné vers une insoupçonnable opération de séduction, avec allusions érotiques et joutes oratoires à double sens. Ici, le jeu des perspectives implique au contraire un passage continuel, dans le dialogue des personnages, de la dimension interne au cadre à celle de l'espace qui lui est extérieur (interventions du peintre, disposition des personnages mêmes dans le cadre, espace muséal, public), puis de la dimension du temps suspendu à celle des siècles s'écoulant, si bien que cette interférence aboutira à une (fantaisie de) déformation des traits physiques du couple ducal exposé dans le musée, après que l'acte conjugal tant soupiré ait été consommé.

La sublime harmonie du *Concert* se réduit à un trivial homicide, accompagné de la réduction du cadavre en poussière (autre «humiliation»), à un fait divers dû aux désaccords professionnels et caractériels (d'où le dialogue peu édifiant qui procède à coup d'insultes entre les personnages). Dans la parodie de ce tableau, on retrouve aussi bien le mobile érotique que l'artifice de l'interaction entre deux temps et deux espaces, internes et externes à la scène représentée, que nous avons déjà observés.

Jalousie «professionnelle», vulgaire litige, fait divers, assaisonnés en plus de la suspicion d'amours «particulières», se retrouvent dans la parodie des inoffensives *Courtisanes*, auparavant inébranlables devant les événements, avec le glissement habituel entre l'espace et le temps intérieurs et extérieurs au cadre, doublé de l'effet de surprise, pour un visiteur hypothétique du musée, quand il découvre qu'un personnage a disparu du célèbre tableau après la scène finale entre les deux dames.

En somme, nous nous trouvons devant quatre «fantaisies» littéraires qui constituent quatre petits sketches, quatre mini-comédies burlesques ou divertissements populaires en forme de vignettes. Mais s'il s'agit avant tout de quatre «sacrilèges», c'est que le geste parodique avec lequel ces fantaisies ont été commises visait nécessairement à démystifier quelque chose. Or, au-delà du sacré proprement dit (voir *L'annonciation*), l'intention sacrilège a été dirigée contre la sacralité proclamée de l'art italien classique.

On sait que la relecture d'une œuvre, en tant que miroir qui implique toujours des distorsions historiques vis-à-vis de ce qui s'y réfléchit (en fonction de qui regarde, d'où il regarde, quand et comment il regarde), propose toujours d'une certaine manière un nouveau discours. Ceci est particulièrement vrai pour la parodie. Chez Thériault ce discours concerne le caractère élitiste de l'art classique, synthétisé du point de vue conceptuel par le temps qu'il exprime, antérieur à la «naissance» du Nouveau Monde, et les contenus qui le traduisent. À ces éléments s'oppose une réduction socio-historique qui porte le cachet de la littérature populaire, dont la réduction emprunte, comme nous avons tenté de le mettre en évidence, plusieurs ingrédients et traits distinctifs.

Dans un geste fort de réaction particulier à la parodie, la volonté de désacraliser, pour exorciser (à rebours) l'œuvre dominante des «pères», en produisant sur leurs cendres de nouveaux résultats, va sans doute au-delà des motivations et des raisons personnelles du parodiste. On peut émettre l'hypothèse, comme le soutiennent plusieurs théoriciens de la parodie, que cette volonté naît, dans le contexte culturel inhérent au parodiste, d'une nécessité générale de conformer aux modèles de sa propre culture des objets esthétiques qui lui sont, d'une certaine manière, étrangers et encombrants, en les faisant signifier autrement pour les adapter à des goûts et des valeurs esthétiques plus conformes au système culturel, historique et social contemporain, selon l'horizon d'attente collectif. Il s'agirait, en somme, d'une question d'opposition dialectique entre codes dans une certaine mesure irréductibles l'un à l'autre, ou plutôt réductibles à condition d'abolir les distances avec un artifice. D'où le choix de Thériault de faire revivre, de réanimer, d'actualiser, de camoufler et de banaliser la scène originaire située dans un univers, une époque et un lieu trop éloignés — donc trop différents de soi, du soi collectif américain —, pour pouvoir être passivement acceptés dans leur soi-disant identité universelle, leur autorité paternelle, leur sacralité réputée mythique, bref leur « sublimité ». La mise en marche de la relation dialectique entre passé et présent à travers la confrontation parodique opère ainsi une transformation substantielle du circuit culturel et des contenus qu'il véhicule ; il rompt une harmonie, en redéfinissant des modèles en partie inaptes à la nouvelle réception, qui sont alors déviés et revécus dans une autre dimension.

En remettant en question, avec ses *sacrilèges*, des identités et des valeurs préétablies, Thériault a donc accompli exactement le contraire de ce que fait dans sa lecture historico-philologique le critique d'art (lequel reconstruit, restitue et conserve) : elle a résolu à sa manière (en déconstruisant, bouleversant et renouvelant), et au nom peut-être de toute une culture, son rapport avec la culture classique italienne, en tentant de dissiper la tension trop élevée par le rire, le rire burlesque et populaire. Comme l'observe encore Freud :

> Si [...] les procédés visant au rabaissement du sublime [...] font que je me le représente comme quelque chose d'habituel, face à quoi je ne suis pas tenu de faire un effort sur moi-même, en la

présence idéale de quoi je peux, selon la formule militaire, me mettre «à l'aise», ils m'épargnent le surplus de dépense qu'entraîne la contrainte de solennité, [...] dépense qui peut être déchargée par le rire[4].

---

4. Sigmund FREUD, *op. cit.*, p. 354.

Pauline Harvey:
« Pourquoi pas l'Italie, maintenant ? »

ANNA PAOLA MOSSETTO

L A LECTURE d'*Un homme est une valse*[1] nous fait spontanément nous interroger sur la nature de ce livre. La réponse que nous fournit l'indication générique, *roman*, n'est pas entièrement convaincante car le narrateur (*je*) est si visiblement identifié à l'auteure, Pauline Harvey — la protagoniste, vive et frénétique, étant écrivaine elle aussi — et le *jeu* diégétique si lié au registre de l'introspection et du journal intime — la narration passant avec aisance de la diachronie à la synchronie, et vice versa —, que le leurre se met sournoisement en place. Le procédé n'est pas significatif en lui-même dans la mesure où, depuis les années soixante-dix — et spécialement dans les textes des femmes au Québec —, des indications paratextuelles de toutes sortes soulignent la bivalence des œuvres : l'essai/fiction chez Lise Gauvin, dans *Lettres d'une autre* ; la théorie/fiction chez Denise Boucher et Madeleine Gagnon, dans *Retailles*, ou chez Nicole Brossard, dans *Picture Theory*, pour ne citer que quelques exemples. Le choix de Pauline Harvey de signaler son texte comme un *roman* ne nous paraîtrait que vaguement à contre-courant n'était la pratique

---

1. Pauline HARVEY, *Un homme est une valse*, Montréal, Les Herbes Rouges, 1992, cité en cours de texte sous le sigle UHV, suivi du numéro de la page.

habituelle de cette écrivaine qui se plaît à brouiller les cartes (qu'elles soient géographiques, postales ou à jouer), aussi bien sur le plan thématique qu'au niveau du réseau scriptural. N'aurait-on pas affaire alors, avec *Un homme est une valse*, à une *autofiction*, un fragment d'*autobiographie fictionnelle* ou un *document imaginatif*, selon les définitions auxquelles nous ont initiés trente ans de débats sur le récit autodiégétique moderne et postmoderne?

Mais pourquoi cet acharnement à appliquer des étiquettes à *Un homme est une valse*, quand on s'apprête à y retracer un certain regard jeté sur l'Italie? On peut évoquer au moins une raison: à savoir que la protagoniste anonyme établit un rapport amoureux avec l'espace qui met en question autant le poids de celui-ci comme référent contextuel que la valeur de sa dimension méta-phorique cotextuelle. Il faut donc tenir compte de cet effet de miroirs intérieurs et extérieurs. Par ailleurs, les analyses de Philippe Lejeune nous mettent en garde: si le pacte explicite est absent mais que le lecteur identifie l'auteur avec son personnage, il s'agit bel et bien d'une autobiographie[2]. Or puisque l'acte illo-cutoire est tel qu'il donne l'illusion de pénétrer dans la conscience de Pauline Harvey, il nous semble possible, au-delà du médium romanesque, de mettre l'accent sur le destinataire et sur le *contrat de lecture*[3]. Sans doute y est-on d'autant plus autorisé qu'à partir des années soixante-dix, dans les lettres québécoises, l'existence féminine se fond volontiers avec l'écriture pour engendrer un état de «vivre-écrire» ou de «vie en prose», selon les mots de France Théoret[4] et de Yolande Villemaire[5]. L'importance de l'écriture pour cette génération d'auteures est aussi synthétisée par la formule de Lori Saint-Martin: «Ainsi donc, le féminin se fait jour par l'écriture, sinon dans l'écriture[6].»

---

2. Philippe LEJEUNE, *Le pacte autobiographique*, Paris, Seuil, 1975, p. 28.
3. Voir Jean BELLEMIN-NOËL, *Biographies du désir*, Paris, PUF, 1988.
4. France THÉORET, *Entre raison et déraison*, Montréal, Les Herbes Rouges, 1987, p. 59.
5. Yolande VILLEMAIRE, *La vie en prose*, Montréal, Les Herbes Rouges, 1980.
6. Lori SAINT-MARTIN, «Histoire(s) de femme(s) chez Francine Noël», dans *Voix et Images*, hiver 1993, p. 241.

Les romans de Pauline Harvey datent, en effet, d'une époque post-féministe : il n'est donc plus question d'écrire *dans* (et contre) *la maison du père*[7]. La romancière partage toutefois avec les écrivaines québécoises contemporaines le langage de la *déraison* qui, selon France Théoret, met en scène turbulences, angoisses, inquiétudes et désordres intérieurs, tout en situant au premier plan le questionnement sur l'écriture. On pourrait vraisemblablement imaginer Harvey souscrire à l'affirmation de Madeleine Gagnon :

> Écrire, pour retrouver l'objet, tous les objets, des plus visibles aux plus cachés, objets réels, objets rêvés, écrire pour trouver l'adéquation entre mots et objets, les concomitances, les opalescences, écrire pour trouver la distance aussi, l'inadéquation du mot à l'objet, leurs liens contingents, leurs rencontres hasardeuses, leurs noces accidentelles[8].

Comme celle d'autres écrivaines, l'œuvre de Pauline Harvey traite la question de la création littéraire dans un contexte différent de celui de l'essai, par la voie/voix de ses personnages romanesques qui, tous, écrivent : des romans, des lettres, des mémoires. Sur cette quête du sujet qui se fait de façon osmotique par le biais de l'écriture aussi bien qu'à travers la prise de possession de l'espace, la romancière s'explique : «Au lieu que ce soit mon livre qui me ressemble, c'est moi qui deviens mon livre[9].» Une telle position implique un déplacement, au sens large du mot, à travers une écriture de la discontinuité narrative tout à fait solidaire des thèmes liés à la vie errante, nomade, bohémienne, jusqu'à *extravaguer* dans le fantasque et l'insensé. Tel est le destin des personnages souvent bizarres de Pauline Harvey, dont la protagoniste d'*Un homme est une valse* est le moins excentrique.

---

7. Voir Patricia SMART, *Écrire dans la maison du père*, Montréal, Québec/Amérique, 1988.
8. Madeleine GAGNON, *Toute écriture est amour*, Montréal, VLB Éditeur, 1989, p. 19.
9. Pauline HARVEY, *Le deuxième monopoly des précieux*, Montréal, La Pleine Lune, 1981, p. 79.

Simon Harel a parlé, à ce sujet, d'«écriture baladeuse, qui fragmente l'espace urbain tout en le parcourant, qui mêle les temporalités afin qu'on ne s'y retrouve plus[10]». En effet, la dérive se fait d'abord, et surtout, dans le circuit montréalais, produisant des intersections entre l'imaginaire de la ville et le discours narratif, puisque l'univers urbain se révèle «une surface d'inscription qui autorise un étalement de la signification[11]».

Si la dimension mondiale habite désormais la ville, la ville à son tour s'est répandue à l'échelle planétaire. C'est ce qu'on peut remarquer chez Pauline Harvey à travers le rapport aux lieux que son personnage/porte-parole entretient : un désir inassouvi de mouvement, une dimension spatiale en perpétuelle dilatation, un vertigineux assemblage de diversités par abolition des distances, sans que ne soient supprimées les différences, où Montréal est toujours convoité en tant que point de départ aussi bien que comme lieu de l'éternel retour. De nouveau, Simon Harel insiste sur le caractère indéfini de la réalité montréalaise : «lieu d'origine impossible, en constante migration[12]». Cet «agglomérat hybride et troué[13]», tel que le définit Francine Noël, comporte pourtant des avantages que signale Pierre Nepveu : «Si Montréal est grand comme un désordre universel, c'est dire non seulement qu'on y est perdu dans la pire des confusions, c'est aussi en savoir toute l'ouverture, en imaginer l'immensité positive[14].» Ce sont des sentiments d'attraction et de répulsion largement partagés auxquels s'associe, à sa manière, Pauline Harvey : car le pas de danse dans *Un homme est une valse* est une oscillation entre l'appropriation,

---

10. Simon HAREL, *Le voleur de parcours*, Montréal, Le Préambule, 1989, p. 249.

11. *Ibid.*, p. 249.

12. Simon HAREL, *op. cit.*, p. 23.

13. Francine NOËL, «La scène se passe à Montréal, de nos jours», dans Gilles MARCOTTE (dir.), *Lire Montréal*, Montréal, Département d'études françaises, Université de Montréal, 1989, p. 122.

14. Pierre NEPVEU, «Montréal : vrai ou faux», dans *Lire Montréal*, *op. cit.*, p. 14.

l'abandon et la réappropriation de la dimension montréalaise, où s'opposent tantôt un milieu naturel — mais évoqué au conditionnel: «Je partirais, je quitterais Montréal, j'aurais une maison au bord de l'eau.» (UHV, 10) — tantôt d'autres milieux urbains tels que Paris ou Venise.

Le livre débute sur le cri de désarroi qu'inspire une soif soudaine d'affranchissement:

> Quitter Montréal, partir, Montréal est un scandale en son cœur surchauffé. Je vivais depuis longtemps au centre de la fournaise, au noyau de la bombe [...]. Je n'en pouvais plus, c'était ma propre vie qui étouffait maintenant [...]. Il fallait toujours rester suffisamment étrangère pour conserver une certaine liberté de mouvement et pourtant laisser les circuits de la ville nous traverser. [...] Pour survivre ici il faut pouvoir s'en aller. (UHV, 10)

La fuite a lieu en déchirant cette toile d'araignée qui prend ses victimes au piège de mimétismes successifs: «Il faut être un Kaléidoscope, en perpétuelle métamorphose, Montréal maison de fous, cirque, magasin de jouets, émergeant toujours neuve de ses glaces, Montréal-Hongrie, Montréal-Italie, Montréal-Pologne, Montréal-Chine, Montréal-Sénégal, Montréal-Argentine, ici nous sommes tous des étrangers.» (UHV, 11) C'est aussi l'avis de Simon Harel qui, à propos de l'étranger dans le Montréal cosmopolite, écrit: «il est partie intégrante de la ville [...] il erre dans le labyrinthe urbain, à la recherche d'une sortie, d'une conclusion au parcours[15].» Impossible aboutissement car, on le sait bien, l'exploration dans les romans contemporains se fait dans un espace dilaté, la ville étant un «corps démembré»[16] et toujours en évolution. Par glissements progressifs, la marche peut alors prendre, comme chez Pauline Harvey, d'autres chemins où aux quartiers de la métropole se substituent d'autres pays. Le décalage qui n'est pas trop évident puisque la ville est un univers polycentrique et

---

15. Simon HAREL, *op. cit.*, p. 279.
16. Simon HAREL, «Les marges de la ville: identité et cosmopolitisme dans le roman montréalais», dans *Lire Montréal, op. cit.*, p. 34.

toujours inachevé, est propre également au monde environnant qu'on peut donc appréhender à travers le processus indiqué par Gilles Marcotte : « La métropole québécoise, explique-t-il, appartient à la métonymie : la loi de son organisation est la contiguïté, la parataxe, qui rappelle le déplacement plutôt que le développement[17]. »

Dans *Un homme est une valse*, on constate une reprise en considération des enjeux de la condition d'étranger — sous-estimée, nous semble-t-il, par les théoriciens de la postmodernité —, des non-lieux de la transition spatiale anonyme et toujours provisoire, de la juxtaposition des données. En effet, chaque fois qu'elle prend la route, la protagoniste du roman formule un projet, aussi fulgurant qu'éphémère, d'arrêt définitif : « Je rêvais de passer ici le reste de mes jours. » (UHV, 9) ; « J'ai voulu vivre cent ans partout où je suis allée. » (UHV, 11). C'est dans une perpétuelle résurgence du coup de foudre, de l'état de grâce que peut se produire la sensation prégnante du nouveau, du différent. Il en va de même pour la destination italienne que la protagoniste du roman propose tout à coup à son amant, Shelling :

> Je lui dis que je veux aller à Venise. Je suis un peu triste, est-ce que ça ne devait pas être fini ? Si nous restons trop longtemps à Paris, nous n'y serons plus vraiment des étrangers, nous commencerons à nous ennuyer, pourquoi pas l'Italie, maintenant ? (UHV, 91)

Voici donc le voyage, ou mieux, le saut dans l'endroit culte de la péninsule italienne qu'est Venise. L'autre site visité sera le village de Tellaro, près de La Spezia, sur la côte de Ligurie. Deux lieux très différents, dont la connotation symbolique s'impose à travers toutes sortes de signaux fantasmagoriques qui font de l'un l'hypostase de l'esprit, et de l'autre, celle du corps. La forme du labyrinthe — motif intertextuel présent dans l'ensemble de l'œuvre de la romancière — hante ces lieux (UHV, 109, 111) tout en leur conférant une curieuse familiarité transitoire avec le reste

---

17. Gilles MARCOTTE, *Écrire à Montréal, op. cit.*, p. 43.

du monde de Pauline Harvey: dessins sans structure préalable, pistes à inventer, comme dans le jeu de *Donjons & Dragons* que Shelling commence à créer sur place, suspens entre projet et illusion, à l'image de l'univers environnant, de l'existence elle-même. À Venise, le thème de la main-guide offre un point de repère et de relance à la narration: celle de la femme de ménage pour monter sur la terrasse — «à cause de cette façon de me prendre la main, je sais tout de suite que je vais adorer l'Italie.» (UHV, 97); ou celle des statues de la Basilique de Saint-Marc — «Moïse me prend la main, on passe sous des voûtes, des arcades gothiques, et où est-ce que je vais?» (UHV, 108)

Ainsi Venise apparaît comme une Italie *facile*, une carte postale, un livre d'art ou un bibelot-souvenir (souvent de carton-pâte). Le roman développe cette vision, en fait un motif décoratif, le surcharge, tout en permettant à la protagoniste, par un de ces détours typiques de l'œuvre de Pauline Harvey, la possibilité de la contester:

> Les villes admirables sont malheureusement infestées d'esthètes dont le discours est un gigantesque appareil à détruire la fascinante Ville-Méduse. Copie, simulacre, réplique, clichés, miroir banalisant [...] discours répétitif qui a pour but, réellement, non pas d'imiter mais de tuer la fascination. (UHV, 104)

De son côté, la romancière met à distance grâce à des procédés ludiques, le charme qui émane de la résidence des Doges par la mise en scène d'œuvres d'art, confirmant ainsi une autre dominante de son imaginaire qui, comme l'observe Pierre Nepveu, «sait conserver au bout du plus tragique, au fond des pires cauchemars, son sens du jeu[18]». Cette mise à distance n'empêche pas la romancière de se laisser aller à l'émerveillement, et même à l'extase. «La beauté fulgurante de la ville me sidère» (UHV, 107), avoue-t-elle par le truchement de son personnage.

---

18. Pierre Nepveu, «Délire et fantaisie dans Montréal emballée» (Présentation), Pauline Harvey, *Encore une partie pour Berri*, Montréal, Bibliothèque québé-coise, 1995, p. 15.

L'aveu rappelle l'élan passionné d'une autre écrivaine québécoise devant Venise : celui que Denise Boucher[19] livre dans une des lettres particulièrement exaltée de son périple touristico-épisto-laire italien. Les corps des voyageurs lui paraissent comme « en attente de moments fulgurants », « les jambes ferventes » ; « le cœur chavire », car « tous les désirs mènent à Venise ». Les descriptions appartiennent au registre de l'hyperbole : « Il faut voir de près avec ses propres yeux le splendide qui dépasse toujours toutes les représentations. » Le panorama se charge de connotations éro-tiques : « le clapotis des eaux ensemence le fond sonore », les pigeons sont « effrontés ». Casanova est évoqué, et lorsqu'on quitte les lieux, c'est en « rêvant de l'amour et de Venise, parce que les deux sont des songes ». En aucune autre missive de sa corres-pondance italienne Denise Boucher n'a tenu des propos aussi envoûtés.

La protagoniste du roman de Pauline Harvey n'est pas moins prête à crier elle aussi au « miracle de cette ville » (UHV, 99), quoiqu'il s'agisse d'un délicat « miracle de verre » (UHV, 97). Mais la ville l'intrigue surtout en tant que carrefour de questionne-ments, d'hypothèses : « Et nous cherchons notre âme, comme beaucoup d'autres voyageurs avant nous » (UHV, 107). « Que m'apprendra Venise ? », se demande la femme, avant de répondre : « Je décide que je suis partie à la recherche de mon âme. » (UHV, 98) Une telle quête ne peut que se nouer au thème de l'écriture, qui est un des motifs conducteurs d'*Un homme est une valse*. Rap-pelons que cette histoire d'amour surgit des lettres que Shelling écrivait pour s'accrocher à l'existence : « Si je ne les écrivais pas je ne saurais plus que faire de ma vie. » (UHV, 28) Écrire « sur les rives du Grand Canal » (UHV, 102), au milieu de « millions d'histoires contées par les animaux de verre, les pieuvres, les marionnettes, les bibelots, les toiles, les masques » (UHV, 100), insiste la narratrice. Et plus loin : « Écrire à Venise, la page elle-même alors ressemble à de la dentelle » (UHV, 97), « la main qui

---

19. Denise BOUCHER, *Lettres d'Italie*, Montréal, l'Hexagone, 1987, p. 97-99.

écrit embellit sur la page à cause des statues qui appellent»
(UHV, 99), jusqu'à suivre ce besoin d'écriture en filigrane qui
dirige le passage secret de la ville à la planète: «Je voudrais
maintenant faire le tour du monde, à la recherche de l'écriture.»
(UHV, 99).

À propos des buts et des fonctions de son métier d'écrivaine,
Pauline Harvey avait répondu lors d'un entretien avec Jean Royer:
«Peut-être que la seule responsabilité de l'écrivain serait de produire un effet de bonheur, un effet de plaisir. Pour améliorer la
qualité de la vie[20].» De même, dans *Un homme est une valse*,
chaque voyage ne semble s'accomplir que pour alimenter ce
principe hédoniste, incontournable dans ce roman. La jouissance
de l'espace est particulièrement perceptible dans la deuxième étape
du séjour italien; elle devient une approche polysensuelle du site
et un prélude aux pages les plus érotiques du livre[21].

La prise de possession des lieux avance par tâtonnements, à
travers la reconnaissance d'éléments-clés qui reviennent ici à la
manière de refrains; qu'il s'agisse de la configuration imprécisée
de la topographie «dans ce pays construit comme un labyrinthe
où les routes ne mènent nulle part» (UHV, 111); de l'impulsion
du personnage à s'y installer — «et voilà que je rêve de vivre toute
une année à Tellaro» (UHV, 111) —, du désir de garder l'exci-
tation du dépaysement absolue: «Ici, à Tellaro, nous sommes
réellement devenus des étrangers» (UHV, 113); ou encore de
l'attitude ludique, poussée à l'extrême: «nous jouons, nous jouons
à jouer» (UHV, 115). Enfin l'écriture est complémentaire de toute
autre activité: «Notre studio est une caverne, une grotte. Nous
pourrions y vivre longtemps ici, enlacés, à méditer et à remplir de
gros cahiers d'une écriture de pieuvres.» (UHV, 114)

---

20. Jean ROYER, *Romanciers québécois*, Montréal, L'Hexagone, 1991, p. 142.
21. Rappelons encore les déclarations de la romancière à Jean Royer: «Mes
personnages, j'aime les esquisser par ce qu'ils pensent et vivent. Dans un espace.
Dans une géographie physique et émotive. L'espace est peut-être plus important
qu'eux. [...] C'est l'espace qui définit les personnages. Comme s'il s'imprégnait en
eux. Mes personnages cherchent à jouir de l'espace. D'une façon extrêmement
tactile», *ibid.*, p. 145.

Praticienne d'une poésie sonore, Pauline Harvey a toujours exhibé le désir de fondre les sensations et les sens dans une écriture qui tire son origine de situations concrètes :

> « Âme ou hologramme, précise-t-elle à propos d'un de ses romans, ce livre sent le froid ou la neige, le vent ou la mer, le soleil ou les draps ou la poussière, ou n'importe quoi. Toute pensée a d'abord une odeur, comme tout souvenir d'ailleurs. [...] écrire c'est donc produire une odeur[22].

Le saisissement spatial passe ainsi par le corps, notamment par la communion physique des protagonistes qui en constituent le noyau :

> Un homme qui jouit comme ça, c'est un homme qu'on a tout entier compris, pris en nous comme un jaune d'œuf, engouffré, absorbé, englouti, digéré, tout entier sucé, gobé, embroqué, enseveli, assimilé, avalé, enclavé, digéré, emballé et rendu pour y revenir bientôt. Voilà le maelström du Tellaro. (UHV, 122)

Nous retrouvons dans ce passage cette « perpétuelle explosion de mots »[23] dont parle Madeleine Ouellette-Michalska à propos de la langue de Pauline Harvey. « L'impulsion sexuelle est très importante — dit également Pauline Harvey — Il faut en parler. Il faut que les femmes soient fières de leur sexualité[24]. » Un tel parti pris à l'œuvre dans le roman, entraîne un agrandissement de l'horizon : la continuité sexuelle et esthétique *corps-écriture-ville* des lettres féminines, mentionnée ci-dessus, est remplacée par le paradigme *corps-écriture-monde*, accompagné d'une appropriation totalisante analogue comme « lieu d'un incessant discours[25] ». En outre, l'épisode italien, par le relais du stéréotype du pays du *bel vivere*, permet d'atteindre un état de grâce présenté comme diffi-

22. Pauline HARVEY, *Pitié pour les salauds*, Montréal, L'Hexagone, 1989, p. 9.
23. Madeleine OUELLETTE-MICHALSKA, « Éloge du jeu », (présentation), Harvey, *La ville aux gueux*, Montréal, La Pleine Lune, 1982, p. 12.
24. Jean ROYER, *op. cit.*, p. 145.
25. Francine NOËL, « La scène se passe à Montréal, de nos jours », *loc. cit.*, p. 133.

cilement renouvelable ailleurs. Et pourtant, l'inconstance naturelle à la protagoniste resurgit précisément au creux de la fusion passionnelle : «Que ferons-nous après Tellaro? Nous irons à Montréal [...] Créer, désirer, c'est une vie agréable, une valse autour du monde. » (UHV,116) L'histoire d'amour se révèle, enfin, un voyage/danse, de même nature que la création littéraire, situé au croisement de pistes innombrables : pèlerinage sans cesse à la dérive, sans plan ni boussole, vers des sanctuaires provisoires où le génie du lieu, à la fois Muse et Cupidon, est toujours prêt à saisir les protagonistes : «La chambre d'hôtel est une page blanche. » (UHV, 158)

Il reste néanmoins quelques traces d'un mal du pays qui, sans brimer l'instinct du vagabondage, s'ajoute au contraire au *mal de tous les pays* qui accompagne la protagoniste. Après le séjour italien — dont elle garde pourtant à [son] index une bague de Tellaro » (UHV, 125) —, mais avant Boston, le Mexique, et tant d'autres destinations, l'arrêt montréalais s'impose comme une nécessité : «Montréal, toujours changeante, Montréal toute neuve, Montréal qui sera toujours à découvrir pour moi. [...] Montréal, mon laboratoire, le lieu où il m'est le plus facile de travailler. » (UHV, 124)

Chez Pauline Harvey — amoureuse de sa métropole qu'elle habite comme on habite le monde, et vice versa — se vérifient les conclusions de Pierre Monette à propos de la force d'attraction actuelle d'une capitale :

> Désormais c'est sa capacité de distraction, d'être ouverte sur toutes les différences, d'être un lieu de divergence plutôt que de convergence, de partance plus que d'appartenance qui conditionne son importance — là où les divers mouvements qui la traversent peuvent manifester toutes les dynamiques de leurs mouvances plutôt que simplement y trouver le lieu de leur origine et de leur finalité : là par où ça passe plutôt que là par où ça commence ou aboutit[26].

---

26. Pierre MONETTE, *L'immigrant Montréal*, Montréal, Tryptique, 1994, p. 28.

L'intervention italo-québécoise dans la reconfiguration de l'espace identitaire québécois

PIERRE L'HÉRAULT

À PROPOS DES CRÉATEURS ITALO-QUÉBÉCOIS, Fulvio Caccia écrit que «leurs paroles, leurs silences, leurs frustrations, leurs colères tissent une toile complexe qui, tout en éclairant des variations de l'imaginaire de la communauté italienne depuis son implantation ici, évoque en creux l'autre, les autres : les Québécois, bien sûr, mais aussi le Canadien anglais[1]». La phrase de Caccia montre que dans la reconfiguration de l'espace identitaire et culturel québécois, à laquelle a donné lieu l'évolution récente du Québec, la communauté italo-québécoise a joué un rôle significatif, non seulement parce qu'elle constitue la communauté culturelle la plus importante et la mieux implantée au Québec, mais surtout, ceci n'étant certes pas étranger à cela, parce que plusieurs jeunes intellectuels, dès le début des années quatre-vingts, ont voulu réfléchir à leur insertion dans la communauté québécoise. Caccia parle «d'une communauté qui, au lieu d'être interprétée, interprète.

> D'objet, poursuit-il, elle devient sujet agissant en dedans et au travers de l'histoire réfléchissant celle-ci, la diffractant dans sa propre métamorphose, comme le Phénix qui meurt et renaît

---

1. Fulvio CACCIA, *Sous le signe du phénix. Entretiens avec 15 créateurs italo-québécois*, Montréal, Guernica, 1985, p. 10.

chaque matin. Car, comment nommer autrement ce délicat travail de mutation culturelle auquel est soumise toute société, et à plus forte raison, toute communauté immigrante[2].

Évoquons le contexte de l'intervention italo-québécoise[3]. On peut, à cet égard, comme le fait Neil Bissoondath, ramener l'évolution de la question identitaire québécoise au passage «du nationalisme ethnique (exclusif donc) à un nationalisme civique (et inclusif)»[4]. Ce passage s'effectue à la faveur de deux faits capitaux indissociables. Le premier appartient aux années soixante et est constitué par un changement de désignation: cessant de se dire «Canadiens français», les «Québécois» rejettent le statut de minoritaires à l'intérieur du Canada pour revendiquer celui de majoritaires sur le territoire du Québec. Évidemment, le «nous», produit de cette mutation, même s'il se réclame d'un projet de société moderne et ouvert, reste ethniquement marqué, puisque le changement vise, le plus immédiatement et le plus explicitement du moins, l'affirmation et la promotion du groupe majoritaire francophone. C'est la Charte de la langue française (Loi 101) promulguée en 1977 qui allait, et c'est pourquoi je la considère comme le deuxième fait capital, troubler l'homogénéité identitaire de ce nous, le forçant à se désethniciser et à s'élargir par l'obligation qu'il y était faite aux immigrants d'inscrire leurs enfants à l'école française. En cela, paradoxalement, elle ne faisait qu'aller au bout de la logique du premier fait, prenant les dispositions pour que la majorité soit ce qu'elle est spontanément dans une situation normale: inclusive. Elle créait une nouvelle dynamique sociale, modifiant radicalement, en théorie d'abord, puis — comme

---

2. *Ibid.*
3. J'ai davantage défini ce contexte dans mon texte «L'interférence des espaces immigrants et de l'espace littéraire québécois», dans Anna Pia DE LUCA, Jean-Paul DUFIET et Alessandra FERRARO, *Palinsesti culturali. Gli apporti delle immigrazioni alla letteratura del Canada*, Udine, Forum, 1999, p. 49-65.
4. Neil BISSOONDATH, *Le marché aux illusions. La méprise du multiculturalisme.* Traduit de l'anglais par Jean PAPINEAU. Préface de Lise BISSONNETTE, Boréal-Liber, 1995, p. 217.

l'illustre mon propos — en pratique le rapport entre les composantes de la société québécoise. Marco Micone rend compte de cette nouvelle donne en écrivant: «Il faut se rappeler qu'à la fin des années soixante-dix on ne parlait pas d'immigration ni d'intégration, mais seulement des Québécois francophones, de leur idéal de se séparer d'avec le reste du Canada, de leurs problèmes de semi-colonisés, etc. C'est après le référendum de 1980 que le discours "interculturel" a été propagé[5].»

Le discours sur la culture immigrante relevant de l'initiative d'intellectuels italo-québécois est l'effet de la convergence et de l'interaction de deux parcours: celui de la société québécoise, formalisé par la Loi 101, et celui de la communauté italienne de Montréal dont «[l]e tarissement du flot migratoire, le vieillissement et le départ de la première génération ainsi que l'acculturation de la seconde ont profondément modifié [l']attitude traditionnelle[6]». Le discours sur l'italianité québécoise est donc le fait des enfants, nés ici ou arrivés très jeunes, des immigrants de la deuxième grande vague d'immigration italienne, celle de l'après Seconde Guerre. Il se déploiera surtout après le premier référendum sur l'indépendance tenu en 1980 et aura pour conséquence particulière, écrit Micone, de «rompre le rapport antagonique entre francophones et anglophones et [de] proposer les allophones comme les nouveaux interlocuteurs de la majorité québécoise[7]».

Théorie de la transculturalité

La dimension théorique du discours italo-québécois est avéré par le fait qu'il se donne des lieux d'énonciation et de diffusion bien identifiés. Par exemple, Fulvio Caccia et Antonio D'Alfonso

---

5. Michel VAÎS et Philip WICKHAM, «Le brassage des cultures. Table ronde», *Jeu*, 72, septembre 1994, p. 14-15.
6. Fulvio CACCIA, *op. cit.*, p. 17.
7. Marco MICONE, «Le palimpseste impossible», *Jeu*, 80, septembre 1996, p. 22.
8. Fulvio CACCIA et Antonio D'ALFONSO, *Quêtes. Textes d'auteurs italo-québécois*, Montréal, Guernica, 1983.

publient, en 1983, une anthologie de «textes d'auteurs italo-québécois», *Quêtes*[8]; Antonio D'Alfonso fonde (1978) et anime les Éditions Guernica[9]; Fulvio Caccia et Lamberto Tassinari fondent (1983) et animent le magazine «transculturel» *Vice Versa*[10]...

Sans prétendre en dresser une cartographie détaillée, je repérerai quelques lieux permettant de suggérer les contours d'un espace réflexif commun à une génération de jeunes intellectuels italo-québécois, tout en suggérant que chacun d'eux apporte à sa définition une contribution originale. De manière à mettre en valeur la dimension générationnelle du volet théorique, qui n'a en effet rien d'accessoire, je commencerai par revisiter le magazine *Vice Versa* qui, à l'initiative et sous la direction de Lamberto Tassinari et de Fulvio Caccia, a été le lieu où s'est défini et articulé à la réalité québécoise le concept central de «transculturalité[11]». Je m'arrêterai ensuite à deux notions connexes, celle de «culture de transition» que Micone utilise pour insister sur le rapport interactif entre la «culture immigrée» et la «culture d'accueil»; et celle de «triangulation des cultures», mise de l'avant par Fulvio Caccia et Antonio D'Alfonso pour décrire l'expérience italo-québécoise.

---

9. Dans la «Publisher's Note» intitulée «Kulturkrucado» de son catalogue 1978-1991, il écrit: «If we have been using as our motto the neologism, Kulturkrucado [Esperanto for «the crossing of cultures»], it is because Guernica, more than any other in Canada, is the only publishing house to dedicate its entire program, to the bridging of different cultures. We are the only trilingual press in this country.»

10. Le magazine cessera d'exister en 1996, faute de subventions.

11. L'existence du magazine transculturel *Vice Versa* ne doit pas faire oublier l'existence, de 1975 à 1986, de *Dérives*. Fondée et dirigée par Jean Jonassaint, elle fut la première à se définir, et à juste titre, comme une «revue interculturelle» à une époque où ni la chose ni le terme n'étaient à la mode. On notera qu'elle émanait également d'une génération de jeunes intellectuels, haïtiens ceux-là, qui cherchaient aussi à favoriser la rencontre entre la culture québécoise et l'expérience immigrante, à une époque cependant où le nous québécois était encore assez opaque.

1. *Vice Versa : le lieu de la transculturalité*

Quand on fera l'histoire du développement des idées au Québec pendant la décennie 1980, il faudra accorder une place significative à *Vice Versa*, comme le suggère Tassinari qui écrit que « la conscience que l'existence et l'activité du magazine étaient fortement liées à la destinée de Montréal et qu'on ne pourra pas, pour la période allant des années 1980 aux années 1990, connaître vraiment l'une sans l'autre[12] ». Considéré à juste titre par Tassinari « comme la première et la plus riche manifestation de la spécificité culturelle de Montréal » (p. 8.), *Vice Versa* fut, de sa fondation en 1983 à sa disparition en 1996, un lieu unique de dialogue entre intellectuels italo-québécois et québécois de vieille appartenance qui, entraînés par la postmodernité, la conscience émergente du caractère pluraliste de la société québécoise, principalement montréalaise, et le rejet de l'indépendance lors du référendum de 1980, voyaient la nécessité de reposer autrement la « question du Québec ». Dans l'acte même de sa fondation, *Vice Versa* est porteur d'un nouveau discours. Je reprends ici le récit de la fondation du magazine qu'en fait Tassinari[13]. Selon ce récit, il faudrait parler de refondation plutôt que de fondation, puisqu'il s'agit de la transformation d'une revue existant déjà, *Quaderni culturali*, dont on abandonne le titre pour celui de *Vice Versa* qui affiche explicitement le principe d'interaction culturelle sur lequel elle se fondait, donnant ainsi à la pratique du trilinguisme (français, anglais, italien) et à son engagement culturel et politique « une dynamique et un sens nouveau » appelé par une situation nouvelle.

---

12. Lamberto Tassinari, *Utopies par le hublot*, Montréal, Carte blanche, 1999, p. 8. Comme ce paragraphe contient plusieurs citations tirées de cet ouvrage, j'y renverrai par la simple mention de la page entre parenthèses.
13. Lamberto Tassinari, « La ville continue. Montréal et l'expérience transculturelle de *Vice Versa* », *Revue internationale d'action communautaire / International Review of Community Development* (« Villes cosmopolites et sociétés pluriculturelles »), vol. 21, n° 61, printemps 1989, p. 57-61. Je le cite d'après *Utopies par le hublot* où il a été repris.

C'est proprement une métamorphose que décrit Tassinari :

> Si l'objectif demeurait, au fond, celui de faire la critique de l'immigration, cette position annonçait déjà la nouvelle réflexion sur l'ethnicité qui allait mener au cœur de la question québécoise. Cette thématique devait ouvrir à la revue un plus vaste champ et lui permettre de s'adresser à la société dans son ensemble. [...] Le choix d'un titre latin assura la paix linguistique à l'intérieur du groupe et on s'entendit sur un engagement radical mais non militant. C'est ainsi donc que *Vice Versa* vit le jour. (p. 15)

La nouvelle orientation de la revue tient en fait dans la redéfinition et l'élargissement du rapport destinataire/destinateur. Les «jeunes de la deuxième génération, qui se situaient dans la «marge intellectuelle et ouvriériste de la communauté italienne», et qui, dans *Quaderni culturali*, s'adressaient «aux immigrants, surtout italiens de la deuxième génération» décident de «sortir du ghetto» et de «s'adresser à la société dans son ensemble» (p. 14-15). Cette nouvelle «politique éditoriale» constitue en soi un énoncé implicite de l'axe conceptuel fondamental de la revue réduit à un mot, «transculture», affiché en trois langues sur la page couverture : «Magazine transculturel. Transcultural magazine. Rivista transculturale». Il faut donner crédit à *Vice Versa* d'avoir non seulement fait circuler ce concept dans le champ discursif québécois, mais d'avoir cherché à l'expliquer, à le rendre opératoire, bref à l'acclimater au contexte québécois. C'est en fait au concept de «transculturation» créé par Fernand Ortiz qu'on s'intéresse, Jean Lamore[14] mettant en relief le double processus que Ortiz voit à l'œuvre dans le métissage cubain.

Tassinari voit dans le recours à la notion de transculture — d'où la centralité qu'il accorde à ce concept — une façon de «rouvrir le discours sur les origines [...] autrement qu'en oscillant follement [*sic*] entre la nostalgie d'un passé immuable et l'adhésion inconditionnelle à la modernité, refus global de ce même

---

14. Jean LAMORE, «Transculturation : naissance d'un mot», *Vice Versa*, n° 21, 1987, p. 18-19.

passé», y trouvant la «capacité de symboliser sa propre blessure [qui] agit comme force fondatrice de l'identité, équilibrant de la sorte la tentation d'échapper au passé ou d'y sombrer» (p. 59). Loin de vouloir plaquer une théorie sur la réalité québécoise, il entend par là rendre compte d'une «disposition naturelle (historique) à l'ouverture vers l'autre» de la société québécoise dont la «manifestation symbolique serait l'ouverture des anciens habitants du Québec vers l'Indien.» (p. 48) Ainsi, pour Tassinari, l'expérience transculturelle est une façon de prendre acte de la réalité actuelle mais également une manière de retrouver le fait historique du métissage québécois, occulté par le discours dominant, même encore au temps de *Vice Versa*, où, sauf chez des intellectuels et des écrivains tels que Rémi Savard et Jacques Ferron, la question amérindienne n'est guère vue autrement que comme problème. L'intérêt actuel pour ces questions montre le caractère avant-gardiste de la position de *Vice Versa* qui réfléchit le réel jusque dans son refoulé manifesté par le «comportement paradoxal» de la société québécoise en ce qui touche l'ouverture à l'altérité. (p. 48) La formule «*Réépouser l'Indienne*» (p. 49) recouvre donc autre chose que le mythe de l'Indien!

L'idée de faire de l'«hypothèse transculturelle» la clef d'interprétation du présent comme du passé québécois trouve une autre justification chez Michel Morin et Claude Bertrand que l'on invitera à commenter leurs ouvrages, *Le territoire imaginaire de la culture* et *L'Amérique du Nord et la culture*, dans les pages du magazine. Ainsi leurs notions de «territoire imaginaire», qui démarque la culture du national et du réel, et d'«interritorialité», qui définit l'espace en termes de croisement (de courants, de cultures, d'origines, de langues) plutôt que de contenant, expriment tout à fait la dimension métisse que *Vice Versa* accorde à la notion de transculturel[15].

Relisant les textes qu'il a publiés dans *Vice Versa*, Tassinari distingue trois domaines d'application du concept de «transculturel».

---

15. Voir sur Michel MORIN et Claude BERTRAND mon texte «Pour une cartographie de l'hétérogène. Dérives identitaires des années 1980», dans Sherry

« Au sommaire, écrit-il, il y a d'abord la cité. C'est-à-dire la passion du politique, vécue à Montréal, Québec, après "la fin de la politique". Il voit même dans ce « dévouement », qui est « presque une obsession, à la "question du Québec" l'élément commun qui risque, peut-être, de faire l'intérêt du recueil. » (p.9) Le concept lui apparaît en deuxième lieu apte à repenser la question du rôle et du sens de l'art qui, à la faveur de l'affaiblissement de l'engagement politique à l'échelle québécoise (usure du débat constitutionnel, réponse négative au référendum sur l'indépendance) et planétaire (banalisation de la réalité par la spectacularisation de l'information), la question du rôle et du sens « a pris de plus en plus d'ampleur » (p. 9). Enfin, la notion de transculture lui est utile pour explorer son lieu (absent) d'énonciation — « Sans Italie » (p. 127).

Si Tassinari applique le concept de transculture au politique et au culturel, Fulvio Caccia, au fil de ses nombreuses et substantielles contributions à *Vice Versa*, l'appliquera, en priorité aux domaines linguistique et littéraire. Il trouvera dans le modèle tétralinguistique de Henri Gobard, qui module les rapports variables, selon les lieux et les temps, entre le *vernaculaire*, le *véhiculaire*, le *référentiaire* et le *mythique*, un instrument d'analyse de la situation transculturelle des Italo-Québécois. Transposant le modèle de Gobard à la situation du « créateur d'origine italienne[16] », caractérisée par la négation et le refoulement de la langue d'origine, les déconnections et les reconnections avec celle-ci par l'utilisation de l'anglais et/ou du français, il arrive à montrer ce qui est mis en jeu et en cause, de part et d'autre, dans la rencontre des italophones du Québec et des Franco-Québécois, comme en fait foi le passage suivant que je cite malgré sa longueur :

SIMON, Pierre L'HÉRAULT, Robert SCHWARTZWALD et Alexis NOUSS, *Fictions de l'identitaire au Québec*, Montréal, XYZ, 1991, p. 80-82.
16. Fulvio CACCIA, « Langues et minorité », *Vice Versa*, vol. 2, n° 3, mars-avril 1985, p. 10.

Mais alors que l'anglais eut cette double fonction véhiculaire et référentiaire dans la plupart des provinces du Canada, il en fut tout autrement pour une partie des italophones du Québec. Ceux-ci en effet passèrent de l'anglais comme langue véhiculaire au français comme langue référentiaire et culturelle. Molière remplaçait Shakespeare comme norme et modèle.

Ce changement coïncide avec l'affirmation de la personnalité politique du Québec et survient surtout au moment des études universitaires pour cette génération qui a aujourd'hui la trentaine. Ajoutons, pour compléter le tableau, que le franco-québécois appris dans la rue par ces derniers se trouvait dans la même situation d'infériorité par rapport au français normatif que leur dialecte avec l'italien et vous avez ainsi une bonne idée de la complexité linguistique à laquelle ont été confrontés les italophones de Montréal. (p. 11)

Caccia a lu Deleuze et Guattari, d'où lui vient la référence au modèle tétralinguistique, mais surtout la notion de *littérature mineure* qui transpose au plan littéraire le modèle de Gobard : «[...] parler de pratique d'une littérature revient à discuter des rapports que celle-ci entretient avec la langue. » (p. 10) Le concept de littérature mineure transpose sur le plan littéraire le concept linguistique. Si Caccia préfère «à l'expression *littérature d'immigration* qui fait référence à la seule aire thématique [...] celle de *littérature mineure* », c'est que cette dernière reflète davantage la «problématique formelle » d'une littérature *mineure* en interaction avec une *littérature majeure* (la littérature québécoise) elle-même *littérature mineure*. C'est là une autre forme de ce *double-bind* dont parle avec insistance Caccia : «Car l'immigration est justement cette "colonisation à l'envers". Voilà pourquoi l'émigré se trouve à être le miroir des Québécois. [...] Sa quête d'identité à lui passe par la perte du pays natal à laquelle s'ajoute le conflit entre les valeurs du pays-hôte incarnées par les enfants et celles de la mère-patrie symbolisée par les parents. » (p. 11) Il convient de noter la préférence accordée par Caccia et d'autres critiques de *Vice Versa* aux objets artistiques qui touchent les frontières, par exemple, des romans de Jack Kerouac, des films *Un Zoo la nuit* et *Léolo* de

Jean-Claude Lauzon, *Jésus de Montréal* de Denys Arcand, *Caffè Italia* de Paul Tana...

C'est, comme je l'ai dit, par le biais de la notion de «devenir minoritaire» de Deleuze et Guattari que Fulvio Caccia explore la rencontre de l'italianité et de la québécité. Poète, nouvelliste, essayiste, critique, il a traité sous bien des formes et en de nombreux lieux cette question. Je retiens, pour l'utilité de mon propos, les articles «Langue et minorité», déjà cité, «Le roman francophone de l'immigration en Amérique et en Europe: une perspective transculturelle[17]»; l'introduction, qu'il signe avec Antonio d'Alfonso, de l'anthologie *Quêtes. Textes d'auteurs italo-québécois*[18], et celle de son ouvrage *Sous le signe du Phénix. Entretiens avec quinze créateurs italo-québécois*[19]. Par le recours à la figure du Phénix, symbole obligé de la métamorphose continue, Caccia suggère «ce délicat travail de mutation culturelle, auquel est soumise toute société et, à plus forte raison, toute communauté immigrante[20]». Autrement dit, la culture immigrante, parce qu'elle est celle de «ceux qui changent, de ceux qui ont changé[21]» met en évidence le phénomène d'acculturation inhérent à toute culture.

Ce processus lui paraît exemplarisé par la pratique linguistique italo-québécoise qui fait que «c'est bien à Montréal que le binôme linguistique [canadien] devient trinôme[22]». Tirant les conséquences de cette spécificité du «cas québécois», il écrit:

> Or cette triangulation des cultures est riche de possibles et de reconversions. En cela, elle fait écho à la culture québécoise qui s'affirme contre le modèle canadien anglais qui lui-même

---

17. Fulvio CACCIA, «Le roman francophone de l'immigration en Amérique du Nord et en Europe: une perspective transculturelle», dans Jean-Michel LACROIX et Fulvio CACCIA (dir.), *Métamorphoses d'une utopie*, Paris, Presses de la Sorbonne Nouvelle / Éditions Triptyque, 1992, p. 91-104.

18. *Quêtes. Textes d'auteurs italo-québécois*, présentés par Fulvio CACCIA et Antonio D'ALFONSO, Montréal, Éditions Guernica, 1983.

19. *Sous le signe du phénix, op. cit.*

20. *Ibid.*, p.10.

21. Fulvio CACCIA et Antonio D'ALFONSO, *op. cit.*, p. 9.

22. Fulvio CACCIA, «Le roman francophone de l'immigration», *loc. cit.*, p. 97.

cherche à se démarquer de l'américain. En rassemblant [dans *Sous le signe du Phénix*] des poètes, dramaturges, cinéastes, romanciers s'exprimant en français, en anglais, en italien, nous avons voulu donner toute la mesure de cette fuite en avant, de cette distanciation qui indexe ici les recherches d'identités. Parce qu'il participe à l'une et à l'autre, l'auteur d'origine italienne offre peut-être une nouvelle façon de lire la réalité[23].

Ainsi le trinôme linguistique pratiqué à Montréal par les Italo-Québécois favoriserait l'éclatement de la dualité identitaire, du biculturalisme, et ferait déboucher sur le plurilinguisme. La nouveauté de cette «façon de lire» la réalité résulte en fait de sa capacité à saisir la réciprocité des cultures. Passant, selon les termes de Deleuze et Guattari, de «l'être minoritaire» au «deve-nir minoritaire», la culture immigrante réussit un «dépassement, une assomption capable de mettre en crise la culture[24]» dans laquelle elle intervient: «Par son brassage pluriculturel à l'intérieur d'une société elle-même minoritaire, Montréal devient l'axe géo-politique, le lieu d'articulation de la différence. Là se pose avec acuité le rapport aux cultures et à l'acculturation[25]». Pour Caccia, l'italianité permet ainsi au Québécois de se «confronter à sa propre origine (latinité) pour affirmer son américanité; et cela en faisant l'économie du rapport conflictuel avec la culture-mère: la France[26].» Il ne s'agit pas là d'une utopie, car il constate qu'à la «nouvelle disposition» italo-québécoise correspond chez toute une génération de Québécois une attitude d'ouverture, un déplacement de perspectives qui conduit à «se réoriginer», à «recommencer la culture française ailleurs et autrement[27].»

---

23. Fulvio CACCIA, *Sous le signe du Phénix, op. cit.*, p. 10.
24. *Ibid.*, p. 13.
25. *Ibid.*, p. 16-17.
26. Fulvio CACCIA, «Métamorphoses de la cuisine-mère», *Vice Versa*, n° 15, mai-août 1986, p. 35-36.
27. Fulvio CACCIA, *Sous le signe du Phénix, op. cit.*, p. 17. Antonio D'ALFONSO, *Quêtes. Textes d'auteurs italo-québécois*, p. 201.

Antonio D'Alfonso illustrera aussi la triangulation des cultures et le trinôme linguistique de deux façons. À travers son travail d'éditeur, d'abord. Il fonde en 1978 les Éditions Guernica, les seules au pays, précise-t-il avec fierté, qui soient trilingues, qu'il consacre entièrement à la rencontre des cultures. À travers son écriture de fiction ensuite. Le personnage principal de son roman *Avril ou l'anti-passion* se définit comme un «enfant tripartite». Son poème «Babel» déborde même la triangulation: «Nativo di Montréal / élevé comme Québécois / forced to learn the tongue of power / vivi en Mexico como alternativa / figlio del sole e della campagna / par les franc-parleurs aimé [...][28].»

Ainsi appliqué aux plans politique, social, culturel, linguistique et littéraire, le concept de transculturalité est-il posé comme un centre autour duquel gravite une constellation de notions, dont celles déjà évoquées de «mineur» et de «devenir minoritaire» de Deleuze et Guattari, la notion kafkaïenne de littérature et de langue, d'«impureté postmoderne», d'ethnicité «fuyante» de Juteau-Lee ou «affective» de Weinfield, de «faiblesse forte» de Vattimo, etc. Il semblerait que ce soit aussi dans *Vice Versa* qu'est apparue, sous la plume de Robert Berrouët-Oriol[29], la notion d'«écriture migrante» qui a connu la fortune que l'on sait.

Il y a en fait dans *Vice Versa* une concordance intellectuelle qui fait du magazine le lieu emblématique du transculturel où se compénètrent et se contaminent des appartenances, des positions théoriques et des imaginaires divers. Initiative d'un groupe d'Italo-Québécois s'adressant à la société québécoise, il est devenu

---

28. Antonio D'Alfonso, «Babel», dans Fulvio Caccia, *op. cit.*, p. 201.
29. Robert Berrouët-Oriol, «L'effet d'exil», *Vice Versa*, n° 17, décembre 1986 – janvier 1987, p. 20-21. Voir Clément Moisan et Renate Hildebrand, *Ces étrangers du dedans. Une histoire de l'écriture migrante au Québec (1937-1997)*, Québec, Éditions Nota bene, 2001, p. 142, note 2. Je note cependant que dans *Vice Versa*, vol. 2, n° 3, mars-avril 1985, qui publiait les actes du colloque «Écrire la différence» (Université Concordia, 8 février 1985), Régine Robin écrivait: «Et je dirais que tout le problème pour moi c'est de faire se rejoindre dans l'écriture la parole immigrante et la parole migrante.» (p. 19)

rapidement l'affaire de «collaborateurs qui se situaient dans un spectre très vaste, allant de l'intellectuel québécois de *souche*, avec ou sans séjour européen derrière lui, à l'intellectuel cosmopolite scolarisé de la deuxième génération immigrante» (p. 58). Tassinari est-il tout à fait justifié de parler de l'accueil «plutôt froid, sinon méfiant» que «la grande majorité du public "cultivé" lui a réservé» (p. 58)? Il me semble sous-estimer l'accueil fait au magazine dont ont considérablement parlé, et à plusieurs reprises, les médias (notamment *L'Actualité*, *Le Devoir*, *La Presse*, *Québec français*...), qui a quand même suscité assez d'intérêt pour faire l'objet d'une polémique[30] et qui, surtout, a imposé un vocabulaire et des concepts dont on ne peut plus se passer quand il s'agit de penser et d'exprimer la réalité québécoise. Aurait-il été victime de son propre succès, sa pensée se trouvant disséminée un peu partout? Ce qu'on note en tout cas, c'est que *Vice Versa* se donne, à partir de juillet 1995, une nouvelle orientation reposant sur la triangulation Montréal-Toronto-New York. Faut-il penser, comme le suggère la lettre du 17 mars 1997 de l'équipe de *Vice Versa* annonçant à ses abonnés la «suspension» du magazine, que cette orientation, ayant heurté de front tant le «nationalisme culturel *canadian*» que le «nationalisme québécois», ait motivé les coupures des indispensables subventions du Conseil des Arts et Lettres du Québec et du Conseil des Arts du Canada? Je ne suis pas en mesure de répondre à cette question. Je peux seulement constater que cette métamorphose, tout à fait dans la logique de dépassement pratiquée à *Vice Versa*, préfigurait, d'une certaine manière, l'exploration de la dimension américaine de la culture québécoise à laquelle s'intéresseront Gérard Bouchard, Yvan Lamonde et Pierre Nepveu.

---

30. Voir l'article de Daniel LATOUCHE, «Le viceversaisme ou l'envers de l'esthétisme», *Vice Versa*, n° 28, avril 1990, p. 44 et la réplique de Nicholas VAN SCHENDEL «*Vice Versa* à l'endroit ou réponse à une critique esthétisante» dans le même numéro, p. 45-46.

Marco Micone

Une culture de transition

On ne saurait trop souligner le rôle de premier plan joué par Marco Micone dans les débats sur la question des rapports des cultures immigrantes et majoritaire et plus largement sur tout ce qui touche à la reconfiguration de l'espace identitaire, culturel et linguistique exigée par la dynamique nouvelle à laquelle les lois linguistiques (Loi 22 en 1974 et, surtout, Loi 101 en 1977) soumettaient les relations entre les diverses composantes de la société québécoise. Par sa fiction et ses interventions, il a su imposer une façon de penser ce rapport qui ne sacrifie ni au folklore ethnique, ni au nationalisme frileux ni au multiculturalisme correct et uniformisant, relevant plutôt d'une poétique du métissage qui prend en compte les interférences entre le passé et le présent, le familier et l'étranger, interférences complexes, imprévisibles et jamais fixées que met en œuvre l'expérience immigrante, non seulement au niveau individuel ou communautaire immigrant mais également au niveau de la société d'accueil tout entière.

À la base de la théorie miconienne, il y a plus qu'une distinction, une opposition ferme entre «culture immigrée» et «culture ethnique», la première étant vue comme un «dépassement» de la seconde. Je vois dans ce «dépassement» la «mobilité» de la culture immigrée s'opposer au «fixisme» de la culture ethnique en une série de dérives et de déplacements paradygmatiques qui aboutissent aux termes «transition» et «transformation» que l'on trouve dans la proposition centrale de Micone, formulée de la manière suivante dans *Le figuier enchanté*:

> Aucune culture ne peut totalement en absorber une autre ni éviter d'être transformée au contact de celle-ci. La culture immigrée est une culture de transition qui, à défaut de pouvoir survivre comme telle, pourra, dans un échange harmonieux, féconder la culture québécoise et ainsi s'y perpétuer[31].

31. Marco MICONE, *Le figuier enchanté*, Montréal, Boréal, 1992, p. 100.

Deux mots clefs permettent ici d'imaginer un espace qui ne soit ni celui de l'assimilation ni celui de la marginalisation : «processus» et «interaction». Le terme «processus», en soulignant le paradoxe d'une culture qui se perpétue en disparaissant, oriente moins sur le résultat attendu que sur l'«interaction» qu'il met en œuvre :

> Le seul espoir qui nous reste, c'est de transformer cette société d'accueil pendant le processus d'assimilation. Car nous n'avons pas le choix, si nous voulons un espoir, un but : s'assimiler dans un Québec pétrifié, c'est à la fois mourir et ne rien apporter ; l'autre piège, c'est la marginalisation, la ghettoïsation[32].

Si le vocabulaire de Micone insiste davantage sur la transformation que sur la mort inhérente à l'expérience immigrante, celle-ci, comme en témoigne la citation précédente, n'est pas niée, ni absente, pas plus que le deuil conséquent. La dernière pièce de Micone, *Déjà l'agonie*[33], suggère par son titre italien initial, *Bilico*, qu'un «équilibre», nécessairement instable, s'établit entre les trois axes — qui ne sont pas que des étapes successives et bien délimitées — de l'expérience immigrante : l'expérience de vie au pays d'origine, l'expérience de l'immigration et l'expérience d'intégration dans le pays d'accueil. Mais la notion de deuil, plus qu'à la nostalgie, s'apparente ici à celle de distance, entendue dans le sens de distanciation brechtienne que pratique Micone : «[...] si j'avais continué à vivre dans un milieu homogène, comme celui dans lequel j'ai vécu pendant treize ans, je n'aurais pas écrit», ne pouvant «prendre la distance voulue pour écrire sur ce même milieu[34]».

Car Micone ne se contente pas de décrire l'expérience immigrante. Il cherche à «approfondir [la] connaisssance du phénomène

---

32. Paul Lefebvre, «Marco Micone. Revenir au village vide», *Le Devoir*, 8 novembre 1986, C5.
33. La pièce a été créée sous le titre *Bilico* en 1986 au Théâtre de la Licorne par le Théâtre de la Manufacture.
34. Michel Vaïs et Philip Wickham, «Le brassage des cultures. Table ronde», *Jeu*, n° 72, septembre 1994, p. 34.

migratoire» à travers une analyse des causes économiques et sociales qui, le faisant remonter au fascisme italien, l'amène à conclure que «l'émigration n'aurait jamais existé si elle n'avait pu aider à consolider le pouvoir économique et politique des classes dirigeantes des pays de l'exode et d'accueil[35]». C'est également cette distance prise avec sa propre expérience qui lui permet de proposer l'expérience immigrante comme le révélateur de l'expérience québécoise et d'affirmer «qu'il y a moins de différences entre un ouvrier italophone et un ouvrier francophone qu'entre un ouvrier et un professionnel ou notable italophones[36]».

Le poème *Speak What*[37] est construit sur cette solidarité, ainsi que l'auteur le reconnaît d'entrée de jeu dans le premier paragraphe de la présentation qu'il fait du poème dans l'édition de 2001 :

> J'ai passé mon enfance dans le Sud rural de l'Italie colonisé et appauvri par le Nord industrialisé. Les invectives racistes adressées aux culs-terreux méridionaux avaient pour but de nous attribuer la responsabilité de notre infériorité sociale et économique. J'ai longtemps eu honte de mon patois : ma langue maternelle. Je trouvais l'accent chuintant de la Padanie beaucoup plus beau que mon parler saccadé. Lorsque j'ai compris que ma situation linguistique était analogue à celle des francophones du Québec, je me suis porté solidaire de leur lutte. La défense du français s'est ainsi substituée à celle de mon patois.

35. Marco MICONE, «La culture immigrée ou l'identité des gens du silence», *Vice Versa*, vol. 2, n° 3, 1985, p. 13-14.

36. Marco MICONE, *ibid.*

37. D'abord paru dans *Jeu*, n° 50, mars 1989, p. 84-85, le poème vient d'être édité, avec une présentation de l'auteur, «Apprivoiser Babel» et une étude de Lise GAUVIN, «*Speak What* : un nouveau discours sur la langue», par VLB éditeur, Montréal, 2001. Sur la polémique engagée autour du poème, à propos d'un supposé plagiat, lire Régine ROBIN, «*Speak Watt*. Sur la polémique autour du livre de Nancy Huston», *Spirale*, n° 132, avril 1994, p. 3-4; et Marco MICONE, «Le palimpseste impossible», *Jeu*, n° 80, septembre 1996, p. 20-22. Mon analyse s'inspire du texte cité de Lise Gauvin.

Micone se montre en cela conséquent avec un engagement dont fait déjà signe le titre du premier article qu'il publie en 1975 : « Je fais confiance au peuple québécois »[38].

Reprenant le *Speak White* de Michelle Lalonde, il lui fait subir une permutation des pronoms « vous » et « nous » qui fait que le vous des « anciens maîtres anglo-saxons », auquel s'adressait le nous francophone désigne maintenant le vous québécois auquel s'adresse le nous immigrant pour rappeler à ce nouveau « maître » qu'il peut bien « imposer » sa langue mais à la condition que, désethnicisée, elle laisse parler les « accents fêlés » et le « verbe bâtard » « du Cambodge et du Salvador / du Chili et de la Roumanie / de la Molise et du Péloponèse ». Mesurant le chemin parcouru sur ce plan depuis la Loi 101, et rappelant ce qui l'avait amené à réécrire le poème de Michelle Lalonde, il proposait dans *Le Devoir*, en octobre 1999 :

> En milieu cosmopolite, une identité ne sera réussie que si elle se nourrit de plusieurs allégeances et appartenances linguistiques, tout comme le français québécois ne survivra que s'il réussit à exprimer plusieurs identités. [...] Le mot d'ordre de Michelle Lalonde *« change de langue et tu feras partie des miens »* appartient à un passé révolu où on rêvait d'une société monolithique et assimilationniste. Un francophone, c'est aussi un immigrant qui ne change pas de langue, mais qui se conforme à la loi 101 en faisant du français sa langue publique[39].

C'est ainsi que le français, langue d'écriture choisie et langue commune du Québec devient le symbole d'un espace public métissé, lieu d'un engagement commun : « nous dirons notre trépas avec vos mots / [...] / nous parlerons des enfants que nous aurons ensemble. »

---

38. Marco MICONE, « Je fais confiance au peuple québécois », *Le Jour*, 18 septembre 1975.
39. Marco MICONE, « De voleurs de jobs à voleur de langue. Le français n'est pas en péril », *Le Devoir*, 16 et 17 octobre 1999, A-11.

La figure métisse

Micone écrit en français. Ce parti pris, qui a valeur de « manifeste politique[40] », détermine également la figure centrale de son univers : l'espace métisse. Car, étant donné la valeur hautement symbolique de la langue, représenter en français dans l'espace scénique québécois ce qui se passe dans le *villaggio*, c'est forcer l'espace québécois et l'espace italo-québécois à se voir non plus comme deux « villages » fermés et isolés, mais comme un espace ouvert et complexe, éclaté et hybride. De ce métissage témoigne le titre italien *Trilogia* dont Micone a coiffé la réunion de ses trois pièces[41].

L'interférence spatiale, figure à géométrie variable, apparaît fondamentale dans la dramaturgie de Micone, en ce sens qu'elle est motivée par l'impossibilité d'éradiquer de la mémoire immigrante ce que j'appellerai la blessure originelle. Car, avant d'être une théorie, l'œuvre de Micone est l'aveu de la détresse d'un enfant qui a vu son père quitter son village d'Italie pour Montréal et qui, six ans plus tard, viendra le rejoindre avec sa mère. À l'origine de l'œuvre il y a cette blessure interdisant le passage du sens strict au sens métaphorique des mots « émigré/émigrant », « immigré/immigrant » qui désignent ici un père déraciné et un fils abandonné n'ayant rien de fictifs. Avant d'en venir à occuper tout l'espace de l'explicite, comme c'est le cas dans *Le figuier enchanté*, où l'auteur raconte son histoire d'immigration et sa venue à l'écriture, la scène initiale de la blessure du départ, bien que refoulée sous la fable, avait motivé l'action dramatique de ses pièces, remontant à leur surface, de façon furtive mais irrépressible, pour

---

40. Fulvio Caccia, « Le roman francophone de l'immigration en Amérique du Nord et en Europe : une perspective transculturelle », dans Jean-Michel Lacroix et Fulvio Caccia (dir.), *Métamorphoses d'une utopie, op. cit.*, p. 98.
41. Marco Micone, *Trilogia*, préface de Pierre L'Hérault, Montréal, VLB Éditeur, 1996. Ce volume réunit les trois pièces de Micone : *Gens du silence* (donnée en spectacle-lecture en 1982 et créée en 1984), *Addolorata* (créée en 1983 et reprise dans une nouvelle version en 1996 et *Déjà l'agonie* (créée en 1986). Je cite toujours d'après cette édition.

en rompre la linéarité. Si, en effet, dans *Gens du silence* et *Addolo-rata*, la scène initiale n'émerge du subconscient du texte que le temps d'un flash, dans *Déjà l'agonie*, dont l'action se passe à Montréal en 1972 et en Italie en 1987, elle s'impose, réunissant dans le village italien d'origine trois générations d'une même famille : les grands-parents, Maria et Franco, et leur fils Luigi, pour qui il s'agit d'un retour au village natal ; le petit-fils Nino et sa mère Danielle, qui n'a rien d'italien, pour qui il s'agit d'un premier contact. Par personnages interposés, Micone occuperait ici la position médiane, celle du fils Luigi : l'enfant qui a vu partir son père ; le père qui a vu naître ses enfants ici.

Le processus de transformation réciproque qui engage les cultures italo-québécoise et québécoise s'exprime donc ici par un jeu d'espaces qui va du rapport d'opposition simple à celui de la compénétration, du métissage, en passant par des relations intermédiaires complexes où les frontières deviennent poreuses. Chacune des pièces illustre en fait un moment clé de ce processus de transformation. *Gens du silence* insiste sur l'expérience initiale du déracinement (départ du père d'Italie et sa transplantation à Montréal) et montre les répercussions de cette expérience sur le conflit des générations vécu à l'intérieur de la famille. *Addolorata* prend le relais en centrant l'action sur la deuxième génération immigrante, représentée par le couple Addolorata et Giovanni qui, à ce point coincés entre les valeurs immigrées (familiales) et les valeurs de la société d'accueil, voient leur mariage tourner à l'échec. Enfin, dans *Déjà l'agonie*, la troisième génération apparaît sous les traits d'un garçon de 15 ans, Nino. Né du mariage mixte de Luigi et de Danielle, le petit-fils enracine la famille et la culture immigrées dans le nouvel espace, rendant impossible le retour au village d'origine. Les trois pièces constituent donc trois variations sur le thème d'une double impossibilité : celle du retour à la patrie d'origine et celle de son oubli. Tous les personnages entretiennent un rapport obligé au village d'origine, sans pourtant pouvoir y (re)vivre.

La dramaturgie de Micone apparaît à cet égard exemplaire. Non qu'elle impose un modèle, mais parce qu'elle saisit de l'intérieur même de la conscience immigrante la rencontre de la culture d'accueil et de la culture immigrante. Les transformations que le dramaturge a apportées à la deuxième version d'*Addolorata* sont, sous ce rapport, significatives. La première version se terminait par la séparation du couple Addolorata et Giovanni. Addolorata quittait son mari pour échapper à l'espace italien dans lequel l'enfermait Giovanni. Or, dans la deuxième version, on les voit dix ans plus tard opérer un rapprochement. Que s'est-il passé? Ceci. Poussé par la solitude, Giovanni a été amené, pour se réconcilier avec lui-même, à remonter jusqu'à l'enfant abandonné par son père qu'il fut. Addolorata, pour sa part, après le départ de sa fille, se sentant inutile et déboussolée, a entrepris une psychanalyse qui lui a permis de renouer avec l'orpheline de l'émigration qu'elle avait dû, pour survivre, laisser derrière elle. Les transformations apportées à *Addolorata* m'apparaissent témoigner d'un mouvement qui, d'une pièce à l'autre et d'une version à l'autre d'une même pièce, marque un éloignement progressif des procédés formels de distanciation brechtienne remplacés par une intériorisation de la distanciation. Ce mouvement est particulièrement évident dans la deuxième version où le rôle de narrateur brechtien est supprimé pour être confié à Addolorata. Le drame se trouve ainsi inséré, à la manière d'une anamnèse, dans le discours d'analyse et le récit d'Addolorata, prologue et épilogue de la pièce. Cela traduit bien l'emprise de la mémoire que Micone présente comme un «mouvement oscillatoire et déchirant entre le regret et la joie d'avoir émigré».

Ce qui est en cause dans cette dialectique, c'est l'instabilité du sens. On se trouve toujours entre un récit qui finit et un récit qui commence. La question pourrait être posée de la façon suivante: Comment achever un récit qui a perdu sa fin? Comment commencer un récit dont on ne retrouve plus le commencement? Le récit immigrant se trouve, si l'on veut, entre un récit qui ne fait plus de sens (le récit de l'origine) et un récit qui ne fait pas encore de sens (le récit de la communauté d'accueil). À cet égard, il s'inscrit doublement dans le mineur auquel s'est intéressé Caccia, s'opposant à la fois au récit folklorisé et au récit national. Il porte en lui, congénitalement si l'on peut dire, une instabilité, une mobilité de sens dont témoigne l'interférence générique pratiquée par Micone, comme aussi l'interférence générationnelle qui lui sert, entre autres, me semble-t-il, à mettre en rapport l'expérience immigrante «brute», à travers le discours des parents, et l'expérience immigrante «distanciée», à travers le discours des enfants. On pourrait parler, à cet égard, d'un sens temporaire manifesté par l'interférence constante du récit de la scène initiale et de sa réflexion et par l'interruption tout aussi constante de l'une par l'autre.

Par ailleurs — et cette idée devra être approfondie —, ce n'est pas un hasard si *Le figuier enchanté* emprunte beaucoup à la forme du conte, car le conte est toujours une variante, c'est-à-dire une variation sur un sens donné. Le conteur, pour garder au conte sa vérité, son sens, n'a pas le choix: il doit le repiquer, c'est-à-dire le resituer dans un environnement spatio-temporel donné. N'est-ce pas ce que fait Micone en reconstituant dans *Le figuier enchanté*, sous le titre évocateur «Le village envolé», un conte de sa grand-mère : «Entre deux spasmes, elle se hâtait de me raconter toujours la même histoire dont elle ne prononçait distinctement qu'un mot sur deux, pas toujours les mêmes, de sorte qu'à la longue, je finis par la reconstituer[42]». Le récit immigrant n'est-il pas toujours ce récit spasmodique, oscillant entre la fiction et la réflexion, entre l'incapacité d'oublier la blessure initiale et l'impossibilité de lui donner un sens définitif ?

Conclusions

Le déplacement jamais achevé, plus observable dans l'expérience immigrante, n'est-il pas, comme le signale Caccia, la marque de toute culture vivante ? C'est essentiellement en cela que l'intervention italo-québécoise m'apparaît une interférence privilégiée dans les discours de reconfiguration de l'espace identitaire québécois.

---

42. Marco MICONE, *Le figuier enchanté*, *op. cit.*, p. 23.

Dans *Fictions de l'identitaire au Québec*, je faisais de l'écriture immigrante l'une des trois brèches par lesquelles s'est introduite au Québec, dans les années quatre-vingt, la pensée de l'hétérogène, les deux autres étant la critique du discours nationaliste et l'écriture au féminin. L'intervention italo-québécoise l'illustre on ne peut mieux, tellement elle a été déterminante dans l'élaboration d'un discours sur la culture immigrante qui, lui-même, de concert avec la critique du nationalisme et l'écriture au féminin, joue un rôle actif dans la redéfinition du discours culturel québécois. Ces trois discours s'interpénètrent et se relancent l'un l'autre, mus par un même besoin de sortir d'une pensée linéaire, verticale, génétique, mono-logique, quand il s'agit de parler de l'identité culturelle.

Or, c'est sans doute l'écriture italo-québécoise qui nous fait sentir le mieux cette nécessité. Le personnage du roman de D'Alfonso, *Avril ou l'anti-passion,* a trouvé pour le dire une formule particulièrement appropriée: «Je parlerai d'*où je viens* une fois que j'aurai parlé d'*où je suis.*» À l'obsession de l'origine, les textes italo-québécois opposent l'idée d'un espace métissé où se croisent la mémoire et le présent, sans possibilité d'un retour à l'origine comme d'un oubli de l'origine. Comment, nous disent les personnages de Micone, mais aussi ceux de D'Alfonso, de Bacca-relli Saad, oublier la blessure du départ? Mais comment, sans l'oublier, vivre ailleurs, autrement qu'en s'enfermant dedans comme dans un ghetto? C'est toute la question de la mémoire que posent les écritures italo-québécoises, car l'intervention italo-québécoise est constituée de deux volets, un volet théorique et un volet de création[43], indissociables, ainsi que l'observe Micone à la suite de Robert Gurik: «Donc, en même temps que nous créons des œuvres, nous devons aussi les enrober et créer le discours

---

43. Pour l'analyse des textes littéraires, voir Pierre L'HÉRAULT, «Figurations spatiales de l'altérité chez Antonio D'Alfonso, Gabrielle Roy et Jacques Ferron», *Protée*, vol. XXII, n° 1, hiver 1994, p. 45-52; «L'interférence italo-québécoise dans la reconfiguration de l'espace identitaire québécois», communication présentée au colloque «Regards francophones sur l'Italie», Turin, 14 avril 1997; «L'interférence des espaces immigrants et de l'espace littéraire québécois», *loc. cit.*

autour des œuvres[44]». D'où leur pouvoir de réfléchir la réalité québécoise en ce point particulièrement sensible.

Il faut parler d'une véritable rencontre du discours italo-québécois et du discours québécois, en ce sens qu'ils entrent en interaction, se transformant mutuellement dans un échange harmonieux, pour reprendre les termes de Micone[45]. Cela est dû en très grande partie au fait que la communauté italo-québécoise et la société québécoise se sont trouvé à vivre simultanément une évolution déterminante, marquée, pour la première, selon l'analyse de Fulvio Caccia par le phénomène d'«acculturation» de la deuxième génération, et caractérisée, en ce qui touche la seconde par le phénomène de «désethnicisation». Ce double mouvement créait les conditions d'un rapprochement fécond, conditions qui ont été vues et saisies de part et d'autre. Si bien que cette fois il n'y a pas eu d'occasion manquée.

Pour Caccia toutefois, les circonstances n'expliquent pas tout. Car si la conjoncture socio-politique a permis une rencontre, c'est que cette rencontre mettait en œuvre, actualisait un certain nombre de correspondances admises mais non explorées. À propos de «ces Québécois italianisants qui poussent la passion jusqu'à imiter la gestuelle et l'accent régional», Caccia se demande, dans «L'altra riva[46]»: «Qu'avaient-ils donc à s'amouracher d'une langue et d'une culture qui, bien que voisine de la française, demeurait, somme toute, éloignée de la nordicité d'ici?» Cherchant une réponse à sa question, il écrit: «Tout se passe comme si la langue et la culture italiennes *intensifiaient* pour ces Québécois leur propre identité» et, jouant le «rôle de tenseur[47]», induisaient chez eux «un mouvement de la culture vers ses extrêmes, vers un au-

---

44. Marco MICONE, «Le palimpseste impossible», *Jeu*, n° 80, septembre 1996, p. 22.

45. Marco MICONE, *Le figuier enchanté*, p. 100.

46. Fulvio CACCIA, «L'altra riva», *Vice Versa*, n° 16, octobre-novembre 1986, p. 44-45.

47. Caccia note dans son texte: «Le linguiste Vidal Sephiha, cité par Deleuze et Guattari, nomme intensif "tout outil linguistique qui permet de tendre vers les limites d'une notion ou de la dépasser".»

delà réversible ». Il voit dans cette situation une « conjonction très spéciale, née du hasard et de la nécessité, que ces amoureux de l'Italie ont captée sans peut-être le soupçonner ». Conjonction due à certaines analogies culturelles et historiques (racines latines, catholiques et paysannes; siècles de domination étrangère, etc.) renvoyant le Québécois à son « propre destin de minoritaire ». Disjonction également, puisque ces analogies ne sauraient bien sûr réduire la différence évidente existant entre les sociétés italienne et québécoise. Mais n'est-ce pas « justement cette étrange familiarité » qui donne tout son sens à l'italianité québécoise?

> En s'identifiant à l'Italie par la pratique de la langue ou par l'adoption de certaines habitudes, ces Québécois permettent un échange, une réciprocité inédite avec la minorité italienne qui vit près d'eux, et par voie de conséquence avec toute minorité. Pour la première fois, ces collectivités déplacées ne se sentiraient plus obligées de renier leur origine pour s'intégrer. Leur double identité coexisterait en même temps. Dualité qui ne va pas sans heurts mais qui est riche d'inventivité dans la mesure où l'on consent à ce qui est, au lieu d'y résister, de le nier. C'est finalement le pari de toute situation transculturelle dont le devenir est appelé à s'amplifier dans les prochaines décennies.
>
> La signification de l'italianité au Québec réside dans ce pari — elle n'aurait aucun sens autrement. Permettre le passage[48].

Pourquoi ne pas boucler la boucle par une dernière citation que la typographie détache de l'ensemble de l'article? « En portant l'imaginaire québécois à son point d'incandescence, l'altérité présente dans la culture italienne peut contribuer à le dénouer de tout rapport de redevance au symbolique lié à la culture d'origine. Et vice versa. » Voilà qui rend compte de l'efficacité et de la portée de l'intervention italo-québécoise.

---

48. Caccia, « L'atra riva », *ibid.*

Omertà : *le trafic des clichés*[1]

ÉLISABETH NARDOUT-LAFARGE

M'AUTORISANT des *Mythologies* de Roland Barthes[2], et tâchant de compenser par ce regard un peu oblique mon imposture de littéraire sur le terrain de la sociologie, je poserai à la télésérie *Omertà*[3] la question des images de l'Italie actuellement en circulation dans le discours social au Québec. En effet, les fictions télévisuelles, plus encore que le cinéma, contractent une sorte d'obligation de conformité à l'air du temps et offrent ainsi des postes d'observation privilégiés de ce qu'une société veut montrer d'elle-même, à un moment donné de son histoire.

La diffusion à Radio-Canada, en 1996, du premier cycle d'*Omertà* a marqué une transformation dans le paysage du téléroman québécois ; ni huis clos familial ni fresque historique, la nouvelle production apportait au genre le suspens du film policier et faisait jouer tous les ressorts de l'urbanité montréalaise, comme l'affirmait avec insistance le montage du générique, où le titre de la série apparaît en surimpression par-dessus une vue du centre-

---

1. Ce travail est la version remaniée d'une communication présentée au colloque «Atelier pour Martine Léonard» tenu le 28 mai 2001 à l'Université de Montréal.
2. Roland BARTHES, *Mythologies*, Paris, Seuil, coll. «Points», 1957.
3. *Omertà. La loi du silence*, télésérie scénarisée, réalisée, produite par Luc Dionne, Pierre Houle, Francine Forest et François Champagne, Montréal, Les Productions S. D. A., 1996. Je m'intéresserai essentiellement à cette première série, et ne considérerai qu'en contrepoint les deux suites, *Omertà II* et *Omertà III*.

ville illuminé. Rappelons le succès qu'a remporté la production, récompensée par des prix, traduite en anglais et prolongée par deux suites, d'une inégale efficacité. *Omertà* reprend et « enquébécoise » — au sens d'incorporation et d'acclimatation que Jacques Ferron donnait à ce terme — deux formes cinématographiques américaines : la série policière, où la focalisation porte sur un ou deux enquêteurs, et le film de gangsters consacré à la mafia, dont la série *Le Parrain* de Francis Ford Coppola, adaptée du bestseller de Mario Puzo, constitue la principale référence. En même temps, *Omertà* puise à l'histoire criminelle de Montréal en renvoyant allusivement aux démêlés de la police avec des familles mafieuses dans les années soixante-dix.

Au premier abord, la production de Luc Dionne apparaît comme une montréalisation plutôt réussie du *Parrain* dans laquelle l'inscription du cliché de l'Italien mafieu se trouve infléchie par le recyclage local de la série américaine. De ce trafic des images, les clichés, on s'en doute, ne sortent pas complètement blanchis, mais leur déplacement, leur accommodement à la réalité québécoise n'est pas sans intérêt. Quoique de nombreuses références au film de Coppola émaillent le scénario, telles la voiture qui, dans *Omertà I*, explose par erreur avec à son bord la femme (et l'enfant) innocents, ou la noce de la fille d'un chef comme scène d'exposition au début d'*Omertà II*, on aurait tort de conclure ici à un portrait de Montréal en Petit New York, à une petite Petite Italie, ce que dément au contraire toute une série de mises à distance.

Hauteurs et chaussures

Des images de Montréal ponctuent *Omertà*, certaines très attendues : gratte-ciel triomphants auxquels répondent des Pont Jacques-Cartier sur fond de soleil couchant ; insistants murs de briques contre lesquels s'appuient les amoureux, mais aussi les lieutenants de Scarfo, le parrain, ainsi que les pimps[4] de Perrot, le

---

4. Souteneurs, macs.

chef des motards, ou encore les agents de la Sûreté Nationale lorsque les uns et les autres immobilisent leurs adversaires pour les intimider. Ruelles où se répandent poubelles et tas de déchets, où se trament les coups, avant et arrière, vitrines et bas-fonds. Un axe vertical structure la répartition spatiale : tout en haut des hauts immeubles vitrés se trouvent les bureaux de la police. C'est là, en surplomb au-dessus de la ville où grouille la pègre, que travaillent les deux policiers héros de la série, Pierre Gautier et François Pelletier. Il faut entendre par là qu'entre deux descentes musclées, ils réfléchissent, les jambes croisées sur leurs bureaux encombrés, en mangeant des sandwichs enveloppés dans des sacs en papier et en buvant de la bière en canettes. Une des scènes érotiques de la série, qui en comporte plus et de plus explicites que la moyenne des téléromans des années quatre-vingt-dix, a également lieu au dernier étage d'un édifice en construction que la fille de Scarfo, *designer* industrielle, est chargée d'aménager : les amants se retrouvent au sommet d'un interminable escalier de fer qui associe Montréal à quelque *West Side Story*, tandis que la ville se déploie derrière eux.

À ce haut s'oppose le bas que la caméra saisit au ras du sol sale, jonché de détritus, souvent au niveau des chaussures des personnages, longuement suivies par la caméra : bottes western des motards et des pimps, baskets des policiers en civil, talons aiguilles sur lesquels trébuche Denise, la prostituée *junkie*, ex-agent double, qui zigzague et chancelle contre les bornes de ciment. Mais surtout, reviennent, rappel en leitmotiv du modèle américain, les souliers chics (italiens, forcément) des mafieux de la bande de Scarfo, qui écrasent les immondices sans que leur propreté étincelante en soit souillée, et dont les plans rapprochés menaçants soulignent la puissance de ceux qui les portent.

Maisons et jardins

Entre le centre-ville aseptisé de la police et l'est dur des petits trafiquants, l'un et l'autre totalement dépourvus de végétation et la plupart du temps filmés la nuit, *Omertà* ménage des espaces

diurnes, lumineux, colorés et animés : parcs où un faux sondeur
s'efforce de retenir le jardinier et la gouvernante de Scarfo pour
laisser à Gautier le temps de poser des micros dans la maison,
square entouré de bancs publics et d'arbres[5] où a lieu la partie de
boules violemment interrompue par Gabrielle qui éconduit
Vincenzo, à quoi il faudrait ajouter les multiples balcons, terrasses
et jardins de toutes sortes où se tiennent des rencontres, des
conversations, où s'organisent des transactions. Entre-deux amé-
nagé, riant, vert et ensoleillé qui figure bien sûr l'Italie, la Petite
Italie de Montréal où sont tournés la plupart de ces extérieurs,
mais aussi l'Italie de l'origine dont la profusion de fleurs marque
l'évocation idéalisée. Plusieurs scènes de doute et de décourage-
ment du chef ont lieu dans ce décor méditerranéen ; sur sa terrasse
abondamment fleurie, Scarfo rappelle à son ex-femme, venue
intercéder pour qu'il protège leur fille, ses origines modestes et son
arrivée au Canada, orphelin âgé de neuf ans, allusion directe au
film de Coppola. *Le Parrain* comporte aussi de tels espaces, en
particulier le jardin où le vieux Corleone, incarné par Marlon
Brando, s'amusait avec son petit-fils lorsqu'il s'effondre, terrassé
par une crise cardiaque au milieu des plants de tomates. Mais dans
la série américaine, le potager du parrain renvoie à une Italie bien
présente, la Sicile, où sont situés plusieurs épisodes. En revanche,
dans *Omertà*, l'Italie se limite à la Petite Italie de Montréal,
comme l'indique toute une série de signes soulignant cette italianité de l'émigration : store à lanières tricolores rouge-blanc-vert
qui ferme l'arrière salle du café de Vastelli ; bruyantes machines à
espresso (même le chef des motards en achète une pour faire
plaisir à l'agent double qui est devenu son protégé) ; parieurs qui
misent sur la *Juventus* de Turin ; et surtout les voix, accents, angli-
cismes et italianismes des personnages dont les noms mêmes
témoignent de la migration, patronymes italiens mais prénoms
anglicisés de la deuxième génération : Vince Spadollinni, Frank
Vastelli et, du côté de la police, Tom Celano. Au-delà de la

---

5. La scène est tournée au parc Dante, face à l'église Notre-Dame-de-la-
Défense, au cœur historique de la Petite Italie.

situation montréalaise, c'est tout le rêve américain, distillé par le cinéma de l'après-guerre, qui se trouve ainsi critallisé dans ces prénoms. Dans *Omertà*, les espaces fleuris, dignes des aménagements paysagers des catalogues de jardinage, constituent une sorte d'au-delà italianisé du quartier. On notera à quel point s'y oppose la campagne sans apprêt où se trouve le chalet du chef de police, que l'on voit réparer sa voiture devant une vielle remise construite au milieu des arbres, comme si la télésérie cherchait à creuser l'écart entre la nature domestiquée des Italiens et celle, sauvage, des Québécois.

On ne s'étonnera pas qu'à ces jardins savamment disposés correspondent des intérieurs qu'on dirait également tirés des magazines de décoration. Le luxe ostentatoire des demeures et des fêtes qui caractérise *Le Parrain* est repris ici et adapté au goût du jour et du lieu, autant dans la maison de Scarfo que dans l'appartement de Gabrielle, celui de sa mère, et même chez les deux policiers. Si les décorateurs évitent le piège de certains clichés et restreignent l'usage du marbre et des miroirs, l'attention manifeste portée à l'environnement domestique, le souci des matériaux (boiseries, cuir, céramiques, fer forgé) et des couleurs (bleu et beige élégants chez Scarfo, ocres chaleureux chez son ex-femme) évoquent les raffinements du *design* italien. Ces intérieurs s'organisent autour de la cuisine, pièce centrale du téléroman québécois et rappel de la constante association implicite entre l'Italie et la nourriture, inscrite notamment par les coupes de fruits généreuses trônant sur les tables. C'est là, sur le superbe dallage en damier discrètement assorti aux placards, que Scarfo fait les cent pas en attendant l'issue d'une périlleuse livraison de drogue au Port de Montréal. Ni verre de whisky à la main, ni cigarette anxieusement fumée. Du pain sur le comptoir. Ce détournement du cliché embourgeoise le gangster : luxe, table et respectabilité.

Décors naturels et figurants italiens

L'une des singularités de la télésérie, dont il y a fort à parier qu'elle a contribué à son succès, tient à la distribution faisant appel, à côté d'acteurs confirmés comme Michel Côté et Luc Picard qui incarnent les deux policiers, à des comédiens italiens, alors moins connus du public francophone, pour les rôles des personnages italiens, comme Vittorio Rossi en Tom Celano, ou Tony Conte en Vincenzo Spadollinni. Le générique signale d'ailleurs l'existence d'un poste spécifique du *casting*, affecté à la distribution des «rôles italiens, figurants et muets». Ajoutée au choix de lieux reconnaissables, identifiables à la Petite Italie, cette représentation de personnages italiens par des acteurs italiens augmente l'efficacité de l'effet de réel[6] et joue sur la troublante familiarité de personnages dont le scénario doit pourtant s'employer à faire voir la monstruosité.

Cette étonnante fiction identitaire où une communauté est appelée à se représenter elle-même en jouant — et donc en déjouant — l'un des pires clichés qui puisse la définir, trouve son accomplissement dans le choix de l'acteur qui incarne Scarfo, Dino Tavarone, comédien amateur qui commence avec *Omertà* une carrière professionnelle. Restaurateur d'origine italienne, Dino Tavarone est, au moment où Luc Dionne l'engage pour jouer le parrain montréalais, une figure familière de la Petite Italie, sans lien particulier avec le cinéma. Attribuer à un amateur l'un des rôles principaux de la télésérie, et lui confier cet emploi de parrain si fortement marqué par les interprétations successives de quelques-uns des acteurs les plus célèbres de l'époque — Marlon Brando, Robert de Niro, Al Pacino (les deux derniers étant eux aussi d'origine italienne) — constitue en soi une mise à distance significative du modèle américain. Le rôle est ainsi désinvesti d'une part de la dimension héroïque que lui conféraient les vedettes et son interprétation s'en trouve nécessairement transformée. Certes, le jeu de Dino Tavarone, remarqué par la critique, repose, comme celui de ses prédécesseurs qu'il imite parfois, sur l'ambiguïté de cette figure de père de famille, bourgeois et responsable, attaché aux traditions, qui s'avère être en même temps

---

6. Nombre de films américains sur la mafia usent d'ailleurs du même procédé.

un trafiquant et un tueur ; ambiguïté chargée de provoquer chez le téléspectateur un sentiment complexe de réprobation et de sympathie qui tend à suspendre son jugement moral.

Mais à l'intérieur de ces contraintes du genre, le personnage de Scarfo, que l'on ne voit jamais, jusqu'à *Omertà III,* qu'en organisateur, à distance des crimes qu'il ordonne, penche nettement vers le pôle positif du type. L'homme est affable et bon vivant, sensible à sa manière, poli même avec ses adversaires, traits qu'accentuent encore, autour de lui, des figures plus univoquement sombres : D'Ascola, son *consigliere* qui le fera tuer, Favara, son successeur déjà engagé dans de sournoises manœuvres, et surtout, Carlo Lombardo, chef de la mafia new-yorkaise, qui lui rend une visite éclair de très mauvais augure. Caricature du gangster du cinéma américain, long, droit, mince, sinistre et cassant, vêtu de noir et flanqué d'un brutal Sancho Pança, Lombardo, avec son nom du nord, sert de repoussoir à la rondeur et à l'urbanité de Scarfo. La bonhomie du chef montréalais est telle qu'elle compromet parfois la vraisemblance de la télésérie, comme dans cette scène où, pourtant arrêté et mis en garde à vue, il dîne avec les policiers chargés de l'interroger. Pendant un gros plan du plateau repas (spaghetti fumants et bouteille de vin rouge), Scarfo invite Pierre Gautier et son collègue Georges Lemire, comme s'ils étaient ses hôtes, à manger « avant que ça refroidisse »… Ce très convivial dîner d'affaires s'oppose traits pour traits aux audiences que donne Favara, dans un restaurant de la Petite Italie, seul à une table, laissant ses visiteurs debout et continuant d'avaler méthodiquement ses pâtes. Un homme qui ne sait pas manger ne saurait être un bon chef.

La « *famiglia* » *recomposée*

On s'en souvient, *Le Parrain,* c'est là son principal dispositif dramatique, d'ailleurs commun à toutes les productions de ce type, exploite la polysémie du mot « famille ». Les fils du chef sont ses lieutenants, il recrute parmi eux ses *consiglieri,* et c'est, contre toute attente, son fils cadet Michael, survivant des tueries successives et héritier de son autorité habile, qui lui succède. L'ancrage familial, indispensable de ce point de vue, s'étend également au groupe, identifié par le nom du Parrain : la police parlera «des Corleone». *Omertà* ne joue pas tout à fait cette carte-là, non que les rapports familiaux soient absents de l'entourage de Scarfo, mais ils sont déplacés, transposés, joués. D'Ascola est «comme» un frère pour Scarfo qui agit «comme» un père auprès des lieutenants, des «capos» et des recrues. Il esquisse même un sanglot lorsqu'il apprend la mort de Spadollinni, lequel a d'ailleurs failli devenir son gendre, autre signe du déplacement de la relation père-fils. De même, Scarfo ordonne à ses capos de célébrer la fête de sa gouvernante Gisèle, «comme» pour quelqu'un de la famille. Au contraire du Parrain, à qui sa famille fournit une sorte d'écrin de moralité et d'humanité, Scarfo vit seul, séparé de sa femme, Hélène Provost, qui a manifestement élevé leur fille Gabrielle. Il apparaît donc entre deux «familles», l'une masculine, italienne, mafieuse, et l'autre, féminine, québécoise, honnête. «J'ai bâti une famille qui m'a fait perdre la mienne», dira-t-il à la fin d'*Omertà I*.

Il est significatif à cet égard que Scarfo ait épousé une Québécoise plutôt qu'une Italienne, et qu'il n'ait pas de fils. Ainsi son héritage — sa forte personnalité, ses talents multiples, mais aussi son argent blanchi et les numéros des comptes suisses où les sommes sont déposées — ira-t-il à sa fille Gabrielle, qui a pourtant choisi de ne pas porter le nom dangereusement connu de son père. Par cette succession peu conforme aux lois du genre, *Omertà* radicalise un mouvement que le dernier épisode du *Parrain* esquissait déjà : en effet, Michael Corleone épouse une Américaine qui se fait avorter plutôt que de donner un autre fils à la mafia, et il divorce, ou plus exactement, répudie l'insoumise. Dans *Omertà*, ce sont les femmes qui prennent l'initiative de la rupture, et, dès le premier épisode, Gabrielle congédie publiquement son ex-amant Vincenzo Spadollinni, l'une des recrues de Scarfo, dans la scène citée plus haut de la partie de boules ; scène bruyante, ensoleillée, joyeuse, marquée par tous les signes stéréotypés de l'italianité montréalaise, au cours de laquelle la jeune femme apostrophe Vincenzo qu'elle accuse de machisme, et lui ordonne de ne plus lui faire de cadeaux et de la laisser tranquille : « En bon québécois, précise-t-elle, on dit crisse-moi la paix ! » Cette allusion à la langue ajoute à la rupture en soulignant la différence entre ces hommes-là, endimanchés, la veste pliée sur le bras, le regard rivé à la trajectoire de la boule, et le registre du « bon québécois » qui désigne sans la définir la norme sociale dans laquelle entend vivre Gabrielle. Dans son dos, les hommes se moquent de Vincenzo qui, furieux, le regard évidemment noir, se jette sur un de ses compagnons. La scène de l'Italien macho auquel tient tête une Québécoise sera rejouée, dans une version moins légère, lors d'un épisode ultérieur au cours duquel Vincenzo menace physiquement Gabrielle ; il franchit alors une limite qui pave la voie à son élimination par Gautier. En revanche dans *Le Parrain*, la gifle retentissante de Michael Corleone à sa femme n'a aucune incidence sur son statut de héros. Ainsi, même italienne, la *famiglia* d'*Omertà* est de son temps, éclatée, reconstituée, et le récit se trouve structuré par la superposition des séparations, celle de Scarfo et son ex-femme, de Vincenzo et Gabrielle, celle aussi des origines, italiennes et québécoises, celle enfin qui correspond à une division du travail fictionnel, les hommes dans la pègre, les femmes hors de la pègre.

L'amour fournit les points de contact entre les deux univers, essentiels à la dynamique du genre : Pierre Gautier, le policier chargé d'arrêter Scarfo, tombe amoureux de sa fille ; liaison pour le moins problématique, que Tanguay, le chef de l'escouade du crime organisé, tolère d'autant mieux qu'il a été lui-même, jadis, amoureux de l'ex-femme de Scarfo qui lui a préféré le mafieu. De même, contre toute déontologie policière — et contre toute vraisemblance – Gautier avertit la fille de l'arrestation du père. Le rôle que jouent les personnages féminins marque donc un autre écart entre *Omertà* et son modèle américain, dans lequel les femmes, épouses, sœurs et filles Corleone, sont des figures très secondaires. Campée selon la circonstance, tantôt en Chimène, tantôt en Antigone, Gabrielle occupe dans la série une place cruciale. Malgré ses efforts pour refuser l'héritage empoisonné, la jeune femme sera rattrapée par la mafia, et, après une fuite et un retour assez rocambolesques, abattue par les tueurs de Favara dans *Omertà II*. Son origine italienne est également discrètement réinscrite, par la langue qu'elle parle dans les moments d'urgence, ainsi que par sa beauté, l'élégance toujours un peu osée de ses vêtements, sa sensualité et la passion qu'elle inspire à Gautier. Il n'est pas innocent qu'une fille soit née de leur liaison comme on l'apprend au début d'*Omertà II* : troublant métissage qui féminise encore la postérité de Scarfo et fait entrer la police dans la famille... Le monde d'*Omertà* est décidément petit, poreux, presque villageois.

Laver le sang

Comment, dans ce contexte, mener la guerre ? Car c'est bien de guerres que se nourrit le film sur la mafia, racontant, à partir de prémisses assez cornéliennes, celles que se livrent des dynasties rivales, selon les lois implacables de l'ancestrale *vendetta*. Le dernier parrain, Michael Corleone, joué par Al Pacino, meurt en Sicile, sur la terrasse de la vieille demeure du cacique qui avait fait assassiner ses grands-parents et jeté son père dans l'aventure de l'exil ; mort douce d'un homme fatigué qui semble s'assoupir sur sa chaise une fois accompli le devoir de vengeance. Il a repris la maison de l'homme que son père avait tué de sa main, et lavé dans le sang l'honneur de sa famille. Bien que les innombrables meurtres des fils (et dans le dernier épisode, de la fille) sacrifiés à la guerre des pères soient régulièrement déplorés par des chefs devenus mélancoliques, *Le Parrain* met en scène une violence structurante. Tous les enjeux sont mortels dans un genre qui reprend au phénomène social qu'il représente ses valeurs patriarcales et ultra conservatrices : le Parrain viendra mourir au village de sa famille, Corleone, toponyme que l'erreur d'un agent d'immigration américain avait transformé en patronyme, de telle sorte que même l'exil n'a pas rompu les liens indissolubles de la terre et du sang. On s'en doute, ces idées qui sont déjà timidement remises en question dans le dernier épisode de la série américaine, ne se transposent pas sans mal dans le Québec des années quatre-vingt-dix.

Omertà I construit un subtil équilibre entre la violence inhérente au genre et les contraintes de rectitude politique implicites dans le téléroman; c'est d'ailleurs de la rupture de cet équilibre que souffrent les deux suites, la dernière notamment. Dans la première série, les réalisateurs limitent le nombre de scènes au cours desquelles des personnages tuent ou meurent. Ainsi, c'est Vincenzo Spadollinni, bagarreur ténébreux, qui «passe» — inquiétant terme de la pègre désignant à la fois les faveurs sexuelles des prostituées et l'assassinat — le trafiquant à la solde de Perrot, responsable de l'attentat dans lequel une femme et son enfant ont trouvé la mort. L'horreur du crime commis justifie l'élimination du truand. En effet, dans *Omertà I*, plus que dans *Le Parrain*, la mise en scène des meurtres anticipe le degré de tolérance à la violence des téléspectateurs et le scénario sollicite sinon leur approbation, à tout le moins leur acceptation, en fournissant chaque fois des explications, presque des circonstances atténuantes. Pour les mêmes raisons, la mort est plus souvent suggérée que donnée à voir: les téléspectateurs savent que Spadollinni, arrivé chez Perrot avec un revolver, exécute le truand dans les toilettes de l'appartement. Ils voient l'arme, entendent le coup de feu assourdi par le silencieux, mais le mort reste hors champ tandis que seuls Perrot, qui attend assis à une table, sans un cillement des paupières, et Spadollinni qui réapparaît avec son arme, visage neutre, occupent l'écran. C'est dans la scène précédente que la violence est représentée par la panique du trafiquant qui ne sait pas, ou sait trop bien, ce qui l'attend. Néanmoins, lorsque Spadollinni à son tour est abattu par Gautier au cours d'une opération, l'acte du policier se trouve déjà en partie absous par ce meurtre. De nombreuses morts sont évoquées, suggérées tout au long de la série, mais la caméra ne s'attarde que sur un seul cadavre, celui de Scarfo, abattu dans la rue avec la complicité de D'Ascola. L'interprétation morale que le scénario propose de cette mort n'est pas absolument claire: le corps ensanglanté du chef étendu sur le trottoir consacre-t-il le retour de l'ordre ou, comme incitent à le penser la réprobation de Gautier, le chagrin de Gabrielle, et surtout les trahisons des mafieux, désigne-t-il le bouc émissaire sacrifié d'une lutte aux enjeux plus vastes? C'est que Scarfo n'est jamais filmé dans l'exercice de sa violence; son autorité, naturelle, conformément au syntagme figé et au stéréotype du *Pater familias* auquel il renvoie, agit par sa seule présence, ou n'agit plus. Ainsi, lorsqu'il est débordé par ses rivaux et, signe de sa fin proche, incapable de ramener l'ordre dans le groupe, il s'exclut de la discussion d'un geste théâtral, à la manière des divas. La seule scène d'*Omertà I* où il apparaît armé tient d'ailleurs du simulacre: voulant mettre à l'épreuve la fidélité de D'Ascola, il mime le geste de lui tirer une balle dans la tête avant de poser le revolver sur un guéridon, comme s'il s'agissait d'une tasse de café, pour s'enfoncer dans son fauteuil et poursuivre la conversation. Dans une troublante similitude avec certains épisodes des « affaires » qui agitent au même moment la classe politique française, Scarfo prépare sa vengeance en enregistrant sur cassette vidéo des témoignages accablants que son notaire officialise. Certes la *vendetta* s'applique aussi dans *Omertà*, et un chef contesté est un chef mort, mais l'enjeu n'est pas tant l'honneur bafoué des familles ni la chaîne des meurtres anciens que l'efficacité du commerce. Ce n'est pas par hasard que Favara, le successeur de Scarfo, est agent de change.

Tout se passe donc comme si *Omertà* éludait, par toutes sortes de stratégies, la charge de violence et de négativité liée à l'italianité représentée dans *Le Parrain*. Sans doute parce qu'au Québec, le seuil d'acceptabilité de la violence est censé être beaucoup plus vite atteint qu'aux États-Unis, l'Italie, même mafieuse, ne peut être intégrée ici qu'adoucie, pacifiée, allégée. *Omertà* infléchit le cliché italien dans le sens de valeurs par ailleurs assez conformes à celles dont le reste de la production télévisuelle québécoise fait alors la promotion. En premier lieu, l'amour, ingrédient indispensable des téléromans, ne cesse de faire retour dans l'intrigue policière: c'est la jalousie qui précipite un peu la gâchette de Gautier lorsqu'il tire sur Spadollinni, et c'est elle encore qui pousse Tanguay à laisser assassiner Scarfo par ses anciens sbires. En second lieu, la seule violence qui exige d'être vengée est celle qui s'exerce contre les femmes et les enfants. De même que l'explosion de la voiture justifie l'élimination du trafiquant par les mafieux, Gautier n'hésite pas à fabriquer des faux pour que Bogliosi, qui s'est attaqué à sa propre fille, soit suspecté de trahison et assassiné par les siens. Pour obtenir, dans cette machination, la complicité d'un de leurs collègues, policier véreux et pédophile que les mafieux font chanter, Gautier et Lemire l'attachent à leur voiture et le tirent jusqu'à ce qu'il demande grâce. Il aura la bonne idée de se suicider peu après la mort de Bogliosi. Dans l'abjection, police et mafia font match nul. Du même coup se trouve réalisée la symétrie du comportement des adversaires, autre règle d'un genre où la fin justifie les moyens. En effet, selon cette logique, c'est moins la loi qui sépare ceux qui l'enfreignent de ceux qui la font respecter que la libre concurrence des mêmes méthodes.

Pourtant, le genre exige que soit maintenu le frôlement de la mort et la symbolique du sang, dûment soulignée au générique par les traces rouges qui tranchent sur des images en noir et blanc. Deux éléments présentent, à cet égard, un intérêt particulier. La très prospère industrie de l'alimentation — décidément, dans *Omertà*, l'Italie se mange — sert de couverture à Scarfo qui est notamment propriétaire d'un abattoir où ont lieu plusieurs scènes importantes : dans la chambre froide où il est sûr qu'aucun micro ne l'espionne, entouré de D'Ascola et Bogliosi, il reçoit Perrot qui s'enveloppe dans une couverture pour se réchauffer. Les sarraus maculés des hommes, les quartiers de bœuf saignants suspendus à des crochets, les couteaux et les scies, évoquent bien sûr les meurtres commis, vengés, ordonnés. Mais, peut-être à cause de la trop grande insistance avec laquelle le décor souligne que ces hommes ont du sang sur les mains, une sorte d'indépassable premier degré fige Scarfo en honnête dépeceur de viande. Par la nourriture, une oralité jubilatoire triomphe de la mort en l'animalisant. Nous ne sommes pas loin du carnaval de Bakhtine, que Belleau considérait comme une marque de la québécité[7].

---

7. André BELLEAU, « Carnavalesque pas mort ? », dans *Surprendre les voix. Essais*, Montréal, Boréal, coll. « Papiers collés », 1986, p. 193-202.

Le sang intervient aussi métonymiquement dans le sacrifice et le rite. L'initiation de Spadollinni, qui a lieu sur un bateau cabotant dans le port de Montréal, devant les policiers contraints à l'impuissance, est révélatrice de la même distance. Avec un couteau (qui persiste à ressembler à un inoffensif Opinel), le maître fait gicler le sang de l'initié en entaillant le doigt qui appuie sur la gâchette, et le laisse couler sur une image pieuse qui doit ensuite brûler dans les mains de l'initié pendant son serment. Mais ni le rituel de profanation qui exige pourtant la destruction d'une image de la madone — malgré les apparences, pas de famille sans mère, comme le rappelle ce dispositif œdipien — ni le serment en italien, sous-titré, par lequel l'initié jure à sa nouvelle famille une fidélité à la vie et à la mort, ne parviennent à donner à la scène la gravité d'un passage irrémédiable. La connotation presque balnéaire qu'induit le bateau de croisière, vitré et lumineux, l'élégance estivale de Scarfo en costume clair, le geste familier, familial, de Vastelli qui débouche une bouteille de *Prosecco* et la bonne humeur générale, conservent à la scène quelque chose d'un banquet de club de bienveillance. Le mal, représenté par Bogliosi, enragé de jalousie, qui rôde sur le port avec son bâton de base-ball, est maintenu à l'extérieur du groupe. C'est le contraire que l'on observe au fil des nombreuses fêtes qui scandent l'action dans *Le Parrain,* alors que des hommes armés jusqu'aux dents sous leurs habits de cérémonie circulent parmi les tables des invités et les enfants qui jouent, installant la menace au cœur du clan. À l'image résolument festive de l'Italie que choisit de donner *Omertà,* s'accroche malaisément la loi de la guerre. On ne s'étonnera donc pas d'assister davantage à d'habiles négociations qu'à des batailles rangées.

L'originalité de la télésérie tient finalement à ce qu'elle ne cesse de réinscrire dans le scénario d'un film de gangsters l'Italie nourricière et respectable, chaleureuse et exubérante dont le Marché Jean-Talon constitue l'emblème montréalais. Paradoxalement, c'est de ce contraste irréconciliable entre la dureté du crime exigée par le genre et la douceur de vivre que le discours québécois cristallise sur l'image de l'Italie, qu'*Omertà I* tire sa réussite, finement incarnée par Scarfo, le Parrain débonnaire. On notera également comment le scénario se construit à partir d'une mise en fiction de la Petite Italie, en quelque sorte conviée à jouer au film de Coppola, comme le confirme la constance de la référence au cinéma, peut-être pour induire la rassurante conclusion qu'ici, il ne saurait être question que de jeu. La récupération du cliché américain de l'Italie, à la fois transmigration d'images et mélange des références dont Montréal devient le creuset, se retrouve aussi singulièrement encryptée dans les noms des personnages. Par l'allusion à *la spada*, l'épée, mais aussi la seringue des héroïnomanes, le nom « Spadollinni » fait de ce personnage, tranchant comme une lame et insidieux comme le poison, une sorte de spadassin moderne de la mort. Quant à « Scarfo », il s'agit vraisemblablement de l'italianisation de *Scarface*, le Balafré, personnage légendaire du film de gangsters depuis que Al Pacino, l'un des Parrains, a joué ce rôle dans le film éponyme de Brian de Palma en 1983. Ainsi, le nom « Scarfo » résume-t-il l'enquébécoisement des mythes américains que pratique *Omertà* en dévoilant son fonctionnement. En effet, en réinjectant dans les récits volontiers épiques qui constituent ces mythes une italianité joyeuse et ironique — Scarfo évoque aussi Scapin et résonne comme un nom de la *Comedia dell'arte* – la télésérie provoque d'insolites effets d'ironie et de distance, qui désamorcent le pathos du genre ou le détourne, et agissent finalement comme un filtre idéologique et moral.

Dante et l'Italie dans le paysage textuel de Marie-Claire Blais

ANNE DE VAUCHER GRAVILI

« ITALIE, MÈRE DES ARTS ET DES LETTRES », depuis Joachim du Bellay cet éloge est devenu un *topos* qui parcourt toute la littérature européenne : pèlerinage aux sources antiques, découverte des bibliothèques humanistes et des galeries de peintures des princes et des papes, découverte de Rome, capitale de la chrétienté, voyage sur les traces des grands auteurs européens, bref une initiation à l'art et à la Beauté que nul autre pays au monde ne semble être en mesure d'offrir encore aujourd'hui.

Pour les Nord-Américains de culture européenne, l'Italie vient, avec la France, assouvir une soif de culture et d'érudition, un besoin de se ressourcer dans le berceau de la culture, au cœur de la civilisation[1]. Marie-Claire Blais n'échappe pas à cette métaphore obsédante, l'Italie est pour elle « la référence presque symbolique d'une époque culturelle sans barbarie. Une image de perfection rêvée, d'une spiritualité supérieure[2] ».

---

1. Voir Pierre OUELLET, « Voyage en Italie », Présentation du dossier « Des poètes en Italie », *Liberté*, n° 213, juin 1994, p. 5-12, et Élisabeth NARDOUT-LAFARGE, « L'Italie-berceau-de-la-culture dans *L'Antiphonaire* d'Hubert Aquin », *Francofonia*, n° 35, automne 1998, XVIII, p. 35-48.

2. Lettre inédite de Marie-Claire Blais à Anne de Vaucher, Kinsbury, le 7 juin 2000.

Chaque écrivain métaphorise à sa manière sa *materia prima*: pour l'un ce sera le récit d'un voyage en Italie, lieu commun depuis Montaigne, pour l'autre, ce sera l'endroit privilégié où situer son histoire, pour Marie-Claire Blais, rien de tout cela. Elle ne parle que très rarement de ses voyages pourtant nombreux jusqu'à ce jour dans la péninsule[3]; elle signale simplement dans ses carnets du *Parcours d'une œuvre* qu'en 1963 elle entreprend un voyage à travers l'Europe qui lui permettra de «vagabonder jusqu'à Venise[4]». Et pourtant ce pays fait partie de son paysage textuel, et donc de son esprit, comme un réservoir de visions où elle puise les analogies musicales, picturales, iconographiques et littéraires, si nombreuses dans ses livres.

Dans son roman, *Soifs*[5], elle crée une analogie saisissante entre la fin du XXe siècle, où une fresque de personnages vit dans une île paradisiaque du golfe du Mexique, et celle du XIIIe siècle, en l'an 1300, date du début de *La Divine Comédie* de Dante et de son voyage aux Enfers, au Purgatoire et au Paradis[6]. Ce qui, à première vue, mettrait en concomitance une vision sublimée de l'Italie et une autre que l'on peut imaginer violente, «dantesque», où le Mal côtoie la Beauté.

Les premières références à l'Italie se trouvent dans *Les voyageurs sacrés*[7], texte de jeunesse, court et énigmatique, qui met en

---

3. En 1999, elle est venue en mai à Umbertide (Pérouse) comme membre du jury d'un prix littéraire d'une fondation américaine et à Rome, les 15, 16 et 17 novembre, pour recevoir le Prix International Union Latine des Littératures Romanes.

4. Marie-Claire BLAIS, *Parcours d'un écrivain. Notes américaines*, Montréal, VLB Éditeur, 1993, p. 73. Cité en cours de texte par la mention *Carnets* suivi du numéro de page.

5. Marie-Claire BLAIS, *Soifs*, Montréal, Boréal, 1995.

6. Voir Marie COUILLARD, «L'espace américain dans *Soifs* de Marie-Claire Blais: appropriation, hybridation culturelle et mondialisation», dans *Carrefour. Revue de la société de philosophie de l'Outaouais*, Ottawa, vol. XIX, n° 1, p. 89-97.

7. Marie-Claire BLAIS, *Les voyageurs sacrés* [1962], republié récemment avec *L'exilé. Nouvelles* suivi de *Les voyageurs sacrés*, Montréal, «Bibliothèque québécoise», 1992. Cité en cours de texte par le sigle *V. S.* suivi du numéro de la page.

scène un trio de jeunes musiciens : Montserrat l'Espagnole et deux pianistes qu'elle aime en même temps, Miguel, son mari et Johann, l'ami de Miguel. Ces personnages sont décrits dans leur errance continuelle de vagabonds de luxe, allant de par l'Europe d'un concert à l'autre, d'une salle de concert à une cathédrale — Chartres, Reims, Bourges — d'une capitale musicale à l'autre, Paris, Vienne, Rome, Madrid, Venise et la Grèce.

Nommés, énumérés, répétés dans une sorte de magie incantatoire, tous ces lieux se succèdent sans être jamais décrits. Seule Rome semble retenir quelque peu l'imagination débridée de Miguel : « Quand j'étais à Rome et que tu n'étais pas là, quelle souffrance, tu ne sauras jamais à quel moment j'ai pensé à toi, dans quelle rue de Rome, dans quel jardin, auprès de quelle fontaine ? Ce soleil que j'ai vu pour toi, tu ne le verras jamais à nouveau avec moi. » (*V. S.,* 120) Rome est le lieu où ils se sont aimés, Montserrat et lui, quelques détails suffisent donc à évoquer la ville éternelle comme une patrie de rêve. Car le récit semble en effet un rêve éveillé, où le temps est aboli (Montserrat évoque des épisodes historiques de 1504), et l'espace dilaté à un point tel que le lecteur est pris sans cesse dans un vertige spatial qui caractérise la *fabula*.

Mais il n'empêche que l'Italie est là, très présente, à travers sa langue. La narration est partagée en deux intermèdes, scandée par des *tempi* musicaux, écrits en italien : *allegro vivace :* premier mouvement ; *andantino, rondo vivace, allegro ma non troppo*, repris plusieurs fois, comme si le texte narratif était une partition musicale annotée par Mozart. Parallèlement, ces *tempi* sont donnés à l'intérieur de la *fabula* par les personnages qui les emploient comme des points de repère dans leur histoire d'amour ; en ce cas, ils ne sont pas en italiques mais font partie intégrante du texte : « O Montserrat, / Telle étiez-vous dans mon cœur — pendant ce Rondo Vivace. / Je compris que vous m'aviez déjà dit adieu. » (*V. S.,* 131) L'italien acquiert ici la valeur d'une langue universelle, comme l'est la langue de la musique.

Dans *Parcours d'un écrivain*, c'est par une analogie picturale que l'Italie arrive sur le devant de la scène. Marie-Claire Blais parle de Diana, une femme peintre faisant partie de la communauté d'artistes de Wellfleet qui, dans les années soixante, choisit de vivre en marge, loin de tout compromis, à l'abri des rumeurs du monde[8] :

> [...] à plus de quatre-vingts ans, elle dessine et peint de cette main qui pourrait être la main de Fra Angelico peignant une fresque de son couvent de Fiesole. Les figures qui s'animent sous le pinceau de Diana ne sont pas celles du *Christ aux outrages* ou du *Couronnement de la Vierge*, mais comme le peintre italien, elle vit et exprime l'habileté de son art dans un dépouillement monacal, tolérant si peu la modernité et ses conspirations contre le silence qu'il ne lui arrive jamais d'être spectatrice des images émises par la télévision [...]. (*Carnet 46*, 195)

Quelques lignes plus loin, un autre peintre toscan est convoqué pour compléter ce modèle :

> On regarde toujours avec le même émerveillement le tableau de Piero della Francesca, l'un de ces maîtres avec Fra Angelico dont Diana s'inspire, cette austérité des peintres italiens est la sienne, tout trait superflu de la plume, du crayon noir serait faux, apporterait de la lourdeur, il faut vivre ainsi, pense-t-elle, avec la même rigueur, le même renoncement à toute influence qui pourrait nous détourner de la voie choisie. (*Carnet 46*, 196-197)

C'est donc chez Fra Angelico et Piero della Francesca que Diana trouve un modèle de vie et une technique de travail : «une ferveur presque religieuse de [...] solitude» (*Carnets 46*, 197) qui préside à l'acte de création et à sa réalisation. *Ora et labora* — prier et travailler —, serions-nous tentés d'écrire sur cette lancée, si la grande Règle des monastères médiévaux était encore universellement reconnue. L'œuvre d'art possède à travers les siècles le pouvoir de transmettre le message de cette «spiritualité supérieure» dont parle Marie-Claire Blais.

---

8. Anne DE VAUCHER GRAVILI, «Le temps de la conscience : *Parcours d'un écrivain* de Marie-Claire Blais», *Rivista di studi canadesi*, n° 8, 1995, p. 7-12. La première partie de ce numéro est consacrée à l'auteure québécoise et s'intitule «Leggere Marie-Claire Blais», p. 7-44.

Il n'est pas à dire cependant que l'artiste refuse le présent : il choisit ce qu'il doit en retenir. Chaque année, Diana reçoit une amie peintre, Laetitia, qui vient de Capri et lui apporte « dans une magie de contraste la même lumière italienne, mais une lumière de feu, la lumière volcanique des îles de la Méditerranée » (*Carnets 46*, 197). Elle s'en inspire pour peindre un paysage de Sicile — une maison isolée, chétive, perdue dans le creuset des plaines — selon la technique austère des peintres toscans qu'elle a fait sienne.

Dernière modulation de cette grande analogie picturale : pour les artistes de la communauté américaine dont Marie-Claire Blais fait partie, Diana *est* Fra Angelico et Piero della Francesca (en serait-ce la réincarnation ?) :

> Je sens cette main de Fra Angelico et de Piero della Francesca qui se posent sur mon épaule et puis qui se retirent aussitôt, on ne sait pas non plus ce qui se passe sous les traits calmes de la *Vierge couronnée* ou du *Christ outragé*, une éternelle dignité y repose pourtant ; dans ces régions du cœur les blessures ont été guéries, consolées, la paix règne. (*Carnets 46*, 198)

L'attouchement magique déclenche aussitôt l'interrogation sur les personnages représentés, sur ce qu'a été leur vie d'hommes et de femmes, avant que la fresque n'en fixe pour toujours l'image parfaite, celle d'une « dignité » humaine, émanation d'une époque représentée « sans barbarie » sur le mur des églises et des couvents. Ce qui ne saurait être tout à fait exact, car si on connaît tant soit peu l'histoire et la civilisation de ce temps-là, on sait que la barbarie régnait là-bas comme ailleurs. Mais il est vrai que les peintures du *Quattrocento* toscan transmettent généralement ce message inaltéré d'un humanisme à atteindre comme un idéal ; c'est en tout cas ce que perçoit et transmet Marie-Claire Blais, écrivaine du Nouveau Monde.

Dans son roman, *Soifs*, l'Italie-berceau-de-la-culture n'est pas absente. Les nombreux artistes qui peuplent le roman ont souvent une culture européenne, aussi aiment-ils ranimer leur mémoire par des lectures, de la musique et des souvenirs. Procédé narratif assez traditionnel par rapport aux analogies dont nous avons parlé précédemment.

Mère a une âme d'artiste (elle a été directrice d'un musée new-yorkais), elle aime la peinture italienne mais a une prédilection pour l'opéra de Puccini, pour *Madame Butterfly*, en particulier un duo qu'elle écoute avec sa fille Mélanie, elle rêve d'en être l'héroïne et se plaît à évoquer la figure de femmes qui ont vécu près de grands musiciens, comme Anna Amalia Puccini et Anna Mendelssohn, et qui ont été oubliées, usurpées. (*Soifs*, 193)

Quant à Renata, l'avocate, elle revit sa fougueuse jeunesse à travers l'évocation des jeunes gondoliers vénitiens qu'elle voudrait encore conquérir : « [...] quel ravissement, pensait-elle, la contemplation de tous ces visages, de ces corps virils, les musiciens langoureux comme les bateliers moqueurs dans leur embarcation vénitienne, tous, ils avaient éveillé la même sensation de soif [...] » (*Soifs*, 111). La ville elle-même est évoquée à travers le corps droit de ces bateliers qui saluent et passent en s'inclinant « sous l'arc d'un pont de pierre ou entre deux murets de brique » (*Soifs*, 161), ce qui est d'un très grand effet de suggestion.

Mais à côté de ce *topos*, ici très évident, s'impose au fil des pages une constante de l'œuvre de Marie-Claire Blais, c'est son expérience d'interrogation sur le monde, sur ce qu'elle nomme les « ultimes calamités » : la violence, la guerre, la famine, la soif, la menace nucléaire, le sida, la dictature, grands fléaux qui continuent de tourmenter ce XXᵉ siècle finissant. Autrement dit, le mal.

La critique québécoise lui a souvent reproché la présence obsédante de cette thématique dans son œuvre. Et pourtant, si elle évoque souvent la faute et le jugement dernier, elle attend d'être au bord du XXIᵉ siècle pour se rapporter à *L'Enfer* de Dante qui, dans la culture européenne, est « la référence absolue [...] à partir [de laquelle] existent tous les autres livres, expérience-limite parmi toutes les autres écritures, correspondant à un lieu mystérieux dans une topologie réelle[9] ».

---

9. Jacqueline Risset, Introduction à Dante, *La Divine Comédie, L'Enfer*, Texte original. Traduction, introduction et notes de Jacqueline Risset, Paris, Flam-

Il faut dire que ce grand poème médiéval, écrit dans une langue italienne difficile, fondé sur le discours allusif et l'énigme, et par conséquent excessivement glosé, n'est accessible à un public contemporain francophone que depuis la traduction modernisée de Jacqueline Risset. Marie-Claire Blais va donc lire *La Divine Comédie* en français pendant qu'elle écrit son roman, mais elle avoue également avoir été très influencée par ses amis de Key West qui, à la même époque et pour des raisons différentes, lisaient et citaient Dante :

> Je crois que ces passages cités reflétaient les inquiétudes de leurs propres vies à la dérive, encerclées par l'approche de la mort. En même temps ces passages de Dante correspondaient à leur monde intérieur, c'était aussi une façon de se parler entre eux, de même culture, un moyen de se comprendre sans avoir à avouer leurs douleurs devant la maladie ou la mort, la vie étant comme derrière eux[10].

Comment « ces passages cités » de Dante entrent-ils dans un texte aussi moderne de facture et d'écriture que *Soifs* ? On peut s'en étonner, c'est pourquoi, sans vouloir nous livrer à un travail philologique rigoureux, il nous faut voir de près les citations dantesques et l'utilisation qu'en fait l'auteure.

Nous les présentons telles qu'elles sont, enchâssées dans le texte blaisien, ce qui est une gageure, étant donné les difficultés à les dessertir d'une narration ininterrompue, rythmée seulement par des virgules et de rares points.

Voici la première citation :

> [...] le chant des vagues, était-ce ici désormais, disait Charles à Adrien, le lieu de tous les élancements vers l'amour perdu, les

---

marion, 1985 p. 7. Signalons toutefois que la critique américaine de *Soifs*, dont il ne nous est pas possible de tenir compte ici, a très vite reconnu et souligné la présence thématique et intertextuelle de *l'Enfer* de Dante dans le roman et dans l'œuvre de Blais en général. Voir notamment : Karen GOULD, « La nostalgie postmoderne. Marie-Claire Blais, Dante et la relecture littéraire dans *Soifs* », *Études littéraires*, n° 31, vol. 2, 1999, p. 71-82.

10. Lettre de Marie-Claire Blais à l'auteur, 7 juin 2000.

regrets de toute une vie comme le décrivaient ces vers de Dante, dans *Purgatorio,* «Alors les sons d'une cloche lointaine blessent d'amour le pèlerin nouvel, comme pleurant la clarté qui se meurt», e che lo novo peregrin d'amore punge, s'e [sic] ode squilla di lontano, che paia il giorno pianger che si more[11], récitait Charles d'une voix lyrique [...]. (*Soifs*, 197)

Ce passage est repris plus loin: «[...] de même que les vers sublimes d'un poète, e che lo novo peregrin d'amore, toute parole se distillait dans l'air parfumé [...].» (*Soifs*, 199)

Marie-Claire Blais donne la traduction des vers de Dante, les met en prose puis les intègre dans son texte sous forme de comparaison, créant ainsi une résonance poétique, musicale, qui prolonge et amplifie sa pensée et lui confère une portée lyrique. Elle aurait d'ailleurs pu citer le tercet précédent, encore plus célèbre pour sa musicalité sublime[12]. Le sens médiéval et religieux de certaines expressions du texte italien lui échappe, on ne saurait lui en vouloir. Ainsi le «peregrin d'amore» chez Dante, c'est le pèlerin qui a quitté sa ville natale pour se rendre en pèlerinage à Rome, à Compostelle ou à Jérusalem, et qui éprouve de la nostalgie à être loin, exilé de sa patrie dont l'emblème est la cloche qui sonne à la fin du jour. Ce n'est pas la fin du jour en soi, mais plutôt le sentiment de la fin du jour. Intuitivement, Marie-Claire Blais ne retient que cette nuance subtile mais essentielle et la métaphorise ainsi: la fin du jour, c'est la fin de la vie pour Charles, le vieux poète, qui récite ces vers et contemple ses amours perdues et les regrets de toute une vie, «derrière lui». Il ne lui reste qu'à espérer de partager avec ses amis Adrien et Jean-Mathieu, écrivains eux aussi et chantres de Dante, la joie de rencontrer un jour dans l'eden Virgile et Dante[13]. Ces trois personnages vont jouer un rôle important dans la citation suivante que voici:

---

11. La citation en italien est extraite de Dante, *Le Purgatoire, op. cit.*, chant VIII, v. 3-6.

12. «Era già l'ora che volge il disio / ai naviganti e 'ntenerisce il core / lo dì c'han detto ai dolci amici addio», Dante, *Le Purgatoire, op. cit.*, chant VIII, v.1-3.

13. «[...] il serait si curieux de se retrouver tous dans un même eden, sous les mêmes palmiers, dans la même brise marine, respirant cet air délicieux, Charles,

[...] ces cercles de l'Enfer renferment les esprits maudits, les calamités, «tutti son pieni di spirti maladetti[14]», prononça-t-il [Adrien] d'une voix puissante et dramatique, tutti son pieni di spirti, oui [...]. (*Soifs*, 220)

Cette fois-ci, Marie-Claire Blais anticipe le sens du vers sans le traduire, comme pour lui conserver toute la force dramatique que lui donne la langue italienne à laquelle, selon nous, elle est fort sensible. Ce même vers — souvent répété dans *L'Enfer* — va être dit en italien au moins dix fois, prononcé en alternance par plusieurs personnages du roman; on a l'impression d'un concert de voix, comme dans le chœur antique, qui reprend sans cesse le même message de malédiction. Magie incantatoire du poème dantesque qui passe dans *Soifs*, unissant ces deux textes dans une même condamnation du mal.

La parole est d'abord donnée aux vieux poètes qui commentent le livre de Daniel intitulé *Les étranges Années*; ils lui conseillent d'en modifier le titre et de l'appeler *Les abords de la rivière Éternité*, car «les eaux noires des rivières et des fleuves de Dante y sont très présentes, ces cercles renferment les esprits maudits, les calamités, tutti son pieni di spirti maladetti, [...]. (*Soifs*, 220)

Daniel, ex-journaliste new-yorkais, ex-drogué et père de Vincent, l'enfant qui vient de naître, est «habité par *La Divine Comédie*», son expérience de l'héroïne lui a fait prendre conscience d'un monde plein de morts et d'abîmes : les survivants des camps de concentration, dont son père qui porte un numéro sur le bras sans jamais lui en avoir rien dit; les cagoules des chevaliers de l'Apocalypse (autrement dit le Ku Klux Klan); les masques cramoisis des Ombres, les Mauvais Nègres, qui grimpent aux murs de la villa; les radeaux cubains qui sombrent à l'horizon. Dans ce contexte de beauté naturelle et de barbarie, Daniel brosse un paysage terrible qui doit beaucoup à l'enfer dantesque :

Adrien, Jean-Mathieu verraient Virgile et Dante dont ils avaient été les biographes et les chantres, on entendrait des uns et des autres les plus beaux vers de leur épopée poétique [...]», (*Soifs*, 199).

14. DANTE, *L'Enfer, op. cit.*, chant XI, v. 4, 6e cercle, *Les Hérétiques*.

> [...] ces âmes étaient ces mêmes anges de jadis étouffant sous les
> eaux ternies des marais, des marécages, dans la stagnation des
> étangs boueux, innocentes, elles réclamaient le droit à l'inno-
> cence de ne jamais avoir voulu naître, leurs plaintes étaient celles
> de l'éternelle soif dans cet air d'une irrespirable substance, ces
> cercles renfermant les esprits maudits dont les plaintes étaient
> celles des chiens qui aboient, tutti son pieni di spirti maladetti,
> enfants de pères et de mères damnés dans ce cercle des vagues où
> ils s'étaient noyés, de là-bas, si loin, jamais ne leur apparaissait le
> rivage, et jamais leur soif ne serait assouvie [...]. (*Soifs*, 223)

Il semble que Daniel subisse, comme Dante d'ailleurs, la fascination trouble du spectacle du mal; la description de ces corps
qui se noient dans ces fleuves et ces étangs de la Floride est une
réécriture en palimpseste de la traversée de l'Achéron. Nous vient
à l'esprit une analogie picturale qui plairait à Marie-Claire Blais:
à la fin du xve siècle, Botticelli a représenté ces gouffres profonds
de *La Divine Comédie* sur 92 parchemins, réexhumés récemment
et exposés à Rome à la fin de l'an 2000[15].

Dans son livre, Daniel représente un enfer qui est celui de
notre temps, dépourvu du fanatisme religieux mais non moins
inexorable, où la question des innocents, dont Dante était déjà fort
soucieux[16], est encore une question irrésolue; où l'origine du mal,
si on ne veut pas lui donner celle de la Bible, est inexplicable, si ce
n'est que par la violence installée au cœur de l'homme. L'écrivaine
québécoise en donne une autre explication:

---

15. L'exposition qui avait pour titre *Sandro Botticelli pittore della 'Divina Commedia'*, s'est tenue à Rome, auprès des ex-Écuries papales du Quirinal, de
septembre à décembre 2000. Voir le catalogue du même titre, publié chez Skira,
la même année, en deux volumes. Ajoutons qu'à l'occasion du septième centenaire de la date de 1300, qui marque idéalement le début de *La Divine
Comédie*, a eu lieu à Vérone, ville où Dante a vécu en exil, une exposition intitulée
L'inferno di Dante (15 avril-30 juillet 2000): 75 gravures de l'américain Michael
Mazur, réalisées en 1994 pour illustrer la traduction anglaise de *L'Enfer* de
Robert Pinsky.
16. Selon la tradition théologique médiévale, Dante situe les innocents dans les
Limbes parce qu'ils n'ont pas été baptisés.

Il me semblait que ces deux visions, ces deux paysages que nous avons d'un monde en fin de siècle, au bord de tant de perfection se ressemblaient [...] aujourd'hui nous vivons surtout des enfers inconscients, c'est notre inconscience qui crée le malheur de tant de gens, tous les personnages de *Soifs*, même les plus dangereux tentent de nommer cette inconscience[17].

Et pourtant, comme elle l'écrit souvent, l'espoir de la vie est plus fort que la mort.

Le livre de *L'Enfer* de Dante, comme *Les abords de la rivière Éternité* de Daniel, ont un point de départ commun, celui d'un long voyage qui ouvre la porte du Purgatoire et du Paradis, un monde «au bord de la perfection» par sa beauté et ses potentialités. «Sauvé de la drogue par l'écriture», Daniel écrit d'abord cette «apothéose des profondeurs noires», puis il donne accès à la sphère du soleil à tous ceux et à toutes celles qui ont rêvé d'un monde meilleur, car «la part essentielle de la vie n'est-elle pas le songe et le rêve [?]» (*Soifs*, 223). Nous voici au Paradis avec deux citations que nous rapprochons car elles nous semblent faire un tout où se retrouvent Daniel et Marie-Claire Blais. Les voici regroupées :

> [...] elles siègeraient toutes à la place des saints et des saintes des églises de Dante [...] en franchissant ces anneaux du soleil [...] chacun danserait dans une joie de plus en plus exubérante, come da letizia pinti e tratti [...]. (*Soifs*, 224)

> [...] les lettres triompheraient de tout [...] ils [les peintres] triompheraient de ces odieux et mesquins désordres des hommes, des débauches et des corruptions de leurs guerres, come da letizia spinti e tratti [...][18]. (*Soifs*, 224)

«Elles», ce sont les femmes écrivains, Gertrude Stein, Caroline, Suzanne ; «ils», ce sont les artistes, peintres et autres, et Vincent, l'enfant qui «grandirait» au Paradis. Tous prennent place

---

17. Lettre de Marie-Claire Blais à l'auteur, 7 juin 2000.
18. La citation en italien, reprise deux fois, est extraite de Dante, *Le Paradis*, *op. cit.*, chant XIV, v. 19, «Signes de joie des béatifiés».

au sénat des immortels, entre Virgile et Dante. Nous assistons, par l'intermédiaire de ce livre, à une vision prophétique fort inspirée de Dante, où les hommes du xxe siècle sont tirés de leur état de misère et conduits à l'état de félicité et d'allégresse — car ils dansent — dans un mouvement d'ascension vers le soleil.

Cette osmose entre le texte prophétique de Dante et celui de Marie-Claire Blais est impressionnante. Deux visionnaires se sont rencontrés, par la médiation d'une œuvre «primordiale» qui vient d'Italie.

La présence de Dante dans ce roman du xxe siècle est si prégnante qu'il nous est difficile de prendre du recul. Toutefois la métaphore du «peregrin d'amore», dont le sens, ai-je dit précédemment, avait peut-être échappé à Marie-Claire Blais, pourrait nous reconduire au cœur de notre étude. Le «pèlerin nouvel» du *Purgatoire* fait un voyage aux sources de la religion chrétienne pour se confronter au sacré; le «pèlerin nouvel» du xxe siècle finissant, qu'il vienne du Québec ou d'ailleurs, entreprend un voyage pour se confronter à lui-même, au bien et au mal du monde; à travers les arts — la musique, la peinture, la littérature italiennes — il reçoit des messages et les transmet, il établit des analogies parfois visionnaires et prophétiques au contact des lieux premiers, des œuvres premières qui ont donné naissance à la modernité.

Bologne en 1819

MGR JOSEPH-OCTAVE PLESSIS

Mgr *Joseph-Octave Plessis (1763-1825) fit un voyage à Londres et à Rome, de juillet 1819 à août 1820, afin d'obtenir des autorités civiles britanniques et de l'Église la division du diocèse de Québec, lequel s'étendait démesurément d'Halifax à Sandwich (aujourd'hui Windsor). Il en a rapporté un journal riche en obser-vations de toutes sortes sur les personnes qu'il a rencontrées, les villes et les monuments qu'il a visités. Ce n'était pas le premier qu'il tenait ; on connaît de lui un* Journal de deux voyages apostoliques dans le golfe du Saint-Laurent et les provinces d'en bas en 1811 et 1812 *et un* Journal de la mission [...] au Haut-Canada en 1816. *Orateur célèbre, connu notamment pour son sermon sur la victoire d'Aboukir et son* Oraison funèbre de Mgr Jean-Olivier Briand, *il se révèle dans ces pages un prosateur familier, qui n'hésite pas à critiquer en termes assez vifs l'administration des États pontificaux ou à relever les préjugés nobiliaires d'un cardinal. M*^{gr} *Plessis rédige ce* Journal *à la troisième personne et se désigne lui-même comme «l'évêque de Québec» ; l'ancien professeur de lettres au séminaire de Montréal se souvient peut-être du* De bello Gallico ; *comme l'a noté Claude Galarneau, «ce n'est pas par prétention mais par humilité et par souci de ne point se mettre en évidence, puisqu'il ne fallait donner aucune occasion aux loyalistes anglais de prendre ombrage de ce voyage de l'évêque de Québec, reçu par le roi de France et le pape, crainte qui n'avait rien de chimérique à l'époque[1]». Dans ces pages, «l'évêque de Québec» donne une image*

---

1. *Dictionnaire des œuvres littéraires du Québec*, I, *Des origines à 1900*, Montréal, Fides, 1978, p. 426.

assez effacée de lui-même; la dignité de sa fonction lui importe manifestement plus que sa personne. Son Journal *n'en apporte pas moins un témoignage précieux sur la mentalité canadienne au début du* XIXe *siècle. On a beaucoup insisté sur le conservatisme politique de* Mgr *Plessis[2], qui a certes pavé la voie aux Ultramontains d'après 1860, mais on n'a peut-être pas assez perçu un esprit pragmatique soucieux d'une juste administration publique, une attention aux humbles et une sensibilité à la morgue des privilégiés, qui feront singulièrement défaut, un demi-siècle plus tard, à un* Mgr *Bourget, par exemple. L'histoire intellectuelle et morale du Canada français au* XIXe *siècle appelle sans doute des instruments plus subtils que la seule analyse des idéologies.*

Nous reproduisons le texte donné par Henri Têtu, Journal d'un voyage en Europe par Mgr Joseph-Octave Plessis, 1819-1820, Québec, Pruneau & Kirouac, 1903. *Des 469 pages que compte cette édition, 235 sont consacrées à l'Italie, dont près de la moitié à Rome; plutôt que d'en présenter une anthologie arbitraire, nous en extrayons les pages relatives à son étape bolognaise, qui forment un tout.*

ROBERT MELANÇON

30 octobre. – L'État pontifical ou de l'Église, borné au sud-ouest, par le royaume de Naples, au nord et nord-est, par le grand-duché de Toscane, les duchés de Parme, Plaisance et Modène, et les états d'Autriche en Italie; au sud-ouest, par la mer de Toscane *Tyrrhenum mare*, et au sud-est, par le golfe de Venise, autrefois *Mare Adriaticum*, se compose des trois Légations de Ravenne, de

---

2. Voir, par exemple, *Histoire de la littérature française du Québec*, sous la direction de Pierre DE GRANDPRÉ, Montréal, Beauchemin, 1967, t. I, p. 104: «Mgr J.-O. Plessis [...] entraîna l'Église canadienne dans un choix déterminé, doctrinal, contre la France de la Révolution et de l'Empire [...]. Son raisonnement était que si Dieu, "dans sa miséricorde", n'avait détaché le Canada de la France, "le funeste arbre de la liberté" y aurait été planté, avec "les funestes droits de l'homme". On comprend qu'en 1819, un conservateur de cette trempe ait été accueilli en Europe par Louis XVIII, le comte d'Artois, l'abbé Barruel et Joseph de Maistre.»

Ferrare et de Bologne, des duchés d'Urbin et de Spolète, du marquisat ou de la Marche d'Ancône, du Patrimoine de St-Pierre et de la *Campagna di Roma*, autrefois appelés le *Latium*. Tous ces territoires réunis forment un ensemble de cent lieues de long sur trente-trois de large, d'une mer à l'autre, renfermant cinquante évêchés et un million et demi d'âmes. Ce pays est extrêmement fertile et dans un des plus beaux climats du monde. Il est en possession des embouchures des deux principaux fleuves d'Italie, savoir : le Pô et le Tibre. Avec des travaux, il pourrait avoir d'excellents ports, au lieu qu'il n'y a point où recevoir un seul vaisseau de ligne. Le dessèchement des marais de la Campagne de Rome, le défrichement du Patrimoine de St-Pierre, porterait dans l'État l'abondance et la salubrité. Les forçats, en grand nombre, dont on ne sait que faire, et qu'il faut néanmoins garder, nourrir et habiller aux frais publics, pourraient être employés à ces divers travaux, avec avantage pour l'État et pour eux-mêmes, au lieu de végéter dans l'oisiveté d'une prison, où leurs forces s'exténuent graduellement, sans que leurs cœurs s'améliorent. On voit avec peine l'ancienne capitale du monde politique et la ville centrale du christianisme se dépeupler par le mauvais air qu'exhalent des terres déboisées et incultes, et des marais pestilents qui l'environnent. Les Papes, toujours âgés lorsqu'ils montent sur le trône, et donnant, comme de raison, leurs premiers soins aux affaires de l'Église, ont rarement un pontificat assez long pour s'occuper de ces sortes d'améliorations. D'ailleurs, le goût des Italiens, en général, se porte plus naturellement vers les beaux-arts que vers les choses utiles. De belles églises, de magnifiques palais, des arcs de triomphe, des fontaines, des colonnes, des obélisques : voilà les objets qui ont le plus généralement occupé ceux des Souverains Pontifes auxquels les soins du gouvernement spirituel ont laissé quelque relâche. Pie VI a porté son attention vers le dessèchement des Marais Pontins ; Clément XII, comme on le verra ci-après, s'est sérieusement occupé d'améliorer Ancône ; mais Paul V, Sixte V, Benoît XIV et quelques autres, en l'honneur desquels on trouve des inscriptions partout, qu'ont-ils fait autre chose que des embellissements, qui, à la vérité, ajoutent à la célébrité de l'Église et y attirent des étrangers, mais ne procurent aucune véritable ressource aux sujets et n'excitent pas leur énergie. Le goût du Pape actuel est de faire fouiller pour la découverte d'anciens monuments, et de soutenir les ruines de ceux qui subsistent encore. C'est fort bien ; mais il n'en est pas moins vrai que Rome se dépeuple, ainsi que ses alentours, et que le rapprochement du tableau des naissances et de celui des morts, depuis vingt ans, offre une perspective effrayante. Ne peut-on donc s'occuper des choses agréables qu'au préjudice de celles qui sont utiles ? Ce serait mal entendre cette belle pensée d'Horace :

« *Omne tulit punctum qui miscuit utile dulci*[3]. »

La partie nord de l'État ecclésiastique où nous entrons, est bien celle dont la culture lui fait le plus d'honneur, et elle en est moins redevable à son gouvernement, qu'à l'exemple des habitants des États que nous venons de laisser[4]. Il serait honteux, en effet, que des sujets du Saint-Père, avec des terres, au moins aussi bonnes que celles de leurs voisins, demeurassent en arrière d'eux, lorsqu'il s'agit d'en tirer parti. Aussi peut-on être assuré qu'on trouve entre Castel-Franco et l'entrée des Apennins, ce qu'on peut appeler le grenier des États du Pape, et la partie la mieux habitée et la plus vivante.

La ville de Bologne est surnommée *la Grasse*, à raison de la richesse du sol dont elle est environnée. C'est une des plus célèbres d'Italie, par son Université, par les rencontres de Souverains et de Papes qui y ont eu lieu, par deux sessions du Concile de Trente, par le coup de mort qu'y reçut la Pragmatique Sanction de Charles IX, lorsque Léon X et François Ier y signèrent le Concordat de 1515, enfin par les hommes remarquables qu'elle a produits, notamment les papes Grégoire XIII et Benoît XIV.

Nous y entrons à une heure après-midi, encore à jeun (car on observait, ce jour-là, la vigile de la Toussaint), et prenons logement à l'hôtel de S. Marc.

---

3. Horace, *Art poétique*, v. 343 : « Il emporte tous les suffrages celui qui mêle l'utile à l'agréable ».
4. Le Piémont, la Lombardie, les duchés de Plaisance, de Parme et de Modène.

Outre le cardinal Oppizoni, archevêque du lieu, frère de l'archiprêtre de Milan, qui lui avait annoncé d'avance l'évêque de Québec, il y a encore dans cette ville le cardinal Spina, qui y remplit la fonction de légat, répondant à celle du gouverneur en chef du duché. Ils ne demeurent pas ensemble. L'archevêque a son palais auprès de l'église métropolitaine ; le légat occupe celui du gouvernement, auprès de l'église collégiale de S. Pétrone. Ce saint, ancien évêque de la même ville, est représenté par une statue de marbre, assise au-dessus de la principale entrée de ce palais. Elle y figure assez mal avec celle de Neptune, qui surmonte une belle fontaine, placée à une distance à peu près égale de la collégiale et du palais. Celui-ci est un immense édifice, dont il faut parcourir trois pans avant de trouver le légat, qui n'occupe que le quatrième, et cela au second étage, où l'on ne parvient qu'après avoir décrit deux longs et larges escaliers, qu'on devrait plutôt appeler des plans inclinés, ou des côtes formées de briques inclinées et verticalement posées, qui ne sont retenues que par des chaînes de pierres, aussi verticales, placées de deux en deux pieds, sur toute la largeur de l'escalier. Aussi raconte-t-on que Charles Quint, devant avoir une entrevue dans ce palais, avec le Pape Paul III, y monta tout uniment à cheval, et il faut avouer que ces escaliers conviendraient mieux à des chevaux qu'à des gens de pied.

L'évêque de Québec eut beaucoup à se louer de la réception que lui firent ces deux éminences. M. Turgeon[5] eut, à l'ordinaire,

---

5. Mgr Plessis est accompagné par deux personnes : « Mr P. Flavien Turgeon, son secrétaire, qui, depuis un an, l'avait supplié de l'emmener dans ce voyage » et un personnage qu'il a « emprunté des religieuses de l'Hôpital-général de Québec, le nègre François Cazeau, vulgairement nommé John, pour lui servir de domestique de voyage » (chapitre I, p. 22). François Cazeau ou Casot était un esclave, né à l'île Marie-Galante. On présume qu'il a été rendu aux religieuses de l'Hôpital-général lors du retour de Mgr Plessis à Québec en août 1820 ; il les a sans doute quittées en 1833, lorsque *l'Abolition Act* a mis fin à l'esclavage dans l'Empire britannique ; quoi qu'il en soit, il s'est présenté à l'Hôpital-général le 1er mai 1843 en qualité de « journalier », et il y est mort le 22 mars 1860. Voir Marcel TRUDEL, *L'esclavage au Canada français*, Québec, Presses de l'Université Laval, 1960, et *Dictionnaire des esclaves au Canada français et de leurs propriétaires*, Montréal, Hurtubise HMH, 1990.

sa petite part de ces honnêtetés. Le cardinal Spina était en dernier lieu archevêque de Gênes. Il vient de résigner ce siège, qui a été donné au vicaire général des Barnabites, le P. Lambruschini. Avant d'être cardinal, il avait été archevêque de Corinthe *in partibus infidelium*[6]. Ce fut lui qui accompagna Pie VI dans son exil, l'assista à Valence dans sa dernière maladie, lui ferma les yeux, conserva son corps dans un cercueil de plomb, le fit enterrer militairement, quelque temps après, pour empêcher le clergé intrus de faire ses funérailles, et après que Bonaparte fut établi premier consul, obtint de le rapporter à Rome, où il a été déposé dans le souterrain de la basilique de S. Pierre. Il dit qu'il n'y a rien de vrai de tout ce que le général de Mark ou du Mark a écrit du séjour et de la maladie de ce Souverain Pontife, et qu'il ne put s'empêcher de la déclarer à sa dame, lorsque étant devenue veuve, elle crut lui faire un beau présent en lui envoyant un exemplaire de ce livre, comme contenant des faits dont il avait lui-même été témoin[7].

31. – L'évêque de Québec, décidé à passer à Bologne le dimanche et le lundi, alla, le premier de ces deux jours, célébrer la messe dans

---

6. « On distingue les évêques *résidentiels* et les évêques *titulaires*. Les premiers possèdent de fait la juridiction sur un diocèse déterminé, les seconds possèdent le pouvoir d'ordre et peuvent de ce chef ordonner d'autres prêtres et administrer la confirmation, s'ils sont pourvus des autorisations requises. Autrefois, ceux-ci étaient appelés *in partibus infidelium*, dénomination abrogée par un décret de la Sainte Congrégation de la Propagande, du 27 février 1882. L'appellation de *titulaires* vient de ce qu'ils reçoivent le titre d'un ancien diocèse, habité maintenant principalement par des infidèles ou des schismatiques. La liste des évêques titulaires est donnée annuellement dans l'*Annuario pontificio*. Elle comprend surtout des évêchés qui existaient dans l'ancien empire de Byzance, notamment en Syrie, Palestine, dans quelques îles de la Méditerranée et dans le nord de l'Afrique. » – *Dictionnaire de Droit canonique*, Paris, Librairie Letouzey et Ané, 1953, t. V, col. 574.

7. Le cardinal Spina avait fait partie de la petite suite de sept personnes qui avaient accompagné Pie VI, déchu comme souverain temporel, lorsque l'armée française, sous le commandement du général Berthier, l'avait transféré à Sienne, Florence, puis, devant l'avance [avancée?] de l'armée autrichienne, à Parme, Turin, Grenoble et, enfin, Valence, où il mourut en 1799. Je n'ai pu identifier le général de Mark ou du Mark, ni l'ouvrage auquel Mgr Plessis fait allusion.

une jolie petite église appartenant aux religieuses Clarisses, détruites par les Français et non encore rétablies, faute de moyens, et par l'impuissance du gouvernement de leur donner l'assistance nécessaire. Au commencement de sa messe, on ouvrit un guichet au-dessus du gradin de l'autel où il célébrait, et il aperçut tout à coup, au fond d'une petite chapelle attenant à cet autel, une figure noire magnifiquement habillée et assise dans un riche fauteuil environné de cierges ardents. Ce spectacle l'eût singulièrement frappé, s'il ne se fût immédiatement rappelé que l'on conservait dans cette église le corps de sainte Catherine, surnommée de Bologne, religieuse professe du même couvent, morte en 1463 et canonisée en 1712. Il ne manqua pas d'entrer dans cette chapelle après la messe, pour examiner de plus près ce saint corps. C'est quelque chose d'admirable que sa conservation. Il y a quatre siècles et demi qu'elle est morte. Sa peau a noirci. Du reste, elle est dans toute sa chair, quoiqu'un peu retirée ; l'évêque lui baisa les pieds, et ainsi firent ceux qui l'accompagnaient (ses pieds sont nus, mais entiers). On conserve là près, dans une armoire, un bréviaire et un autre livre de dévotion, tous deux écrits de sa main, ainsi qu'un petit violon de sa façon, assez mal bâti, dont elle s'amusait en récréation, dans les dernières années de sa sainte vie, accompagnant du son de cet instrument, ces paroles de l'Écriture : *Et Gloria ejus in te videbitur*[8], qu'elle répétait sans cesse et où elle trouvait sa consolation. On conserve aussi, dans une fiole, de l'eau qui sortit de son corps, dix-huit jours après qu'elle fut morte. Ce corps est dépouillé et lavé une fois tous les ans. Les fidèles se partagent l'eau de cette lavure et la conservent dans leur maison. Le lavage fait, la sainte est de nouveau revêtue d'une robe magnifique ornée de pierreries et d'argent, et remise dans son fauteuil jusqu'à l'année suivante. Ce fauteuil est élevé de deux ou trois degrés au-dessus du pavé de la chapelle. C'est là qu'une pauvre religieuse ignorée de tout le monde, pendant sa vie, mais connue

---

8. Isaïe, LX, 2 : « Et l'on verra sa gloire éclater au milieu de vous » (traduction Lemaître de Sacy). Ce verset est gravé au-dessus du trône de sainte Catherine de Bologne à l'église du Corpus Domini.

de Dieu, qu'elle servait sans ostentation, reçoit aujourd'hui les hommages des rois et des peuples, tandis que son âme bienheureuse jouit de la vue de son céleste Époux. *Nimis honorati sunt amici tui Deus*[9] !

L'évêque désirait assister, ce jour-là, à la grand'messe de la collégiale de S. Pétrone. Elle allait finir lorsqu'il y arriva, mais il s'y trouva assez tôt pour voir des laïques, même des bonnes femmes assises dans les stalles que les chanoines ne suffisaient pas à remplir, sans compter que, jusque sur les degrés de l'autel, il y avait une foule de toutes sortes de gens. Cet autel est très avancé vers le balustre ; il est environné de degrés tout autour et a deux faces. Le célébrant se tient du côté du chœur, et comme il fait face au peuple, il chante *Dominus vobiscum* et donne la bénédiction sans se détourner. Cette église plus belle et plus grande que la métropole, a un grand nombre d'autels, tous richement ornés et garnis de tableaux et de statues de prix. Lorsque le cardinal Légat assiste à une église le dimanche, c'est à celle de S. Pétrone.

Sur le pavé de cette collégiale est tracée la fameuse méridienne du savant Cassini, dans le milieu d'une longue bande de cuivre placée tout exprès au niveau du pavé. Du côté où est cette méridienne, se trouve aussi une belle horloge ayant dans un même pilier de l'église, à six ou huit pieds au-dessus du pavé, deux cadrans, dont l'un donne l'heure astronomique, l'autre l'heure italienne. Car il faut savoir que les Italiens ne divisent pas leur cadran en douze heures, comme le nôtre, mais en vingt-quatre, et qu'ils ne comptent pas à partir de midi ou minuit, comme nous faisons, mais d'un coucher de soleil à l'autre, et, comme le soleil se couche plus tôt ou plus tard, suivant qu'il est plus ou moins éloigné de l'Équateur, il en résulte que le commencement de leurs vingt-quatre heures, et par conséquent leur midi, sont sujets à de grandes variations. En décembre, lorsque nous avons midi, ils comptent dix-neuf heures. En juin, au lieu de dix-neuf heures à

---

9. Psaume CXXXIX (Vulgate CXXXVIII), 17 : « Mais je vois, mon Dieu, que vous avez honoré d'une façon toute singulière vos amis » (traduction Lemaître de Sacy).

midi, ils n'en ont que seize. Il n'y a donc qu'aux équinoxes qu'ils se rapprochent de nous, mais à leur manière, c'est-à-dire qu'ils ont six heures lorsque nous avons minuit, et que notre midi est à leurs dix-huit heures. Il faut du temps pour se faire à ce langage : « À quelle heure est la grand'messe dans telle église ? – À quatorze heures. Et Vêpres ? – À vingt et une heures ; le dîner, à dix-neuf heures, le salut à vingt-trois, etc. » Eh bien les Italiens ne connaissent pas de meilleure manière de conduire leurs horloges, et on réussirait autant à faire adopter aux Anglais la graduation du thermomètre par Réaumur, qu'aux Italiens notre manière de compter les heures.

Le cardinal Oppizoni conduisit, le soir, l'évêque de Québec à un couvent de Visitandines, qu'il rétablit à ses propres frais, dont les religieuses lui viennent de Novare. Il n'y en a encore qu'une partie de rendues, mais pleines de zèle et de désir de se rendre utiles aux jeunes personnes de leur sexe, pour l'éducation desquelles on les a appelées dans ce diocèse.

1er novembre. – Le lendemain, jour de la Toussaint, après avoir dit la messe à S. Pétrone, il voulut assister à l'office de la métropole. Cette église est redevable d'une partie de sa décoration à la magnificence de Benoît XIV, qui en fut archevêque, du temps qu'il était cardinal, connu sous le nom de Prosper Lambertini, et qui l'affectionnait tant, qu'il la garda, même après être devenu pape. Sa plus grande richesse sont les corps des saints martyrs Vital et Agricola, conservés dans la chapelle souterraine, où il n'y a pas moins de cinq autels.

L'archevêque ne célébrait pas solennellement ; seulement il assistait paré. On suit le cérémonial romain à Bologne[10] ; on le suit aussi à Québec. Néanmoins les cérémonies de Québec et celles de Bologne ne se ressemblent nullement. Elles se font ici avec beaucoup plus de précipitation et beaucoup moins de dévotion, de la

---

10. Au chapitre précédent (p. 172-175), Mgr Plessis a décrit le rite ambrosien, qu'il a observé à Milan.

part de petits clercs au-dessous de l'âge de quinze ans et même de douze, dont les têtes mouvantes ne font pas d'honneur à la tonsure dont elles sont ornées. Il ne se trouvait presque personne dans l'église. Assez souvent les cathédrales sont peu fréquentées. Le mauvais temps de ce jour pouvait être une raison de plus pour le peuple de ne se pas fouler à l'église. Il pleuvait tant que l'évêque de Québec ne put visiter ni l'Université, ni la célèbre tour nommée *Asinelli*, qui passe pour la plus haute d'Italie, et qui a, en effet, 376 pieds d'élévation. Il en fut dédommagé par la visite du cimetière, où il fut conduit par le cardinal Légat, entre la messe et vêpres, comme on en était convenu le jour précédent. Un cimetière! La belle curiosité, dira-t-on! Oui, celui de Bologne en est une, et peut-être ce qu'il y a de plus beau à y voir. C'est une ancienne Chartreuse placée à une demi-lieue de la ville. Elle est composée, comme toutes les autres, de cloîtres ou galeries couvertes, au milieu desquelles sont d'anciens jardins, cours ou parterres qui en remplissent le vide; ces carrés ou parterres dans lesquels on a planté des cyprès, sont autant de cimetières où les corps du commun peuple sont enterrés symétriquement. Les gens plus distingués, formant par conséquent le petit nombre, trouvent leur place sous le pavé des galeries. Deux corps bout à bout peuvent aisément loger dans la largeur de ces galeries. On les y met de manière que leurs pieds sont opposés les uns aux autres. Une rangée de colonnes soutient le plafond de la galerie du côté du parterre. Ces colonnes sont appuyées sur un petit mur de dix-huit pouces de haut. Or ce petit mur suffit pour recevoir les épitaphes de ceux dont les têtes sont rangées auprès. Le fond de la galerie est un mur plein, sur lequel on place, pour les autres, non seulement de plus longues épitaphes, mais encore des urnes, des piédestaux, des bustes, des statues, qui font honneur aux défunts, et encore plus aux sculpteurs qui les exécutent. Il est un de ces monuments qui a un mérite particulier et qui est fini tout nouvellement. Il s'agissait d'y perpétuer la mémoire d'un époux et d'une épouse de la famille Caprara, morts à un petit intervalle l'un de l'autre, et qui ont laissé deux filles en mourant. L'artiste a mis au fond d'une espèce de grande niche appuyée sur le pavé, un piédestal qui s'élève à hauteur d'appui. Sur l'un des coins du piédestal est placé une urne. C'est celle du premier mort des deux époux. Une des deux filles, de grandeur humaine, a l'air d'arriver ; elle porte l'autre urne et s'avance, comme pour la placer auprès de la première. Rien de plus naturel que son attitude. Il semble qu'en apportant cette seconde urne, elle dit à tout le monde : « On ne s'était pas trompé ; nos chers parents devaient se suivre de très près. » Quelque parfaite que soit cette figure, elle n'est cependant pas ce que le monument offre de plus admirable. Sa sœur, placée à son opposite, a la tête légèrement inclinée, comme une personne qui voudrait contenir sa douleur ; elle a ses habits couverts d'un long voile prenant sur sa tête et prolongé jusqu'aux pieds. À travers ce voile, on voit ses habits, l'enfoncement des yeux, de la bouche, la proéminence du nez, des lèvres et des autres parties saillantes du corps et de la face. Rien de tout cela n'étonnerait. Si ce voile était de quelque étoffe transparente. Mais il est de marbre blanc, comme tout le reste du monument, et voilà qui suppose, dans le statuaire, une habileté extrêmement précieuse : celle d'avoir imité la transparence de la gaze ou de la mousseline, dans une matière qui s'y prête aussi peu que celle sur laquelle il travaillait.

L'église, les diverses chapelles et caveaux qui en dépendent, et qui occupaient beaucoup de place chez les Chartreux, qui disaient tous la messe en même temps, et auxquels il fallait, par conséquent, beaucoup d'autels : tout cela est pavé de sépultures plus ou moins distinguées. Des cimetières entiers, soit de couvents, soit de paroisses, ont été transportés dans cet endroit, le seul de Bologne où l'on enterre présentement. On nous montra, par exemple, un caveau de sacristie, dans lequel sont réunis tous les morts d'un ancien couvent de Capucins. Comme il y a dans cette Chartreuse un grand nombre de cloîtres au rez-de-chaussée, dont chacun présente un parterre et quatre faces de galerie, le cimetière pourra suffire très longtemps aux besoins de la ville, à laquelle on se propose de le joindre prochainement, par une suite d'arcades de même espèce que celles qui bordent, de chaque côté, les plus belles rues de Bologne, et qui y sont d'une grande ressource pour les gens de pied contre le soleil et contre la pluie.

Il n'y a que dix-huit ans que la Chartreuse a été convertie en cimetière, et depuis cette date, on y a déjà conduit cinquante-six mille morts, sans compter le transport des anciens ossements, c'est-à-dire que dans ce petit nombre d'années, les cinq-sixièmes de la ville ont payé ce tribut, car on ne compte à Bologne que soixante-cinq mille habitants. Ce rapprochement a quelque chose d'effrayant dans un climat qui, de l'aveu de tout le monde, n'a aucune mauvaise qualité. Il est donc vrai que les hommes ne naissent que pour courir rapidement vers la mort.

Comme il n'est aucune famille de la ville qui n'ait de ses proches dans l'église, dans les chapelles, caveaux, cloîtres ou parterres de la Chartreuse, il en résulte que la commémoration des morts y est célébrée avec un immense concours de peuple. Dès la veille, des cierges de toute grosseur y sont portés par centaines, et quoique le jour ne fût pas fort avancé, lorsque nous y allâmes, les aumôniers nous dirent qu'il y en avait déjà beaucoup de rendus.

Le cardinal Légat voulant procurer à l'évêque de Québec la connaissance d'un homme extraordinaire, avait pris dans la voiture l'abbé Mezzofante, professeur de langues orientales à l'Université. C'est quelque chose d'étonnant que la facilité avec laquelle cet ecclésiastique, qui paraît être âgé de quarante ans ou environ, se met dans la tête toutes les langues qu'il veut apprendre. Par exemple, il n'a jamais été ni en France, ni en Angleterre. Néanmoins, soit qu'il parle anglais ou français, c'est avec une pureté de langage et une exactitude de prononciation qui ferait croire qu'il a passé la moitié de sa vie dans un de ces royaumes, et la moitié dans l'autre.

Décidé à partir le lendemain, l'évêque de Québec alla, le soir, à travers une forte et grosse pluie, prendre congé du cardinal archevêque, auquel il ne manqua pas, dans leur courte conversation, de faire mention du plaisir avec lequel il avait vu l'abbé Mezzofante. « Il a beaucoup de mérite, répondit Son Éminence ; malheureusement il est le fils d'un menuisier. » L'évêque ne l'en trouvait que plus estimable ; mais la noblesse a une autre manière de voir.

Journal d'un voyage en Europe par Mgr Joseph-Octave Plessis, 1819-1820, Québec, Pruneau & Kirouac, 1903, p. 187-198.

Liste des collaborateurs

NICOLE DESCHAMPS

Nicole Deschamps, professeur au Département d'études françaises de l'Université de Montréal jusqu'en 1997, est micropsychanalyste et spécialiste de l'œuvre de Marcel Proust. Lauréate du Prix de la Province de Québec pour son essai *Sigrid Undset ou la Morale de la passion* en 1966, elle a publié, dans le champ de la littérature québécoise, plusieurs éditions critiques, Élisabeth Bégon, *Lettres au cher fils* (1972), Louis Hémon, *Lettres à sa famille* (1980) et *Maria Chapdelaine* (1988), Alain Grandbois, *Avant le chaos et autres nouvelles* (1993, avec Chantal Bouchard) et *Les voyages de Marco Polo* (2000, avec Stéphane Caillé) ainsi que des essais, parmi lesquels *Livres et pays d'Alain Grandbois* (1995, avec Jean Cléo Godin).

GILLES DUPUIS

Gilles Dupuis est professeur adjoint au Département d'études françaises de l'Université de Montréal. Il occupait auparavant le poste de lecteur d'échange québécois à l'Université de Bologne. Après une formation en littérature comparée, il s'est spécialisé dans le champ de la littérature québécoise contemporaine, s'intéressant particulièrement aux œuvres de Hubert Aquin et de Jacques Poulin. Il travaille actuellement à un projet de recherche visant à mesurer l'impact des écritures migrantes sur la littérature québécoise. Il a publié des articles dans les revues *Carrefour*, *L'Impossible*, *Francofonia*, *Tolomeo* et *Le Trait* dont il est un collaborateur régulier. Il a également fait paraître des textes dans des ouvrages collectifs, dont trois à titre de codirecteur : *L'Instant freudien. Psychanalyse et culture* (Montréal, VLB Éditeur, 1989), *Littérature et cinéma au Québec* (Rome, Bulzoni, 1997) et *Le Québec et la modernité* (*Francofonia*, 37, 1999).

CARLA FRATTA

Carla Fratta est professeur de littératures francophones à la Faculté de langues et littératures étrangères de l'Université de Bologne. Elle a mené ses recherches en particulier dans le domaine du Canada et des Caraïbes francophones, sur lesquels elle a publié *Appunti sulla narrativa del Canada francofono* et *La letteratura caraibica francofona fra immaginario e realtà*, en plus de nombreux articles. Elle est membre de la direction-rédaction de la revue *Francofonia* de l'Université de Bologne, de l'Association Italienne d'études canadiennes, de l'Association Internationale d'études québécoises et responsable, pour Bologne, du Centre Interuniversitaire d'études québécoises (en Italie).

ANNA GIAUFRET-HARVEY

Anna Giaufret-Harvey, cofondatrice et trésorière de l'Association des Jeunes Chercheurs Européens en littérature québécoise, a travaillé sur Hubert Aquin et plus récemment sur Réjean Ducharme. Elle est actuellement professeur de français et d'anglais au secondaire en Italie et s'occupe également de l'emploi d'outils multimédias dans l'enseignement et l'apprentissage des langues étrangères.

PIERRE L'HÉRAULT

Pierre L'Hérault est professeur émérite de l'Université Concordia, directeur du magazine culturel *Spirale* où il est critique de théâtre, et membre du Comité de rédaction de la revue *Études françaises*. Ses recherches portent sur l'hybridité culturelle et littéraire, et sur Jacques Ferron. Il a publié, en collaboration avec Sherry Simon, Alexis Nouss et Robert Schwartzwald, *Fictions de l'identitaire au Québec* (XYZ éditeur, 1991) et contribué à plusieurs collectifs. Il a consacré de nombreuses études à Ferron, dont un essai, *Jacques Ferron, cartographe de l'imaginaire* (Presses de l'Université de Montréal, 1980), un livre d'entretiens, *Par la porte d'en arrière* (Lanctôt Éditeur, 1997), et plusieurs contributions à divers collectifs, dont *L'autre Ferron* (Fides, Nouvelles études québécoises, 1995) et *Jacques Ferron : le palimpseste infini* (Lanctôt Éditeur, 2002). Il est membre du groupe de recherche interuniversitaire *Éditer Jacques Ferron : la suite de l'œuvre* et du groupe *Initiative interuniversitaire de recherche sur les manuscrits et archives littéraires (IRMA)*. Il poursuit une recherche sur « L'intertexte amérindien dans l'œuvre de Ferron ».

HANS-JÜRGEN LÜSEBRINK

Hans-Jürgen Lüsebrink est titulaire de la Chaire d'études culturelles romanes de communication interculturelle à l'Université de Sarrebruck. Ses recherches et ses publications portent sur les littératures francophones d'Afrique, du Québec et des Caraïbes, sur les relations franco-germaniques, l'étude de la civilisation française et sur l'histoire conceptuelle. Lauréat de la bourse John-G.-Diefenbaker en 2001, il travaille actuellement sur les rapports entre les médias et l'expression littéraire au Québec de 1780 à nos jours. Parmi ses plus récentes publications, on lui doit l'édition critique des *Lettres de Berlin et d'autres villes d'Europe* de Edmond de Nevers, Québec, Éditions Nota Bene, 2002.

ROBERT MELANÇON

Robert Melançon est professeur à l'Université de Montréal. Il a publié des travaux sur la littérature de la Renaissance, notamment sur Du Bellay, et sur la poésie québécoise, notamment sur Paul-Marie Lapointe et Saint-Denys Garneau, et sur l'histoire littéraire. Publications récentes : édition critique des écrits sur l'art de Francis Ponge dans le cadre des *Œuvres complètes* (Paris, Gallimard, « Bibliothèque de la Pléiade », 1999 et 2002) et un essai sur la poésie, *Exercices de désoeuvrement* (Montréal, Éditions du Noroît, 2002).

ANNA PAOLA MOSSETTO

Anna Paola Mossetto, professeur titulaire de littérature française et littératures francophones à la Faculté de langues et littératures étrangères de l'Université de Turin, a publié plusieurs essais consacrés à l'évolution des structures romanesques (A. Gide, Nouveau Roman entre autres) et aux poétiques d'avant-garde du XXᵉ siècle dans les lettres françaises ; dans le domaine des littératures francophones ses études portent sur la poésie québécoise du XXᵉ siècle (en particulier l'œuvre de Fernand Ouellette, Gaston Miron, Michel Van Schendel, Paul-Marie Lapointe — dont elle a traduit les poèmes en italien) et sur la prose et les dramaturgies de l'Afrique subsaharienne (en particulier du Sénégal, de la Côte d'Ivoire) et des Antilles. Chevalier de l'Ordre des Palmes Académiques, ancien directeur du CSAE (Centro per lo studio delle letterature e delle culture dei paesi emergenti) du CNR italien, dont elle fait toujours partie, elle dirige depuis 1999 le CISQ (Centro Interuniversitario di Studi Quebecchesi) et depuis 2001 l'ERTEF (Equipe de recherche sur les théâtres extra-européens francophones).

ÉLISABETH NARDOUT-LAFARGE

Élisabeth Nardout-Lafarge est professeur au Département d'études françaises de l'Université de Montréal. Spécialiste de la littérature québécoise contemporaine, elle participe actuellement à la rédaction d'une histoire de la littérature québécoise en collaboration avec Michel Biron et François Dumont, et anime avec Ginette Michaud un projet de recherche sur la notion de modernité. Elle a coordonné deux numéros de la revue *Études françaises* (« Bibliothèques imaginaires du roman québécois » en 1992 et, avec Sherry Simon, « Guerres, textes, mémoire » en 1998, et cosigné, avec Martine Léonard, *Le Texte et le nom* (1996), et avec Robert Melançon et Stéphane Vachon, *Le Portatif d'histoire littéraire* (1998). Elle est aussi l'auteur de divers articles et d'un essai, *Réjean Ducharme, une poétique du débris* (Fides, 2001).

PIERRE RAJOTTE

Pierre Rajotte est professeur titulaire à l'Université de Sherbrooke. Depuis 1993, il dirige des projets de recherche subventionnés sur la sociabilité littéraire et sur la pratique du récit de voyage. Il est l'auteur de deux livres, *Les mots du pouvoir ou le pouvoir des mots* (1991) et *Le récit de voyage. Aux frontières du littéraire* (1997), et de divers articles publiés dans des revues québécoises, canadiennes et européennes. En 2001, est paru sous sa direction l'ouvrage *Lieux et réseaux de sociabilité littéraire au Québec*. Membre du Centre de recherche en littérature québécoise (CRELIQ), il collabore au collectif *La vie littéraire au Québec* publié aux Presses de l'Université Laval.

Bruno Ramirez

Bruno Ramirez est professeur d'histoire des États-Unis au Département d'histoire de l'Université de Montréal. Spécialiste des mouvements migratoires au Canada et dans le monde atlantique, il est l'auteur de plusieurs ouvrages parus au Canada et à l'étranger, parmi lesquels *Les premiers Italiens de Montréal* et *La ruée vers le sud* (Éditions du Boréal) Il a aussi coscénarisé plusieurs longs métrages (réalisés par Paul Tana), qui traitent de l'histoire des Italiens au Québec.

Anne de Vaucher Gravili

Anne de Vaucher Gravili est professeur associé de langue française et de littératures francophones auprès de la Faculté des langues et littératures étrangères de l'Université Ca' Foscari de Venise. D'abord dix-septièmiste, spécialiste de l'histoire tragique en France, elle a publié une édition modernisée des *Histoires tragiques* de François de Rosset (1619), Paris, Livre de poche classique, 1994, rééditée en 2001. À partir de 1985, elle s'intéresse à la francophonie et fonde le secteur de littérature du Québec. Ses domaines de recherche portent sur l'identité, l'espace et l'histoire (Jean Éthier-Blais), puis, ultérieurement, sur l'identité féminine et l'espace urbain : elle a publié *L'écriture féminine au Québec, entretiens avec Marie-Claire Blais, Francine Noël, Yolande Villemaire*, Venise, Supernova, 1995. Elle a dressé un état présent des études canadiennes en Italie dans un volume bibliographique collectif, *Canadian Studies in Italy/Études canadiennes en Italie 1955-1996*, Rome, Semar, 1996. Elle continue à travailler sur Marie-Claire Blais en vue d'un livre, mais aussi sur l'écriture migrante ; elle a organisé, pour le « Centro Interuniversitario di Studi Quebecchesi » dont elle est membre, un congrès sur ce thème en 1999 intitulé *D'autres rêves. Les écritures migrantes au Québec*, Venise, Supernova, 2001. Elle a dirigé et préfacé une traduction en italien du roman d'Abla Farhoud, *Le bonheur a la queue glissante (La felicità scivola tra le dita)* pour les Éditions Sinnos de Rome, 2002.

Table des matières

AGMV Marquis

MEMBRE DE SCABRINI MEDIA

Québec, Canada
2003